조선후기 한문비평

1

농암農巖 김창협金昌協의
〈농암잡지 외편農巖雜識外篇〉

조선후기 한문비평

1

김창협 저

성백효, 성당제, 신상후 역주

한국인문고전연구소

차
례

．
．
．

· 農巖雜誌外篇 ·

간 행 사

권오춘 해동경사연구소 이사장

　해동경사연구소에서는 2011년부터 한국고전번역원의 권역별거점연구소 협동번역사업에 참여하여 성신여자대학교 고전연구소와 함께 도곡(陶谷) 이 의현(李宜顯, 1669~1745)의 《도곡집(陶谷集)》을 완역하였고, 현재는 매산(梅 山) 홍직필(洪直弼, 1776~1852)의 《매산집(梅山集)》과 노주(老洲) 오희상(吳熙常, 1763~1833)의 《노주집(老洲集)》을 번역하여 마무리 단계에 있다. 또한 고전번 역원의 특수고전협동번역사업에 참여하여 김재로(金在魯, 1682~1759)의 《예 기보주(禮記補註)》와 심대윤(沈大允, 1805~1872)의 《시경집전변정(詩經集傳辨 正)》을 완역하였고, 현재는 여헌(旅軒) 장현광(張顯光) 선생의 《성리설(性理說)》 을 번역하고 있다.

　뿐만 아니라 2009년 성백효(成百曉) 소장의 주도하에 《한국 행초서발문 (行草序跋文)》을 탈초·번역해서 간행하였으며, 성백효 소장의 사유를 담은 부안설(附按說) 《논어집주》, 《맹자집주》, 《중용·대학집주》와 학생들을 위한 최신판 《논어집주》, 《맹자집주》, 《중용·대학집주》를 간행하였다. 이외에도 《고문진보 후집(古文眞寶後集)》이 전2권으로 출간예정이다.

　이번에는 《조선후기 한문비평》이란 제목으로, 농암(農巖) 김창협(金昌協 1651~1708)의 〈농암잡지 외편(農巖雜識外篇)〉과 도곡 이의현의 〈운양만록(雲陽 漫錄)〉 및 〈도협총설(陶峽叢說)〉을 현토(懸吐) 역간(譯刊)하게 되었다.

호산(壺山) 박문호(朴文鎬)의 《사서집주상설(四書集註詳說)》 역시 현재 번역
이 진행 중이고, 또한 성백효 선생의 사서(四書) 강의를 동영상으로 만들어
방출할 계획인데, 이러한 사업들이 끝나면 사서에 대한 정리가 마무리되는
셈이다. 이후로는 삼경(三經)에 대한 정리도 착수할 계획이다.

　인문학(人文學)이 고사(枯死) 상태에 빠져있는 지금 정부의 지원 없이 이러
한 사업을 계속한다는 것은 결코 쉬운 일이 아니다. 뒷바라지를 제대로 하지
못하는 이사장으로서 송구함과 함께 감사한 마음 금할 길 없다.

　이번에 출간하는 책은 한문학에 조예가 깊지 않은 분들에게도 우리나라
한문학의 맥을 살필 수 있는 자료가 될 것이라고 기대한다. 본인도 원고 상
태에서 한 번 읽어보고는 큰 흥미를 느꼈다. 물론 사색당파에 대해서는 학
자들마다 시각차가 없는 것은 아니지만 이 또한 조선조의 진면목이요, 문화
의 한 단면인 것이다. 성백효 선생은 《운양만록》 가운데 당쟁에 관한 몇몇
항목을 삭제하려는 생각을 갖고 본인에게 자문을 구하였다. 남인계의 서애
(西厓) 유성룡(柳成龍)과 한강(寒岡) 정구(鄭逑) 두 선생과 소론의 노성 윤씨(魯
城尹氏)에 관한 내용들이었다. 그러나 본인은 반대 의견을 제시하였다. 전편
(全篇)을 수록한다고 하고서 그 중에 몇 조항을 뺀다면 "전서(全書)"로서의 면
모를 갖추지 못하게 되기 때문이었다. 조선조에 사색당파가 엄연히 존재하
였고, 후기에 갈수록 당쟁이 격화되었는바, 그 자체를 있는 그대로 인식하는
것 역시 우리 후학들이 행해야 할 의무인 것이다.

유교(儒敎)는 조선조의 국교(國敎)였고, 선비 정신은 조선조 5백년을 지켜온 숭고한 사상이었다. 오늘날에는 이것을 양반 사회의 문화라 하여 외면하고서, 도리어 정체성 없는 문화와 사고(思考)를 만들어내는 데에 여념이 없다. 그리하여 부정부패와 패륜행위, 비인도적이고 몰염치한 세태가 요원의 불길처럼 만연하는데도 정치인들은 당리당략에만 눈이 어두워 관심이 없다. 본인은 노파심의 기우(杞憂)를 금할 길 없다. 하루 빨리 선비 정신을 되찾아 물질만능주의와 배금사상을 몰아내어 올바른 사회가 이루어지기를 기대하는 마음 간절하다.

경자년 초겨울 구담정사(九潭精舍)에서 쓰다.

이 책에 대하여

성백효 해동경사연구소장

　이 책은 농암(農巖) 김창협(金昌協, 1651~1708)의 《농암집》 권31에 실려 있는 〈농암잡지 외편(農巖雜識外篇)〉과 농암의 제자인 도곡(陶谷) 이의현(李宜顯, 1669~1745)의 《도곡집(陶谷集)》 권27에 실려 있는 〈운양만록(雲陽漫錄)〉 및 권28에 실려 있는 〈도협총설(陶峽叢說)〉에 소제목과 해설을 붙이고 현토하여 역해(譯解)한 것이다.

　농암은 숙종조의 정치가이자 학자로서 경학(經學)과 성리학(性理學)은 물론이요, 문학에도 뛰어난 실력이 있어 비록 행공(行公)은 하지 않았지만 대제학에 뽑힌 인물이다. 도곡 이의현 역시 대제학과 우의정, 영의정을 역임한 인물이다. 비록 걸맞은 이름인지 확신할 수는 없지만, 위의 저서들을 번역·간행하면서 이들을 묶어 "조선후기 한문비평"이란 이름을 붙여보았다.

　〈농암잡지 외편〉은 146개 항목으로 이루어진, 순수한 문학 비평이다. 반면에 〈운양만록〉과 〈도협총설〉은 여러 내용이 잡다하게 수록되어 있어 순수한 문학 비평은 아니다. 하지만 여기에도 문학을 소개하고 비평한 내용이 상당수 실려 있으므로 이 세 편의 글을 한 데 묶을 수 있다고 판단하였다.

　농암의 잡지와 도곡의 만록·총설은 모두 짤막한 글로 이루어져 있는 것이 특징이라 할 수 있다. 〈농암잡지 외편〉은 거의 모든 항목에 집필한 연도가 밝혀져 있다.

　〈운양만록〉은 1722년(경종 2) 신임사화(辛壬士禍)로 도곡이 운산(雲山)으로 귀양을 간 뒤에 적소(謫所)에서 소일하기 위해 지은 것들을 뒤에 정리한 것이며, 〈도협총설〉은 1727년(영조 3) 정미환국(丁未換局)으로 도곡이 벼슬을 내놓고 양주(楊州) 도산(陶山)의 선영 아래에 은거해 있으면서 그동안 보고 들은 내용과 생각나는 것들을 두서없이 써놓은 것이다.

도곡의 〈운양만록〉과 〈도협총설〉은 본인이 약 25년 전부터 한국고전번역원 교육원(당시는 민족문화추진회 국역연수원임)에서 상임연구부 학생들과 강독해온 것인데, 몇 해 전에 해동경사연구소가 권역별거점연구소 협동번역사업에 참여하여 《도곡집》을 완역하면서 번역서로 출간한 바 있다. 〈농암잡지 외편〉 역시 한국고전번역원에서 20여 년간 학생들과 강독하면서 정리하였던 것인데, 해설을 붙이고 현토(懸吐)된 원문과 상세한 주석을 첨가하여 다시 간행하는 것이다.

10여 년 전 강독을 하면서 〈농암잡지 외편〉 98번에 실려 있는 《귀진천집(歸震川集)》 하씨선영비(何氏先塋碑)의 명문(銘文)인 "晉興恩澤, 著自廬江, 文穆贊密. 懿哉孝子, 實維昆季, 皆有名德."을 읽었는데, 한 학생이 이것을 4구(句)와 2구로 끊어 읽는 것이었다. 본인이 예전처럼 3구씩 끊어 읽자, 그 학생은 네 구씩 끊어 읽는 것이 옳지 않으냐고 질문하였다. 그 이유를 물었더니, 이 책 번역본에 그렇게 되어 있다는 것이었다. 그리하여 그 학생으로부터 강명관 교수가 쓴 『농암잡지평석』을 얻어 보게 되었다.

사실 한문책을 번역한 것이 많지만 대부분 수준 미달이어서 본인은 큰 관심을 두지 않았었는데, 이 책은 완전히 달랐다. 그 동안 본인이 계속 강독해오면서 난해하여 미해결 상태로 남겨 두었던 상당 부분을 이 『평석』에서는 출전에서부터 고사까지 비평을 덧붙여 참으로 자세하게 설명해 놓았다. 당시에 이 『평석』은 수십 편의 논문보다 낫다고 생각하였는데, 이 생각은 지금도 변함이 없다. 다만 아쉬운 것은 현토가 되어 있지 않고, - 한문은 현토를 하여야 더 완벽해질 수 있다는 것이 본인의 지론이다. - 간혹 오류가 발견된다는 점이었다. 강 교수가 당시 접했던 《귀진천집》은 불완전한 판본이었던 것으로 추측된다. 왜냐하면 강 교수는 이것을 4구로 끊어 『평석』에 기재하였고, 맨 끝의 "有孝有忠 敬視斯述"이라는 두 구가 빠져 있었다. 강 교수는 아마도 끝의 두 구가 빠져있는 본을 대본으로 삼은 듯하다. – 본인이 소장한 본은 상·하 두 책으로 된 《진천선생집(震川先生集)》이며, 상해출판사에서 출간한 것이고 "중국고전문학총서"라는 제목이 붙어 있다. – 이 외의 몇 곳에도 오류라고 생각되는 부분이 있었다.

본인은 옛날 다산(茶山) 정약용(丁若鏞)의 《여유당전서(與猶堂全書)》를 보다가 "하늘은 총명을 한 사람에게 다 주지는 않는다."는 글을 읽고 사람은 누구나 잘못이 있게 마련이란 생각이 들었다. 그리하여 한 번 번역하기로 결심을 하고 원고를 써 두었지만 8년 전 고전번역원에서 퇴직하고는 까맣게 잊고 있었다. 그러다가 《도곡집》을 번역하면서 〈운양만록〉과 〈도협총설〉을 다시 대하게 되었고, 수정에 수정을 거듭하여 이번에 두 가지를 한 데 묶어 《조선후기 한문비평》으로 제목을 붙여 출간하게 되었다.

〈농암잡지 외편〉은 1권이기에 주석을 많이, 그리고 〈운양만록〉과 〈도협총설〉은 상대적으로 적게 달았으며, 작업 역시 20년 이상의 시간차가 있어 두 책의 내용에 통일성이 없는바, 독자들의 양해를 바란다.

두 책에 소제목과 해설을 써주신 신영주(辛泳周) 교수와 윤문과 교정을 맡아주신 성당제(成瑭濟) 박사, 연석환(延錫煥) 박사, 신상후(申相厚) 박사, 윤은숙(尹銀淑), 박민희(朴民喜) 두 연구원에게도 감사를 드린다.

서기 2020년 경자 11월 열상(洌上)의 관일헌(觀一軒)에서 쓰다

• 일러두기

1. 이 책은 농암(農巖) 김창협(金昌協)의 〈농암잡지 외편(農巖雜識外篇)〉을 역주(譯註)하고 해설(解說)한 것이다.

2. 저본은 한국고전번역원의 《한국문집총간(韓國文集叢刊)》에 실린 《농암집(農巖集)》〔규장각 소장 운각인서체자본(芸閣印書體字本, 청구기호 : 奎4082)〕이다.

3. 원고는 조목 단위로 정리하는 것을 원칙으로 하되, 조목 별로 조목의 제목, 해설, 원문, 번역, 번역에 대한 각주 순으로 정리하였다. 보충 주석이 필요한 경우 해당 조목의 말미에 덧붙였다.

4. 조목의 제목은 저본에는 없는 것을 역자가 해당 원문의 주요 내용을 근거로 지은 것이다.

5. 해설은 원문에 대한 이해를 돕기 위해 역자가 원문의 주요 내용을 한글로 짧게 정리한 것이다.

6. 원문에는 표점을 하지 않고 구(句)나 절(節) 단위로 현토를 하였다. 단, 명사가 병렬된 구절과 인용문 또는 대화문의 경우 확인하기 편하도록 현토를 하되 쉼표〔또는 모점〕와 큰따옴표〔또는 따옴표〕도 사용하였다.

7. 원문에서는 책명이나 작품 제목을 모두 이중꺾쇠《 》로 묶었다.

8. 번역문은 한글 표기를 원칙으로 하되, 이해를 돕기 위해 어려운 한자어의 경우 괄호로 한자를 병기하였다.

9. 각주는 보충 설명이 필요한 번역문에 달았다. 다만 주석 내용이 간단한 경우에는 주석 내용을 해당 번역문에 괄호를 사용하여 넣어주었다.

10. 본서에 사용된 부호는 다음과 같다.

　　《 》: 책명 및 각주의 전거(典據)

　　〈 〉: 책의 편명 및 작품의 제목

　　( ): 한자의 음, 번역문의 한자, 번역문의 간단한 주석

　　〔 〕: 번역문이나 각주의 인용 원문 병기

　　【 】: 원문의 원주(原註)

農巖雜識

外篇

1. 의론이 정대하고 필력이 대단한 한유韓愈의 문장

해설 | 한유의 문장 중에 의논이 정대하고 필력(문장력)이 웅장한 세 편의 작품을 들고 이를 간략히 평한 글이다. 농암이 뽑은 세 작품 가운데 〈원도(原道)〉는 도통(道統)의 근원을 밝히고 이단(異端)을 배척한 것으로, 후세의 학자들이 한유를 높이 평가하는 이유가 바로 이 글 때문이며, 나머지 두 편도 불(佛)·노(老)를 공격한 내용이다. 마지막 작품인 〈문창(文暢)을 전송한 서(序)〉는 옛날 양주(楊朱)·묵적(墨翟)을 배척한 맹자(孟子)의 공로가 우(禹) 임금 아래에 있지 않다고 하여 불교(佛敎)와 노장(老莊) 사상을 배척하는 한유 자신의 입장을 밝힌 글인데, 농암은 맹자를 논한 부분에 대하여 억양이 반복되어 문장의 묘를 다하였다고 높이 평가하였다.

韓文은《原道》外에〈與孟簡書〉及〈文暢序〉가 論議正大하고 筆力宏肆하여 不減孟子文章이라〈孟簡書〉尤好하여 其論孟子處는 抑揚反復하여 極好看이라【戊午所錄이라】

한공(韓公)[1]의 문장은 〈원도(原道)〉외에 〈맹간(孟簡)에게 준 편지〉와 〈문

••••••
1 　한공(韓公) : 768~824. 당(唐)나라의 대문장가인 한유(韓愈)로 자는 퇴지(退之)

창(文暢)을 전송한 서(序)〉가 의론이 정대(正大)하고 필력이 굉대(宏大)[2]하여 맹자의 문장에 뒤지지 않는다. 〈맹간에게 준 편지〉는 더욱 아름다우니, 그 중에 맹자(孟子)를 논한 부분은 억양이 반복되어[3] 지극히 보기 좋다.

- 무오년(1678, 숙종 4)에 기록한 것이다. -

●●●●●●

이고 창려백(昌黎伯)에 봉해져 한창려(韓昌黎)로 불렸으며 시호는 문공(文公)이다. 당송팔대가(唐宋八大家)의 한 사람으로, 처음으로 사륙변려문(四六駢儷文)을 비판하고 고문부흥운동을 주창하였으며 《창려선생집(昌黎先生集)》 등 많은 저작을 남겼다.

2 원도(原道)……굉대(宏大)하여 : 〈원도〉는 도의 근원을 밝힌다는 뜻으로 요(堯)·순(舜)·우(禹)·탕(湯)·문(文)·무(武)·주공(周公)·공자(孔子)의 도통(道統)을 밝히고 불(佛)·노(老)를 배척한 내용인바, 역대 유자(儒者)들이 한유를 최고의 학자로 높이는 이유 역시 이 글에 있다 할 것이다. 주자(朱子)는 《맹자집주(孟子集註)》 〈서설(序說)〉에서 한유를 한자(韓子)라고 칭하고 그의 "요는 이것(道)을 순에게 물려주시고 순은 이것을 우에게 물려주시고 우는 이것을 탕에게 물려주시고 탕은 이것을 문왕과 무왕·주공에게 물려주시고 문왕과 무왕·주공은 이것을 공자에게 물려주시고 공자는 이것을 맹가(孟軻)에게 물려주셨는데, 맹가가 별세함에 그 물려줌을 잃었다. 순경(荀卿)과 양웅(揚雄)은 선택하였으나 정밀하지 못하고 말을 하였으나 자세하지 못하다.〔堯以是傳之舜 舜以是傳之禹 禹以是傳之湯 湯以是傳之文武周公 文武周公傳之孔子 孔子傳之孟軻 軻之死 不得其傳焉 荀與揚也 擇焉而不精 語焉而不詳〕"라는 말을 적고, 뒤이어 정자(程子)의 "한자의 이 말은 예전 사람의 말을 답습한 것이 아니요, 공허한 말을 만들어 낸 것이 아니니, 반드시 본 바가 있을 것이다. 만일 본 바가 없다면 '물려주었다'라고 말씀한 것이 무슨 일인지 알지 못했을 것이다.〔韓子此語 非是蹈襲前人 又非鑿空撰得出 必有所見 若無所見 不知言所傳者 何事〕"라는 말씀을 부기(附記)하였다. 여기에서 정자와 주자가 '한자'라고 존칭한 것만 보아도 한유의 위치를 짐작할 수 있을 것이다. 위 세 편의 글은 대체로 불교와 도교를 비판한 내용이므로 의론이 정대하다고 평하였는바, 세 편 모두 《고문진보(古文眞寶)》 후집(後集)에도 실려 있다.

3 맹자(孟子)를……반복되어 : '억(抑)'은 억누르는 것으로 인물이나 문장 등을 비하함을 이르고, '양(揚)'은 드날리는 것으로 인물이나 문장을 칭찬하거나 찬양함을 이른다. 맨 먼저 맹자를 칭찬한 양웅(揚雄)의 말을 인용하고 뒤이어 억양을 차례로 가하였으며 끝내는 맹자의 공이 우(禹) 임금 아래에 있지 않다는 말로 결론하였다. 이 내용 역시 《맹자집주》 〈서설(序說)〉에 실려 있다.

2. 유가儒家와 불가佛家의 마음에 관한 인식

해설 | 꿈에 노승을 만나 희로애락(喜怒哀樂)의 감정에 대해 나눈 이야기를 소개한 글이다. 유교와 불교는 관점이 각기 다르므로 쉽게 합치될 수 없는 문제점이 있다.

夜夢游一寺院이라가 遇老僧名辨師者하여 與談儒釋之辨할새 余舉喜怒哀樂云云한대 僧曰 "此乃根塵妄想也"니이다 余曰 "然則心是何物"고 僧曰 "眞如體也"니이다 余曰 "喜怒哀樂은 是心之用이니 卽用卽體이니 是獨非眞如乎"아【以下는 己未所錄이라】

내가 지난 밤 꿈 속에서 어느 절에 놀러 갔다가 변사(辨師)라는 이름의 노승(老僧)을 만나 유가와 불가의 차이를 논하였는데, 내가 희로애락(喜怒哀樂)을 거론하여 이리이리 말하자, 노승이 말하기를 "그것은 바로 육근(六根)⁴과 육진(六塵)⁵에서 나오는 망상(妄想)입니다." 하였다. 내가 "그렇다

· · · · · ·

4   육근(六根) : 육식(六識)을 낳는 눈, 귀, 코, 혀, 몸, 뜻의 여섯 가지 근원을 말한다.
5   육진(六塵) : 육경(六境)과 같은 말로, 육식(六識)으로 깨닫는 색(色), 성(聲), 향(香), 미(味), 촉(觸), 법(法)을 통틀어 이르는 말이다.

면 마음은 어떤 물건인가?"라고 묻자, 노승은 "진여(眞如)[6]의 체(體)입니다."
라고 대답하였다. 이에 내가 말하기를 "희로애락은 마음의 용(用, 작용)이
니, 용이 곧 체(體, 본체)인데 용만 유독 진여가 아니라는 말인가?" 하였다.

– 이하는 기미년(1679, 숙종 5)에 기록한 것이다. –

• • • • • •
6   진여(眞如) : 불가의 용어로 사물의 있는 그대로의 모습이라는 뜻인데, 우주 만
     물의 본체인 평등하고 차별이 없는 절대의 진리를 이른다.

3. 낭유령狼踰嶺 산수의
   아름다움

해설 | 낭유령을 지나가며 보았던 산수의 아름다움을 말하고, 이처럼 경치가
좋은 곳이 수없이 많을 터인데 사람들이 알지 못하고 또 찾아가는 이가 없음
을 개탄하였다. 그런 다음, 인간 세상의 부귀영화에는 관심이 없고 세상 밖의
청산(靑山)과 녹수(綠水)는 꿈 속에서도 잊지 못한다는 최치원(崔致遠)의 글을
되뇌었다.

自永平鷹巖으로 向鐵原豐田驛할새 過狼踰嶺하니 嶺底水石頗佳라 駐馬
少坐하니 激湍澄潭과 蒼崖老樹가 極有泓崢幽敻之趣하여 令人忘起라
仍念深山絕谷中에 其奇勝處不止此比로되 而人自不識하고 又不能往하
니 可慨也라 崔孤雲云 人間之要路通津엔 眼無開處하고 物外之靑山綠
水엔 夢有歸時라하니 三復此語하고 爲之悵然이로라

영평(永平)의 응암(鷹巖)에서 철원(鐵原)의 풍전역(豐田驛)으로 향하는 길
에7 낭유령(狼踰嶺)을 지나가는데, 고개 아래에 수석(水石)이 매우 아름다

• • • • • •
7   영평(永平)의……길에 : 농암이 철원의 풍전역으로 간 것은 강명관 교수의 고증
    에 의하면 아버지 김수항(金壽恒) 때문이었다. 김수항은 1675년(숙종 1) 당시 정

왔다. 말[馬]을 멈추고 잠깐 앉아서 보니, 세차게 흐르는 여울물과 맑은 못, 푸른 벼랑과 늙은 나무가 어우러져 그윽하고 빼어난 경치가 매우 아름다워 나로 하여금 일어날 생각을 잊게 하였다. 이에 생각해보니, 깊은 산 깊은 계곡 속에 있는 기이한 절경이 이런 곳 외에도 더 있을 것인데 사람들이 스스로 알지 못하고 또 찾아가지 못하니 개탄할 만하다.

최고운(崔孤雲)이 말하기를 "인간의 요로(要路)와 통진(通津)8은 눈에 뜨이지 않고 세상 밖의 청산과 녹수에는 꿈에서도 돌아갈 때가 있다.〔人間之要路通津 眼無開處 物外之青山綠水 夢有歸時〕"라고 하였으니,9 이 말을 세 번 반복하고 서글퍼하노라.

<hr />

••••••

권을 잡고 있던 윤휴(尹鑴)가 올린 "대비(大妃, 명성왕후(明聖王后))가 정치에 관여하지 못하도록 하라."는 내용의 상소를 비판했다가 남인들의 탄핵을 받아 전라도 영암(靈巖)으로 귀양 가고 다음해인 4월 철원으로 이배(移配)되었다. 이때 농암은 경기도 용인에서 부친을 맞이하여 철원까지 따라갔는바, 위의 글은 이 일을 바탕으로 쓰인 것이라 한다.

8 인간의 요로(要路)와 통진(通津) : 요로와 통진은 사람이 다니는 중요한 길목과 배가 드나드는 나루를 이르는 말로, 중요한 지위나 권력자 등을 이른다.

9 최고운(崔孤雲)이……하였으니 : 고운은 신라 말기의 학자이자 문장가인 최치원 (崔致遠, 857~?)의 자로, 또 다른 자는 해운(海雲)이다. 본관은 경주(慶州)로 사량부(沙梁部) 출신 견일(肩逸)의 아들이다. 868년(경문왕 8) 12세로 당나라에 유학하여 18세의 나이로 빈공과(賓貢科)에 장원급제한 뒤, 고변(高駢)의 종사관이 되어 881년에 〈격황소문(檄黃巢文)〉을 지어 세상에 널리 알려졌다. 885년 신라로 돌아와 출사하여 벼슬이 아찬(阿飡)에 이르렀고 말년에는 가족을 이끌고 가야산 해인사에 들어가 동모형(同母兄)인 승려 현준(賢俊)과 함께 지냈는데, 그 뒤의 행적은 알려지지 않고 있다. 죽은 뒤 문묘(文廟)에 종사(從祀)되고 문창후(文昌侯)에 추봉되었다. 이 글은 《계원필경(桂苑筆耕)》 권 17의 〈재헌계(再獻啓)〉에 보이는 바, 《계원필경》의 표전(表箋)에도 실려 있다.

4. 산수의 유람을 매우 좋아하는 것에 대한 경계

해설 | 농암은 금강산을 유람하고 돌아온 뒤로 꿈 속에서 비로봉과 만폭동 사이를 자주 유람하고 또 아름다운 산수를 유람하는 꿈을 꾸었는데, 이에 대하여 주자(朱子)의 말씀을 빌려 '이 역시 마음이 한쪽에 치우쳐 있기 때문이니 비록 부귀영화를 꿈꾸는 것과는 다르지만 이 역시 경계해야 할 대상'이라고 논하였다.

余夜夢游山水極多하니 自游金剛還으로 八九年間에 夢踏毗盧萬瀑之間者를 不可記라 往往遇奇異光景하여 殆不能名言하니 此豈亦好之篤故耶아 昔朱子自言 "連夜夢中解書"하고 以爲"雖事之善者라도 亦不合形於夢"이라하시니 夢山水雖異於夢榮利나 其爲偏係之發은 一也니 此宜自警이라 聊書此以觀之하노라

나는 꿈 속에서 산수를 노닐 때가 매우 많다. 금강산을 유람하고 돌아온 뒤[10]로부터 8, 9년 동안 꿈 속에 비로봉(毗盧峰)과 만폭동(萬瀑洞) 사이

••••••

10 금강산을⋯⋯뒤 : 농암이 금강산을 유람한 것은 21세 되던 신해년(1671) 8월이었다. 《연보》에 의하면 "8월에 풍악(楓嶽)을 유람하였는데 삼일포(三日浦)의 총석정(叢石亭)을 거쳐 승경(勝景)을 관람하였다."고 한다. 농암은 한 달 동안 유람을 마친 뒤에 〈동유기(東遊記)〉와 〈동정부(東征賦)〉를 지어 장문의 유기(遊記)를

를 밟은 것을 이루 다 기록할 수 없다. 그리고 왕왕 만났던 기이한 광경을 거의 글로 형용할 수가 없었으니, 이 또한 어찌 매우 좋아하기 때문이 아니겠는가.

옛날에 주자(朱子)가 스스로 말씀하기를 "며칠 밤을 연이어 꿈 속에서 글을 해석한다."라고 하고는 말씀하기를 "이것은 비록 좋은 일이지만 또한 꿈 속에 나타나는 것은 좋지 못하다."라고 하였다.[11] 산수를 꿈꾸는 것은 비록 영화와 명리(名利)를 꿈꾸는 것과는 다르나 그 한쪽으로 치우쳐 나타나는 것은 똑같으니, 이는 마땅히 스스로 경계하여야 한다. 이에 애오라지 이것을 써서 살펴보노라.

• • • • • •

남겼다. 강명관 교수에 의하면 이 작품은 조선후기에 유기문학이 발달하는 촉매제가 되었다. 농암의 집안은 만력 연간(1573~1620)에 중국에서 출판된 《명산승개기(名山勝槪記)》와 같은 유기집을 수입해서 소장하였는데, 농암과 그 아우인 삼연(三淵) 김창흡(金昌翕)은 이것을 읽고 유기의 예술적 성취를 높이 평가하였다. 17세기 이후 조선에서도 유기를 쓰는 풍조가 유행하였던 바, 농암과 삼연의 유기는 조선후기 유기를 창작하는 풍조의 단초를 열었는데, 가장 널리 유행한 작품은 금강산 유람이라고 한다. 또한 겸재(謙齋) 정선(鄭敾)은 금강산을 많이 그린 것으로 유명한데, 정선을 도화서(圖畵署)에 취직시킨 것이 농암이었으므로 정선이 금강산 그림을 많이 남긴 것은 농암과 밀접한 관계가 있을 것으로 추측하였다. 도곡(陶谷) 이의현(李宜顯)의 금강산 유기도 이 영향을 받은 것으로 생각된다.

11 주자(朱子)가……하였다 : 이 내용은 《주자어류(朱子語類)》 권 114 〈주자(朱子)훈문인(訓門人)〉에 보인다.

5. 척이함비戚易咸備라는
문자의 모순

해설 | 후인들이 비지(碑誌) 문자를 지으면서 고전을 잘못 인용한 사례로,《논어》의 공자 말씀에서 파생된 '척이함비'란 말의 잘못을 지적한 글이다. 부모의 상을 당했을 때 '이(易)'는 형식적인 예절만 잘 다스리고 슬퍼하는 정성이 없는 것이고, '척(戚)'은 슬퍼하기만 하고 형식적인 예절이 부족한 것이다. 그리하여 공자는 "상은 형식적으로 예법이 잘 다스려지기보다는 차라리 슬퍼하는 것이 낫다.(喪 與其易也 寧戚)"라고 하신 것인데, 두 가지가 모두 구비되었다고 한다면 말이 되지 않는다고 비판하였다. 농암은 뒤이어 이러한 오류는 명나라 문인들에게서 시작된 듯하다고 추측하였다.

孔子曰 "喪은 與其易也론 寧戚"이라하시니 後人作碑誌文字하여 言人善居喪에 類多云戚易咸備라하니 其意蓋曰 禮文與哀痛俱備也라 然이나 聖人之意는 正以易爲病하여 而寧有取於戚이라 故로 朱子訓之曰 "易는 治也니 節文習熟而無哀痛慘怛之實也요 戚은 則一於哀而文不足耳"라 하시니 此二者正自相反이니 豈容兩兼耶아 且如夫子云 "與其奢也론 寧儉"이라하시니 今若曰 '奢儉俱備'라하면 則成何義理文字耶아 然이나 先輩文字中에 用此語甚多하니 恐一時偶然失誤어늘 而承襲用之하고 不復深察也라 又意此語之誤는 恐始於明人하니 歐, 王碑誌中엔 無此語라【以下는 辛未壬申間所錄이라】

공자(孔子)가 말씀하시기를 "상은 형식적으로 예법이 잘 다스려지기보다는 차라리 슬퍼하는 것이 낫다.[喪 與其易也 寧戚]"라고 하셨다.[12] 후세 사람들이 비문(碑文)을 지으면서 거상(居喪)을 잘한 사람을 말할 적에 대체로 '척이함비(戚易咸備, 슬퍼함과 예법이 모두 구비하였다)'라고 하는데, 이는 예법과 애통함이 모두 갖추어졌다는 말일 것이다.

그러나 성인(공자)의 뜻은 바로 형식적인 예법을 잘 차리는 것을 병통으로 여겨 차라리 슬퍼하는 것을 취하신 것이다. 그러므로 주자가 집주(集註)에서 풀이하기를 "이(易)는 다스린다는 뜻이니 절문(節文, 예법)에는 익숙하나 애통해하고 비통해하는 실제가 없는 것이고, 척(戚)은 오로지 슬퍼하기만 하여 절문이 부족한 것이다." 하였으니, 이 두 가지는 정반대이다. 어찌 두 가지를 겸비할 수 있겠는가.

예컨대 부자(夫子, 공자)께서 "사치하기보다는 차라리 검소한 것이 낫다."라고 하셨는데, 지금 만약 '사치와 검소를 모두 구비하였다.'라고 한다면 무슨 의리의 문자가 되겠는가? 그런데도 선배들의 문자 중에는 이 말을 매우 많이 사용하였으니, 이는 한때 우연히 잘못한 것인데 잘못한 것을 계속 인습하고 다시는 깊이 살피지 않은 듯하다. 또 생각하건대 이 말의 잘못은 명(明)나라 사람들에게서 시작된 듯하니, 구양공(歐陽公)[13]과 왕

......

12 공자(孔子)가……하셨다 : 이 내용은 임방(林放)이라는 제자가 예(禮)의 근본을 문자 답하신 것으로 《논어》〈팔일(八佾)〉에 "예는 사치하기보다는 차라리 검소하여야 하고 상(喪)은 형식적으로 잘 다스리려고 하기보다는 차라리 슬퍼하여야 한다.[禮與其奢也 寧儉 喪與其易也 寧戚]"라고 보인다.

13 구양공(歐陽公) : 북송(北宋)의 정치가이자 문장가인 구양수(歐陽脩, 1007~1072)로 자는 영숙(永叔), 자호는 취옹(醉翁), 육일거사(六一居士)이다. 당송팔대가(唐宋八大家)의 한 사람으로 꼽는다. 벼슬은 한림학사(翰林學士)와 참지정사(參知政事) 등을 역임하였으며 희녕(熙寧) 연간에 왕안석(王安石)의 신법(新法)에 반대하여 태자소사(太子少師)로 치사(致仕)하였다. 저서로 《문충집(文忠集)》 등이 있으며 시호는 문충이다.

안석(王安石)[14]의 비지(碑誌) 가운데에는 이러한 말이 없다. — 이하는 신미년 (1691, 숙종 17), 임신년(1692) 연간에 기록한 것이다. —

••••••

14 왕안석(王安石) : 1021~1086. 북송(北宋)의 정치가이자 문장가로 자는 개보(介 甫)이고 호는 반산(半山)이다. 인종 경력(慶曆) 2년(1042) 진사시에 급제하고, 재 상에 올랐다. 신종(神宗)의 지지 아래 신법(新法)에 의한 정치개혁을 도모하였다 가 실패하고 벼슬에서 물러났다. 문장에 뛰어나 당송팔대가 중 한 사람으로 꼽 히는데, 그의 시는 맑고 전아하며 산문은 웅건하고 간결하다는 명성이 있었다.

6. 비지문 안에서 잘못 쓰이는 문자, 역책易簀

해설 | 이 역시 비지문에서 고사를 잘못 답습하는 병통에 대한 비판이다. 《예기(禮記)》〈단궁(檀弓)〉에 보이는 '역책'은 증자가 임종하실 때에 계손씨가 준 대자리를 신분에 맞지 않는다고 하여 다른 것으로 바꾸라고 사용한 말이므로 임종을 나타내는 일반적인 말로 써서는 안 된다는 것이다. 농암은 특히 비지문에 망자(亡者)의 이력과 생졸년을 쓸 적에는 오직 사실에 입각하여 곧바로 쓸 것이요, 옛 말과 고사를 함부로 써서는 안됨을 당부하고 있다. 그러나 사람의 습관은 쉽게 고쳐지지 않는가 보다. 앞에서 지적한 '척이함비(戚易咸備)'와 이 '역책'은 노론 측의 문인들까지도 후대에 비지문에서 계속 사용하였다.

又碑誌文에 襲謬可笑者는 無如'易簀'二字라 夫易簀은 固聖賢正終之事나 然曾子之簀은 乃季孫之賜니 非禮之物이라 故로 易之하니 所以爲正終也라 夫人이 安得皆有季孫之簀하여 而必於將死焉易之耶아 文章家用事 固多此類나 而至於碑誌文하여는 其體本自謹嚴이라 凡敍履歷生卒에 惟當據實直書요 不必引用古語며 雖或用事라도 亦須詳審的當이라 且如啓體, 易簀은 皆曾子事나 然啓體는 人皆可用이로되 而易簀則非人人所可用이라 朱子祭延平文에 雖有擧扶語나 而亦與直說易簀者有間이라 且祭文은 異於碑誌하니 不可援例也라

또 비지(碑誌)의 문자 중에 잘못 쓰여 가소로운 것은 역책(易簀)[15]보다 더한 것이 없다. 역책은 본디 성현이 바르게 생을 마치신 일이다. 그러나 증자(曾子)의 대자리는 바로 계손씨(季孫氏)가 준 것이므로 예(禮)에 맞는 물건이 아니다. 그러므로 이것을 바꾸신 것이니, 바르게 생을 마침이 되는 것이다. 일반 사람들이 어찌 모두 계손씨의 대자리가 있어서 반드시 죽으려 할 때에 이것을 바꿀 수 있단 말인가.

문장가들이 고사(故事)를 사용할 때 이와 비슷한 종류가 많다. 그러나 비지 문자의 경우 문체가 본래 근엄하니, 무릇 이력(履歷)과 생졸(生卒)을 서술할 적에는 오직 사실에 근거하여 바르게 써야 하고 굳이 옛 말을 인용할 필요가 없으며, 비록 혹 고사를 사용하더라도 또한 모름지기 자세히 살펴 확실하게 사용하여야 한다. 예컨대 계체(啓體)[16]와 역책은 모두 증자의 고사이다. 그러나 계체는 사람마다 모두 쓸 수 있지만 역책은 누구나 다 쓸 수 있는 것이 아니다. 주자(朱子)가 지은 연평(延平) 이동(李侗)의

・・・・・・

15 역책(易簀) : 깔고 누워 있던 대자리를 바꾼다는 뜻으로, 어진 이의 임종(臨終)을 일컫는 말이다. 증자(曾子)가 임종할 때 일찍이 계손씨(季孫氏)에게 받은 대자리에 누워 있었는데 자신은 대부가 아니기 때문에 이를 깔 수 없다 하고 다른 자리로 바꾸게 한 다음 운명한 고사에서 유래하였다. 《禮記 檀弓上》

16 계체(啓體) : 이불을 헤쳐 몸을 보여준다는 뜻으로, 《논어》〈태백(泰伯)〉에 "증자가 병환이 위독하시자 문하의 제자들을 불러 말씀하셨다. '이불을 헤쳐 나의 발을 보고 나의 손을 보라.〈손과 발에 상처가 있는가 보라.〉《시경》에 「두려워하고 조심해서 깊은 못에 임한 듯이 하며 살얼음을 밟는 듯이 한다.」 하였으니, 나는 지금 죽음에 임하여 몸을 조심하는 근심을 면할 줄을 알겠구나, 얘들아.[啓予足 啓予手 詩云 戰戰兢兢 如臨深淵 如履薄冰 而今而後 吾知免夫 小子]'"라고 하고, 《예기》〈제의(祭義)〉에 "부모가 온전하게 낳아 주셨으니, 자식이 온전하게 보존하여 돌아가야 효도라 이를 수 있다. 육체를 손상하지 않고 몸을 욕되게 하지 않아야 몸을 온전히 보존하였다고 이를 수 있다.[父母全而生之 子全而歸之 可謂孝矣 不虧其體 不辱其身 可謂全矣]"라고 한 데서 나온 말이다.

제문에 비록 '들어 부축했다〔舉扶〕'는 말씀이 있으나[17] 또한 곧바로 역책
이라고 말한 것과는 차이가 있다. 그리고 제문은 비지와 다르니, 이것을
준례로 삼아 원용해서는 안 된다.

• • • • • •

17   주자(朱子)가⋯⋯있으나 : 이동(李侗, 1093~1163)은 북송 말과 남송 초의 도
     학자로, 연평은 호이고 자는 원중(愿中)이며 시호는 문정(文靖)이다. 주자의 스승
     으로 벼슬에 나아가지 않고 나종언(羅從彦)에게 배운 정자(程子)의 이학(理學)
     을 오로지 연구하고 이를 주자에게 전수하였다. 제문의 정식 명칭은 〈제연평이선
     생문(祭延平李先生文)〉으로《주자대전》권 87에 실려 있는데, 이 제문의 끝에 "병
     환이 드셨을 때에는 들어 부축하지도 못하였고 별세하셨을 때에는 반함(飯含)을
     하지도 못하였다.〔病不舉扶 歿不飯含〕"라고 보인다. 연평은 1163년 10월에 별세
     하였는데, 주자는 효종(孝宗)의 부름을 받고 임안(臨安)에 있다가 다음해 정월에
     야 비로소 조상(弔喪)하였으므로 이렇게 말씀한 것이다.

7. 반고班固와 사마천司馬遷의 자구字句를 모방한 왕세정王世貞

해설 | 명나라 의고문파(擬古文派)인 왕세정에 대한 비판이다. 왕세정이 비지(碑誌)의 서사(敍事)에 사마천과 반고의 문장을 모방하고 이를 최고의 경지라고 자부하였으나, 사실은 송나라의 구양수와 왕안석에게 크게 미치지 못함을 지적하였다. 왕세정은 강령을 제시하고 사건을 종합하여 대소에 따라 착종(錯綜)하는 옛사람의 절묘함을 알지 못하고, 단지 자구(字句)를 표절하고 모방하려 하였기 때문에 그의 비지문은 일을 서술할 적에 일의 대소와 경중을 따지지 않고 쓸데없이 장황하고 번거롭게 나열한 병폐가 있다고 비판하였다.

농암은 이 뒤에서도 의고문파에 대해 여러 번 비판하였는데, 이는 명나라 문장에 대해 기본적인 지식이 있어야 이해할 수 있다. 이해를 돕기 위해 도곡 이의현의 〈운양만록(雲陽漫錄)〉39번과 강명관 교수의 글을 각주에 차례로 소개하는 바이다.

王弇州自謂學班, 馬라하여 其爲碑誌敍事에 極力摸畵하여 若將以追踵古人이로되 而其實은 遠不及宋之歐, 王이라 今讀歐公諸碑誌하면 其提挈綱領하고 錯綜關節에 種種有法하여 簡而能該하고 詳而不繁하여 意度閒暇而情事曲盡이요 風神生色處는 又往往如畵하니 茅鹿門以爲得太史公之髓者 此也라 弇州는 不知古人提挈錯綜之妙하고 而只欲以句字步趣摸擬라 故로 其爲碑誌敍事에 不問巨細輕重하고 悉書具載하여 煩冗

猥瑣하여 動盈篇牘이로되 綱領眼目을 未能挈出點注하여 首尾本末에 全無伸縮變化하고 其所自以爲風神(景)[生]色者는 不過用馬字班句하여 緣飾傅會耳니 此何足與議於古人之妙哉아

엄주(弇州) 왕세정(王世貞)[18]은 반고(班固)[19]와 사마천(司馬遷)[20]의 문장을 배웠다고 스스로 말하였으며, 비지(碑誌)에서 일을 서술할 적에 그들의 문장을 극력 모방하여 마치 장차 고인의 발걸음을 뒤따를 것처럼 하였으나 실제로는 송(宋)나라의 구양공(歐陽公)과 왕안석(王安石)에게 크게 미치지 못한다. 이제 구양공의 여러 비지문(碑誌文)을 읽어보면 그 강령(綱領)을 제시하고 작은 절목(節目)을 착종(錯綜)[21]할 적에 종종 법도가 있어서 간략하면서도 해박하고 자세하면서도 번잡하지 아니하여, 의도(意度)가 한가로

• • • • • •

18 엄주(弇州) 왕세정(王世貞) : 1526~1590. 명(明)나라 문신이자 문장가로 엄주는 호이고 자는 원미(元美)이며, 강소성(江蘇省) 태창(太倉) 사람이다. 젊을 때부터 문명이 높아 후칠자(後七子)의 한 사람으로 꼽혔고, 학식은 그 중에서도 제일이라는 평을 받아 이반룡(李攀龍)과 함께 이왕(李王)으로 병칭되었으며 이반룡 사후(死後) 고문사파(古文辭派)를 이끌고 문단을 주도하였다.

19 반고(班固) : 32~92. 후한(後漢)의 문신이자 역사가로 자는 맹견(孟堅)이다. 부친인 반표(班彪)의 유지를 받들어 부친의 저서인 《사기후전(史記後傳)》을 기초로 평생에 걸쳐 《한서(漢書)》를 편찬하였으며, 장제(章帝) 건초(建初) 4년(79)에 여러 학자들이 백호관(白虎觀)에 모여 오경(五經)을 논한 내용을 기록한 《백호통(白虎通)》을 지었다.

20 사마천(司馬遷) : 전한(前漢)의 역사가로 자는 자장(子長)이다. 흉노(匈奴)에게 항복한 이릉(李陵)을 옹호하는 글을 지어 궁형(宮刑)을 당하였지만, 이를 극복하고 부친인 사마담(司馬談)의 유지를 받들어 젊은 시절 천하를 주유했던 경험과 태사령(太史令)의 신분으로 황실 도서관에서 수집한 자료를 바탕으로 《사기(史記)》를 편찬하였다.

21 착종(錯綜) : 글을 이리저리 뒤섞어 연대의 선후 등을 따지지 않고 크고 중요한 사건과 행적들을 종합하여 조리 있게 정리함을 이른다.

우면서도 사정이 곡진하고, 풍신(風神)[22]이 생겨나는 곳은 또한 왕왕 그림으로 그려낸 듯하니, 모녹문(茅鹿門)이 "태사공(太史公, 사마천)의 골수(骨髓)를 얻었다."라고 칭찬한 것[23]은 이 때문이다.

••••••

22 풍신(風神) : 문채와 신운(神韻)을 이른다.

23 모녹문(茅鹿門)이……것 : 녹문은 모곤(茅坤, 1512~1601)의 호이다. 이 내용은 모곤의 《당송팔대가문초(唐宋八大家文鈔)》에서 구양수의 〈자정전학사 호부시랑 문정범공 신도비명(資政殿學士戶部侍郎文正范公神道碑銘)〉을 비평한 내용이다. 비평문을 소개하면 다음과 같다. "구양공의 문정공비는 겨우 1천4백 자이지만 범공의 평생이 이미 다 드러났다. 소장공(蘇長公)의 〈사마온공행장(司馬溫公行狀)〉은 거의 만 자 이상이지만 그래도 미진한 뜻이 있는 듯하다. 구양공은 사마천의 골수를 얻었기 때문에 서사(敍事)하는 부분에서 재절(裁節)함에 법도가 있어 자연 번거롭지 않으면서도 체재가 이미 완전하였던 것이다. 소장공은 장점이 책(策)과 논(論), 종횡가(縱橫家)에 있고 사가(史家)의 학문에는 혹 부족한 듯하다. 이는 두 분이 서로 장점과 단점이 있는 것으로, 알지 않으면 안된다.[歐陽公碑文正公 僅千四百言 而公之生平已盡 蘇長公狀司馬溫公 幾萬言而上 似猶有餘旨 蓋歐得史遷之髓 故于敍事處 裁節有法 自不繁而體己完 蘇則所長在策論縱橫 于史家學或短 此兩公互有短長 不可知]"라고 하였다. 문정공은 범중엄(范仲淹)의 시호이며, 소장공은 동파(東坡) 소식(蘇軾)의 별칭이다. 소식은 소순(蘇洵)의 장자(長子)인데다가 그 문장이 백대(百代)에 으뜸이어서 당시 사람들이 존경의 의미로 장공(長公)이라 칭한 것이다.
명나라 문장가의 흐름에 대해 농암의 제자인 도곡 이의현은 〈운양만록(雲陽漫錄)〉에서 다음과 같이 밝히고 있다.
"성인(聖人)의 도(道)는 육경(六經)에 자세히 나와 있으니, 진실로 배우는 자들이 함께 마음에 새겨야 할 것이요, 비록 지엽적인 사장학(詞章學, 문장학)을 하고자 하더라도 이것을 버리고 또한 달리 구할 것이 없다. 문장을 지으면서 조리가 없으면 문장이라고 이를 수 없으니, 문장과 논리가 모두 구비되기를 바란다면 성인의 경전을 버리고 어디로 가겠는가. 이 때문에 위로는 양한(兩漢)의 여러 문장가들로부터 당송팔대가(唐宋八大家)에 이르기까지 모두 경학(經學)에 근본하여 글을 지은 것이다.
명(明)나라의 왕세정(王世貞)과 이반룡(李攀龍) 등 여러 사람들은 오로지 선진(先秦)의 제자(諸子)를 배워서 마음으로는 한유(韓愈)·구양수(歐陽脩)를 뛰어넘어 좌구명(左丘明)·사마천(司馬遷)과 함께 어깨를 나란히 하고자 하였으나, 그 글이 경전에 근본하지 않았기 때문에 말이 순수하지 못하고 조리도 빈약하여 증공(曾鞏)과 왕안석(王安石)에 비하여도 오히려 미치지 못하는데 하물며 좌구명과 사마천에 있어서이겠는가."

또 다음과 같이 논하였다.

"명나라가 일어나자 송잠계(宋潛溪)·방손지(方遜志) 등 여러 분들이 경학을 가지고 문장을 지으니, 그 글이 비록 각기 장점과 단점이 있으나 그래도 선진(先秦)의 전형을 볼 수 있고 방손지는 더더욱 해박하고 순정(醇正)하였다.

이공동(李空同, 이몽양)에 이르러 처음으로 선진의 제자를 표준으로 삼아서 이를 모방하는데 온 마음을 다 쏟았으니, 그 재주와 힘이 진실로 웅건하였으나 성취한 바는 자못 순아(馴雅)하지 못하였다. 그러다가 왕엄주(王弇州, 왕세정)·이창명(李滄溟, 이반룡)·왕태함(汪太函) 등이 융경(隆慶)과 만력(萬曆) 연간에 나와서는 한결같이 고문을 배운다고 자처하였다.

이창명은 그 글이 더욱 난삽하고 험굴(險崛)함을 위주하여 읽어 보아도 전혀 의미가 없으며, 왕태함 또한 그러하다. 왕엄주는 소견은 이들과 비록 같았으나 그 재주가 실로 높아서 이들에 비하면 가장 뛰어나다. 그러므로 그 글 또한 칭찬을 받아 자못 한두 군데 즐겨 읽을 만한 것이 있다. 그러나 한유와 구양수처럼 정맥을 이은 것이 아니요 별도의 한 맥을 이룬 것이다.

대체로 이 몇 분들의 문장은 선진의 제자와 《춘추좌씨전》·《국어(國語)》·《사기》에 힘을 다하고 육경에 근본하지 않았다. 그러므로 식견에 취할 만한 것이 없고, 서문과 기문(記文) 등의 문자는 새롭고 기이한 면이 없지 않으나, 끝내 화려하기만 하고 진실하지 못함으로 귀결됨을 면치 못한다."

한편 강교수는 16세기 명대의 문장을 크게 보아 세 개의 유파로 나누었다.

"이몽양(李夢陽)·하경명(何景明)·이반룡(李攀龍)·왕세정(王世貞) 등의 전후칠자(前後七子)가 이끌었던 의고문파(擬古文派), 당순지(唐順之)·왕신중(王愼中)·모곤(茅坤)·귀유광(歸有光) 등의 당송파(唐宋派), 그리고 이보다 약간 늦게 출현한 원종도(袁宗道)·원굉도(袁宏道)·원중도(袁中道) 등 공안파(公安派)가 그것인 바, 당송파·공안파는 의고문파와 창작 방법을 달리하는 대립적 관계에 있었다. 그런데 실제 문단의 권력을 쥐고 강대한 영향력을 발휘한 것은 후칠자였다. 후칠자의 영수였던 왕세정은 시와 산문, 그리고 소설·희곡·서화 등 광범위한 예술 영역에서 깊은 식견과 방대한 지식으로 실로 거창하다고 할 수 밖에 없는 양의 작품을 쏟아내었다. 이것을 맨 처음 조선조에 수용한 것은 윤근수(尹根壽)이며, 16세기 후반, 17세기 전반의 문인들은 이들의 영향력에서 자유로울 수 없었다. 윤근수, 조익(趙翼), 유몽인(柳夢寅), 김상헌(金尙憲) 등은 대표적인 의고문파로 분류된다. 한문사대가라고 하는 이정귀(李廷龜), 신흠(申欽), 장유(張維), 이식(李植) 중에서 신흠은 완전한 의고문파로 분류된다. 그리고 그의 아들 신익성(申翊聖)과 손자 신최(申最)는 모두 명문(明文), 곧 의고문을 배운 사람으로 인식되었다. 허균(許筠) 역시 일생동안 의고파에 경도되어 있었으며 그중에도 왕세정의 문학에 몰두해 있었다."

전후칠자는 명대 의고문파의 전칠자와 후칠자를 합하여 말한 것으로, 전칠자

왕엄주는 강령을 제시하고 절목을 착종한 고인의 묘함을 알지 못하고, 다만 글귀와 글자만을 가지고 그대로 따르고 모방하고자 하였다. 그러므로 비지문을 지어 일을 서술할 적에 대소(大小)와 경중(輕重)을 따지지 않고, 모두 쓰고 자세히 기재하여 번잡하고 자질구레해서 문장이 번번히 한 편에 가득하나 강령과 안목(주안점)을 능히 끌어내고 점화(點化)하지 못하였다. 그리하여 수미(首尾)와 본말에 전혀 신축하여 변화함이 없고, 그가 스스로 풍신(風神)이 생겨난다고 생각한 곳은 사마천과 반고의 자구(字句)를 원용하여 문식하고 부회함에 불과할 뿐이니, 이 어찌 고인의 오묘함을 함께 의논할 수 있겠는가.

••••••

는 이몽양, 하경명, 서정경(徐禎卿), 변공(邊貢), 강해(康海), 왕구사(王九思), 왕정상(王廷相)을 이르고, 후칠자는 이반룡, 왕세정, 오국륜(吳國倫), 서중행(徐中行), 종신(宗臣), 양유예(梁有譽), 사진(謝榛)을 이른다.

한문학에 대해 본인의 견문이 부족한 탓이겠지만, 조선조 한문학을 나름대로 분석하고 비평한 우리나라 한문학자 중에 강교수처럼 종합적이면서 일도양단으로 비평한 학자를 아직 보지 못하였다. 강교수의 주장에 동의할 수 없는 것이 일부 있지만, 이러한 연구 성과는 신선한 충격이 아닐 수 없다.

8. 구양수歐陽脩와 다른 왕세정의 비지문

해설 | 이 역시 명나라의 왕세정 등을 비판한 글이다. 옛사람은 편법(篇法)에 간략하였는데 명나라 문인들은 자구에만 간략하고, 옛사람은 대체에 상세하였는데 명나라 문인들은 작은 일에만 상세함을 지적하였다. 그 실례로 구양수가 지은 범중엄(范仲淹)과 왕단(王旦)의 신도비는 그리 길지 않은 문장으로 재상으로서의 큰 사업과 대절(大節)을 남김없이 묘사한 반면에 왕세정은 쓸 내용이 많지 않은 부녀자의 지전(誌傳)까지도《사기》와《한서》의 서사법을 따라 장황하게 서술한 점을 들었다.

古人之簡은 簡於篇法하고 明人之簡은 簡於句字하며 古人之詳은 詳於大體하고 明人之詳은 詳於小事라 故歐陽公作王, 范二文正碑에 其文이 不滿二千言이로되 而其作相事業과 與平生大節을 摸寫殆盡이라 弇州作商販婦女誌傳에 其人瑣瑣無足記로되 而其文이 動累百千言하니 此可見工拙之辨也니라

옛사람의 간략함은 편법(篇法, 한 편의 문장을 짓는 방법)에 간략한데 명(明)나라 사람의 간략함은 자구에 간략하고, 옛사람의 상세함은 대체에 상세한데 명나라 사람의 상세함은 작은 일에 상세하다. 그러므로 구양공(歐

陽公)이 왕 문정공(王文正公)과 범 문정공(范文正公)의 비를 지을 적에[24] 그 글이 2,000자가 채 되지 않았지만, 그가 정승이 되어 펼친 사업과 평생의 큰일을 묘사하여 거의 다 말하였다. 왕엄주는 장사꾼과 부녀자들의 지문(誌文)과 전기(傳記)를 지을 적에 그 인물이 자질구레하여 기록할만한 것이 없는데도 그 문장은 번번이 수백 자 내지 수천 자에 달하였으니, 여기에서 문장에 능하고 서툰 차이를 알 수 있다.

••••••

24 구양공(歐陽公)이……적에 : 구양공은 구양수(歐陽脩, 1007~1072)에 대한 존
    칭이다. 왕 문정공(王文正公)은 북송(北宋)의 명재상인 왕단(王旦, 957~1017)
    으로 자는 자명(子明)이다. 그의 신도비명은 〈태위 문정공 왕공 신도비명(太尉文
    正公王公神道碑銘)〉이다. 범 문정공은 위에서 언급한 범중엄으로 두 신도비명은
    《문충공집(文忠公集)》 22권에 실려 있다.

9. 체요體要가 부족한 왕세정과 이반룡의 지전誌傳

해설 | 《사기》의 〈신릉군전〉과 〈관부전〉은 긴요한 부분을 상세히 묘사하였기 때문에 문장이 더욱 절묘하다고 칭찬하고, 명나라의 왕세정과 이반룡은 지전에서 《사기》와 《한서》의 서술 방법을 따른답시고 요점은 없이 평소의 자잘한 것까지 나열하였다고 비판하였다.

《馬史》에 如〈信陵君傳〉의 敍迎侯生과 及〈灌夫傳〉의 敍罵坐等處는 曲折纖悉하여 毫髮不遺라 弇州, 滄溟諸人은 作誌傳에 大抵皆摸倣此等이로되 而不知〈信陵君傳〉은 專以禮士下賢하여 臨難得力爲案하고 〈灌夫傳〉은 專以田, 竇兩家恩怨傾奪爲案하니 迎侯生及罵坐處가 正其緊要關節이라 故로 敍得愈詳愈妙하니 推此例之하면 《史》, 《漢》諸傳이 皆然이라 若事無巨細緊歇하고 皆欲纖悉敍次하면 則豈復有體要乎아 弇州諸人은 惟不識此意故로 其爲誌傳에 擧其人一生行事하여 以至日用細瑣히 一準《史》, 《漢》敍次之法而摸寫之하니 其亦可笑也已니라

마사(馬史)[25]에 예를 들어 〈신릉군전(信陵君傳)〉에 신릉군이 후생(侯生)을

• • • • • •
25 마사(馬史) : 사마천이 지은 《사기(史記)》를 말한다.

맞이한 일[26]을 서술한 부분과 〈관부전(灌夫傳)〉에 관부가 좌중을 꾸짖은 일[27]을 서술한 부분 등은 곡절이 자세하여 털끝만큼도 빠뜨린 것이 없다. 엄주(弇州) 왕세정(王世貞)과 창명(滄溟) 이반룡(李攀龍)[28] 같은 이들은 지

• • • • • •

26 신릉군전(信陵君傳)에……일 : 신릉군은 위(魏)나라 공자(公子) 무기(無忌)로 당
    시 제(齊)나라의 맹상군(孟嘗君) 전문(田文), 조(趙)나라의 평원군(平原君) 조승
    (趙勝), 초(楚)나라의 춘신군(春申君) 황헐(黃歇)과 함께 사군(四君)으로 알려진
    인물인데, 그 중에도 가장 훌륭하였다. 신릉군의 누이는 조나라 평원군의 부인이
    었는데, 당시 조나라는 진(秦)나라 왕흘(王齕)의 공격을 받아 도성인 한단(邯鄲)
    이 포위된 상태여서 매우 위급하였다. 조나라의 구원 요청을 받은 위나라의 안희
    왕(安釐王)은 장군 진비(晉鄙)에게 10만의 군대를 거느리고 구원하게 하였으나
    진나라에서는 이 사실을 알고 만일 조나라를 구원하면 곧바로 위나라를 공격하
    겠다고 협박하자, 즉시 진비의 출동을 중지시켰다. 신릉군은 평원군의 구원 요청
    을 받고 왕을 백방으로 설득하였으나 안희왕은 전혀 듣지 않았다. 이에 신릉군은
    하는 수 없이 부하 몇십 명을 거느리고 조나라로 달려가 싸우다가 죽으려 하면
    서 평소 알고 지내던 이문감(夷門監) 후영(侯嬴, 후생(侯生))이란 사람을 찾아가
    결별을 고하였다. 후영은 신릉군을 시험해보기 위해 일부러 무례한 행동을 하였
    으나 신릉군은 더욱 공손히 그를 예우하였다. 결국 그의 조언으로 진비의 병부
    를 남몰래 빼내어 진비를 죽이고 출전하여 조나라를 구원하였다. 그 후 신릉군
    은 죄를 얻을 것을 두려워하여 군대를 모두 본국으로 돌려보내고 조나라에 남아
    있었다. 이때 진나라에서 장군 몽오(蒙鶩)를 보내어 위나라를 공격하였는데, 신
    릉군은 모공(毛公)과 설공(薛公) 두 선비의 조언을 받고 위나라로 돌아가 제후들
    의 연합군을 이끌고 또다시 진군(秦軍)를 대파하였다. 《史記 卷77 魏公子列傳》
27 관부전(灌夫傳)에……일 : 관부전은 《사기》의 〈위기무안후열전(魏其武安侯列傳)〉
    을 가리킨다. 위기후(魏其侯)는 두영(竇嬰)의 봉호이고 무안후(武安侯)는 전분
    (田蚡)의 봉호이다. 두영이 권력을 잡았을 적에 전분은 그를 잘 받들었으나 두영
    이 실세하고 전분이 점차 신분이 높아지자 두 사람의 사이가 나빠졌다. 그러나
    장군 관부는 두영을 끝까지 잘 받들었는데, 전분이 두영에게 무례하게 대하는
    것을 보고 전분을 크게 꾸짖었다. 이로 인해 관부와 두영은 모두 전분에게 죽임
    을 당하였고 전분도 곧바로 병에 걸려 죽었다. 《史記 卷47》
28 창명(滄溟) 이반룡(李攀龍) : 1514~1570. 명나라 후기의 문신이자 시인으로 창
    명은 호이고 자는 우린(于鱗)이다. 가정(嘉靖) 23년(1544) 진사시에 급제하고 벼
    슬이 섬서 제학부사(陝西提學副使)에 이르렀다. 이몽양(李夢陽) 등 전칠자(前七
    子)의 고문관을 계승하여 진(秦)·한(漢)의 고문을 모범으로 삼고, 성당(盛唐) 이
    전의 시의 격조를 중시하는 고문사파(古文辭派)를 창도하여 명나라 후기 문단을

전(誌傳)을 지을 적에 대체로 모두 이런 글을 모방하였으나 〈신릉군전〉은 오직 선비를 예우하고 현자에게 겸손하여 어려움에 처했을 때에 힘을 얻은 것을 주제로 삼았고, 〈관부전〉은 오직 전분(田蚡)과 두영(竇嬰) 두 집안이 은혜와 원수를 가지고 서로 다툰 것을 주제로 삼았는데, 후생을 맞이한 대목과 좌중을 꾸짖은 대목이 바로 그 의리가 드러나는 긴요한 부분이기 때문에 상세하게 서술할수록 묘미가 더 커진다는 것을 알지 못하였다.

　이것을 미루어 유례(類例)를 찾아보면 《사기》와 《한서》의 여러 전(傳)들이 모두 그러하다. 만약 일의 대소와 경중을 따지지 않고 모두 자세히 순차적으로 서술하려 한다면 어찌 다시 체요(體要, 요점)가 있겠는가. 엄주 등 여러 사람들은 이러한 뜻을 몰랐기 때문에 지전을 지을 적에 그 사람이 일생 동안 한 일을 들어 일상생활의 자잘한 일까지 한결같이 《사기》, 《한서》의 순차적인 서술법을 따라 묘사하였으니, 이 또한 가소롭다.

‧‧‧‧‧‧
　주도하였다.

10. 사전史傳의 문체를 쓴
명나라 문인들의 비지문

해설 | 비지와 사전은 문체가 비슷하지만 비지는 한결같이 간엄(簡嚴)해야 함을 강조하고, 명나라의 의고문파들이 사전의 문체를 사용하여 비지를 지은 잘못을 비판하였다.

碑誌與史傳은 文體略同이로되 而史傳은 猶以該贍爲主어니와 至於碑誌하여는 則一主於簡嚴이라 故로 韓碑敍事가 與《史》,《漢》大不同하니 不獨文章自別이요 亦其體當然也라 歐陽公은 雖學司馬遷이나 而其爲碑誌에 猶不盡用史傳體는 亦以此耳라 至明人하여 始純用史傳體하여 爲碑誌하고 而又不識古人敍事之法이라 故로 其文이 遂無體要하여 而碑誌簡嚴之法이 掃地矣라

비지(碑誌)와 사전(史傳)은 문체가 대체로 같다. 그러나 사전은 그래도 상세하고 풍부한 것을 위주로 하지만 비지의 경우는 한결같이 간결하고 엄격함을 위주로 한다. 이 때문에 한공(韓公, 한유)의 비문에 사실을 서술한 것이 《사기》,《한서》의 전기와 크게 다른 것이니, 문장이 다를뿐만 아니라 글의 기본 체재도 당연히 다르다.

구양공(歐陽公)이 사마천의 문장을 배웠지만 비지문을 지을 적에 사전의 문체를 다 쓰지 않은 것은 또한 이 때문이었다. 명나라 사람들에 이르러 처음으로 사전의 문체를 순전히 사용하여 비지문을 짓기 시작하였고, 옛사람들의 서사법도 알지 못하였다. 이 때문에 마침내 문장에 요점이 없어서 비지문의 간략하고 엄격한 필법(서사하는 법)이 완전히 사라지게 되었다.

11. 간엄簡嚴을 버린
후대의 비지문

해설 | 비지문은 간엄해야 함을 다시 한 번 강조하여 구양수가 지은 범중엄의 신도비를 예로 들고, 명현과 위인들의 비지문에서도 자질구레한 행적까지 모두 서술하는 후세의 폐단을 개탄하였다.

范文正公은 宋朝第一人物也라 其平生行事가 可爲後世法者極多로되 而歐陽公作神道碑에 只敍其出處, 事業, 終始大節하고 而其餘嘉言善行을 皆略之라 如義田及麥舟事는 尤古人所難能이로되 而碑猶不載也하니 其敍事簡嚴不苟如此矣라 後來碑誌는 雖名賢偉人으로 有大事業, 大名節이라도 亦必俱載其細行하고 至於筆翰小事하여도 亦皆不遺하며 不如此하면 則得者不滿하고 而作者亦不安하니 習俗之弊久矣라 其難變也여

범 문정공(范文正公)은 송(宋)나라의 제일가는 인물이다. 일생 동안 행한 일 중에 후세의 본보기가 될 만한 것이 지극히 많다. 그런데도 구양공이 그의 신도비문을 지을 적에는 오직 출처(出處)와 공업(功業), 처음부터 끝

까지의 큰 일만을 서술하고 그 밖의 좋은 말씀과 선(善)한 행실은 모두 생략하였다. 예를 들어 친족들을 구휼하기 위해 의전(義田)을 설치한 일[29]과 벗의 상사(喪事)를 돕기 위해 보리를 실은 배를 통째로 부의(賻儀)한 일[30]은 더더욱 옛사람도 하기 어려운 일이었는데 비문에 오히려 싣지 않았으니, 일을 간략하고 근엄하게[簡嚴] 서술하여 구차스럽지 않은 것이 이와 같았다.

후대의 비문은 비록 큰 사업과 큰 명절(名節)이 있는 명현(名賢)과 위인(偉人)이더라도, 반드시 그 자잘한 행실까지 다 기록하고 심지어는 문한(文翰)의 작은 일조차도 모두 빠뜨리지 않는다. 이렇게 하지 않으면 비문을 받는 자도 흡족해하지 않고 비문을 짓는 자도 불편해 하니, 습속이 잘못된 지가 오래되어 변화시키기가 어렵다.

• • • • • •

29 친족들을……일 : 의전(義田)은 당시 범중엄(范仲淹)이 자기 고향인 오(吳) 지방의 곤궁한 친족들을 위해 마련한 전지(田地)로, 여기에서 생산되는 곡식으로 집이 가난하여 장례를 치르지 못하거나 자녀를 결혼시키지 못하거나 흉년에 굶주리는 자가 있으면 정해진 범위 내에서 모두 구휼하였다.

30 벗의……일 : 범중엄이 일찍이 아들 순인(純仁)에게 고향에 가서 배로 보리 500곡(斛)을 실어 오게 하였는데, 오던 도중 부친의 친구인 석만경(石曼卿, 석연년(石延年))을 찾아뵈니, 석만경이 이때 세 초상을 만나 장례도 제대로 치르지 못하고 있었다. 순인은 이 딱한 사정을 알고 배에 실은 보리를 모두 부의로 주었다. 빈손으로 돌아온 순인은 차마 이 사실을 곧바로 말하지 못하고 석만경의 딱한 처지를 말하였다. 범중엄은 "왜 보리를 부의하지 않았느냐."라고 물었는데, 아들이 이미 부의했다는 말을 듣고 크게 칭찬하였다.《宋史 卷314 范仲淹列傳》

12. 당시唐詩와 멀어진 명나라 시

해설 | 의고문파는 문필한위(文必漢魏), 시필성당(詩必盛唐)을 제창하였는데 그들이 말한 당(唐)이라는 것도 올바른 당이 아님을 구체적으로 제시하여 비판하였다.

明人稱詩에 動言漢, 魏, 盛唐하니 漢, 魏는 固遠矣요 其所謂唐者도 亦非唐也라 余嘗謂唐詩之難은 不難於奇俊爽朗이요 而難於從容閒雅며 不難於高華秀麗요 而難於溫厚淵澹이며 不難於鏗鏘響亮이요 而難於和平悠遠이라 明人之學唐也는 只學其奇俊爽朗하고 而不得其從容閒雅하며 只學其高華秀麗하고 而不得其溫厚淵澹하며 只學其鏗鏘響亮하고 而不得其和平悠遠하니 所以便成千里也니라

명나라 사람들은 시(詩)를 말할 적에 걸핏하면 한(漢)·위(魏)와 성당(盛唐)을 말하곤 하는데, 한·위는 본디 시대가 멀어 따르기 어렵고, 그들이 말하는 당(唐)이라는 것도 진정한 당이 아니다. 나는 일찍이 "당시(唐詩)를 따르기 어려운 이유는 기준 상랑(奇俊爽朗)에 있는 것이 아니라 종용 한아(從容閒雅)한 데에 있으며, 고화 수려(高華秀麗)한 데 있는 것이 아니라 온후 연담(溫厚淵澹)한 데 있으며, 갱장 향량(鏗鏘響亮)한 데 있는 것이 아니라 화

평 유원(和平悠遠)한 데 있다."고 여겼다. 그런데 명나라 사람들이 당시를
배운 것을 살펴보면 단지 기준 상랑함만 배우고 종용 한아한 것은 터득
하지 못하였으며, 단지 고화 수려함만 배우고 온후 연담한 것은 터득하
지 못하였으며, 단지 갱장 향량함만 배우고 화평 유원한 것은 터득하지
못하였다. 이 때문에 거리가 천 리나 벌어진 것이다.

13. 정신과 흥취가 부족한 명나라 시

해설 | 시는 모두 사람의 순수한 성정에서 발로된 것이므로 자연에 가까워야 함을 강조하고, 당시(唐詩)는 초당(初唐)·성당(盛唐)·만당(晩唐)을 막론하고 모두 여기에 가까운데, 명나라 문인들은 이것을 알지 못하고 단지 외형적인 음조와 색깔만 옛사람과 비슷하게 할 뿐 진면목은 그렇지 못함을 비판하였다.

詩者는 性情之發而天機之動也라 唐人詩는 有得於此故로 無論初, 盛, 中, 晩하고 大抵皆近自然이러니 今不知此하고 而專欲摸象聲色하고 黽勉氣格하여 以追蹜古人하니 則其聲音面貌가 雖或髣髴이나 而神情興會는 都不相似하니 此明人之失也니라

시(詩)는 성정(性情)의 발로이자 천기(天機)[31]가 발동한 것이다. 당나라 사람들의 시는 이 점을 터득하였기 때문에 초당(初唐), 성당(盛唐), 중당(中唐), 만당(晩唐)[32]을 막론하고 모두 자연스러움에 가까웠다. 그런데 지금은 이

•••••••

31 천기(天機) : 자연의 발동, 또는 사람이 외물과 접촉하여 억제되지 않고 발로된 자연스러운 감정을 이른다.

32 초당(初唐)······만당(晩唐) : 당(唐)나라의 문풍(文風)은 초당, 성당(盛唐), 중당

것을 알지 못하고 오로지 음성과 색깔을 모방하고, 기운과 풍격(風格)에
만 힘써 옛사람을 따르려고 하니, 그 음성과 면모(面貌)가 비록 혹 옛사람
과 비슷하더라도 신정(神情, 정신과 정서)과 흥회(興會, 흥취)는 전혀 다르다.
이것이 명나라 사람들의 잘못된 점이다.

•••••••
(中唐), 만당으로 구분한다. 초당은 당나라 개국(618)부터 현종(玄宗) 즉위(712)
까지 100여년간의 시풍(詩風)을 이른다. 이때에는 변려문(騈儷文)과 같이 성률
(聲律)과 대우(對偶)를 중시한 귀족문학이 유행하였는데 왕발(王勃, 649~676),
낙빈왕(駱賓王, 640~?), 양형(楊炯), 노조린(盧照隣)이 당시(唐詩) 사걸(四傑)로
이름을 떨쳤다. 성당은 당나라 현종 연간으로부터 대종(代宗)의 대력(大曆) 연간
(766~779)에 이르기까지 당시가 전성(全盛)하던 시기를 이른다. 이때에 왕유(王
維)와 맹호연(孟浩然), 이백(李白)과 두보(杜甫), 고적(高適)과 잠삼(岑參) 등의
문인이 배출되었다. 중당은 대종 대력 연간부터 문종(文宗)의 태화(太和) 연간
(827~835)에 이르는 약 70여년간의 시풍을 이른다. 안사(安史)의 난 이후, 사대
부의 합리성을 존중하고 조화를 중시하는 시풍이 유행하였는데, 초기에는 위응
물(韋應物), 유장경(劉長卿) 및 대력십재사(大曆十才士) 등이, 후기에는 한유(韓
愈), 유종원(柳宗元), 원진(元稹), 백거이(白居易) 등의 문인이 배출되었다. 만당은
문종의 태화 연간 이후부터 당말(唐末)까지 약 80여년간의 시풍을 이르는데, 이
때에 이상은(李商隱), 온정균(溫庭筠), 두목(杜牧) 등의 문인이 배출되었다.

14. 천진을 잃어
송시(宋詩)보다 못한 명나라 시

해설 | 전거(典據)로 삼을 만한 고사와 의론을 중시한 송시(宋詩)에 대해 명나라 사람들이 비판한 것을 옳은 비판으로 인정하면서도, 송나라의 문인들은 학문과 의지가 축적되어 기상이 호탕해서 지은 시가 천기의 발동에 가까운데 의고문파들은 너무 형식에 구애되어 도리어 송나라 사람보다 못함을 지적하였다.

宋人之詩는 以故實議論爲主하니 此詩家大病也니 明人攻之是矣라 然其自爲也는 未必勝之하고 而或反不及焉은 何也오 宋人이 雖主故實議論이나 然其問學之所蓄積과 志意之所蘊結에 感激觸發하면 噴薄輸寫하여 不爲格調所拘하고 不爲塗轍所窘이라 故其氣象이 豪蕩淋漓하여 時有近於天機之發하여 而讀之하면 猶可見其性情之眞也라 明人은 太拘繩墨하고 動涉摸擬하여 效顰學步하여 無復天眞하니 此其所以反出宋人下也歟인저

송나라 사람들의 시는 고실(故實, 고사)과 의론을 위주로 하였으니, 이는 시인들의 큰 병통이므로 명나라 사람들이 이 점을 공격한 것은 옳다. 그러나 그들 자신이 지은 시가 반드시 이들보다 더 나은 것도 아니고 간혹

도리어 이들에게 미치지 못한 것도 있으니, 이는 어째서인가? 송나라 사람들은 비록 고실과 의론을 위주하였으나 학문이 축적되고 생각이 가슴 속에 쌓여있어, 사물에 감격되어 촉발되면 시상(詩想)이 솟구쳐 쏟아져 나와서 격조에 구애되지 않고 도철(途轍, 법도)에 속박당하지 않았다. 그러므로 그 기상이 호탕하고 임리(淋漓, 흡족)하여 때로는 천기(天機)의 발동에 가까운 것이 있어, 그 시를 읽어보면 오히려 성정의 진솔함을 볼 수 있다.

그런데 명나라 사람들은 지나치게 격식에 얽매이고 걸핏하면 모방을 일삼아 잘못된 것을 억지로 모방하려고 애쓰다가 다시는 천진함이 없게 되었으니, 이것이 도리어 송나라 사람들보다 못하게 된 이유일 것이다.

15. 당시唐詩를 배우는 올바른 법

해설 | 고사와 의론을 일체 일삼지 않은 당시를 높이 평가하면서도, 당시를 그대로 모방하고자 한다면 이것은 나무로 만든 인형과 진흙으로 만든 소상과 다를 것이 없다고 비판하였다.

詩는 固當學唐이나 亦不必似唐이라 唐人之詩는 主於性情興寄하여 而不事故實議論하니 此其可法也라 然이나 唐人은 自唐人이요 今人은 自今人이니 相去千百載之間이어늘 而欲其聲音氣調無一不同이면 此理勢之所必無也라 强而欲似之하면 則亦木偶泥塑之象人而已라 其形雖儼이나 然其天者 固不在也니 又何足貴哉리오

시는 진실로 당시(唐詩)를 배워야 하지만 또한 당시와 비슷할 필요는 없다. 당나라 사람들의 시는 성정의 흥기(興寄)³³를 위주로 하고 고실과 의론을 일삼지 않았으니, 이것이 본받을 만한 점이다.

••••••
33 흥기(興寄) : 작품 속에 자신의 사상과 감정이 담겨져 있음을 이른다.

그러나 당나라 사람은 당나라 사람이고 지금 사람은 지금 사람이니, 서로의 시간적 거리가 천백여 년이나 된다. 그런데 그 성음(聲音, 음조)과 기조(氣調)가 조금도 다르지 않기를 바란다면 이는 이치와 형편상 결코 있을 수 없는 일이다. 그런데도 억지로 비슷하게 하고자 한다면 또한 나무로 만든 허수아비나 진흙으로 만든 소상(塑像, 인형)이 사람의 모습을 하고 있는 것일 뿐이다. 형체가 비록 흡사하더라도 그 천진스러움은 진실로 존재하지 않으니, 또 어찌 귀하게 여길 것이 있겠는가.

16. 시도詩道에 가까운
진여의陳與義와 육유陸游

해설 | 송시(宋詩)의 대가로 알려진 황정견(黃庭堅)과 진사도(陳師道)의 시가 너무 생경하고 수척하여 온유돈후(溫柔敦厚)의 시교(詩敎)에 어긋남을 지적하고 진여의와 육유의 시가 오히려 시도에 가깝다고 평하였다.

宋詩에 如山谷, 后山이 最爲一時所宗尙이라 然이나 黃之橫拗生硬과 陳 之瘦勁嚴苦는 旣乖溫厚之旨하고 又乏逸宕之致하여 於唐에 固遠이요 而 於杜에도 亦不善學하니 空同所譏不色香流動者 誠確論也라 簡齋는 雖 氣稍詘이나 而得少陵之音節하고 放翁은 雖格稍卑나 而極詩人之風致하 니 與其學山谷, 后山으론 無寧取簡齋, 放翁이니 以其去詩道猶近爾일새라

송시(宋詩) 중에는 산곡(山谷) 황정견(黃庭堅)[34]과 후산(后山) 진사도(陳師

......

34 산곡(山谷) 황정견(黃庭堅) : 1045~1105. 북송(北宋)의 문장가로 산곡은 호이고
    자는 노직(魯直)이다. 동파(東坡) 소식(蘇軾)에게 수학(受學)하여 장뇌(張耒), 진
    관(秦觀), 조보지(晁補之)와 함께 소문 사학사(蘇門四學士)로 일컬어지며 소식과
    함께 '소황(蘇黃)'이라고 불릴 정도로 문장과 행서(行書)·초서(草書)에 모두 뛰어
    났다.

道)[35]의 시가 당시에 가장 숭상되었다. 그러나 격식을 따르지 않고 멋대로 지은 황산곡의 생경(生梗)한 시와 앙상하고 딱딱한 진후산의 시는 온유돈후(溫柔敦厚)한 뜻에 어긋나고 또 일탕(逸宕, 소탕하고 자유분방함)한 운치가 부족하여 당시(唐詩)에 비해 격이 매우 낮고 두소릉(杜少陵)[36]의 시도 제대로 배우지 못하였으니, 공동(空同) 이몽양(李夢陽)[37]의 "색(色)과 향(香)이 유동(流動)하지 않는다."는 비판[38]은 진실로 확론(確論)이다.

간재(簡齋) 진여의(陳與義)[39]는 기상이 다소 부족하지만 소릉(少陵, 두보)

• • • • • •

35 후산(后山) 진사도(陳師道) : 1053~1101. 북송(北宋)의 문장가로 후산은 호이고 자는 이상(履常) 또는 무기(無己)이다. 시를 통해서 증공(曾鞏)과 소식(蘇軾)을 알게 되어 증공의 문인이 되었으며 소식의 천거로 서주 교수(徐州敎授)로 등용되었고 태학박사(太學博士), 비서성 정자(秘書省正字) 등을 역임하였다. 시부와 서예에 뛰어났다.

36 두소릉(杜少陵) : 두보(杜甫)를 가리킨 것으로, 소릉은 호이고 자는 자미(子美)이다. 중국 고대 한시에 지대한 영향을 미쳐 시성(詩聖)이라 불리며 이백과 함께 이두(李杜)라고 일컬어진다.

37 공동(空同) 이몽양(李夢陽) : 1473~1530. 명(明)나라 중기의 문인으로 공동은 호이고 자는 헌길(獻吉)이다. 1494년에 진사시에 급제하여 호부 낭중(户部郎中) 등의 벼슬을 역임하였다. 왕양명(王陽明)과 친분이 두터웠으며, 문단에서 고문사파(古文辭派)를 주도하면서 진(秦)·한(漢)의 문장과 성당(盛唐)의 시를 이상으로 할 것을 주장하여 전칠자(前七子)를 주도한 인물로 평가받고 있다.

38 공동(空同)……비판 : 이 내용은 이몽양의 《공동집(空同集)》 권 52 〈부음서(缶音序)〉에 "황산곡과 진후산은 두보를 스승으로 삼아 대가라고 일컬어지지만 지금 그들의 시어(詩語)는 난삽하여 향기와 색이 유동하지 않는다. 사당에 들어가 흙과 나무로 만든 해골을 앉히고 관과 의복을 입혀 사람과 같게 해놓고는 이것을 사람이라 하는 것이 되겠는가.[黃陳師法杜甫 號大家 今其詞艱澁 不香色流動 如入神廟 坐土木骸 卽冠服與人等 謂之人可乎]"라고 보인다.

39 간재(簡齋) 진여의(陳與義) : 1090~1138. 송(宋)나라 문인으로 간재는 호이고 자는 거비(去非)이다. 정화(政和) 3년(1113)에 진사시에 급제하였고 고종(高宗)에게 발탁되어 벼슬이 참지정사(參知政事)에 이르렀다. 시에 탁월하여 황정견(黃庭堅), 진사도(陳師道)와 함께 강서시파(江西詩派)의 삼종(三宗)으로 불렸다. 1126년 정강(靖康)의 변 때 겪었던 비참한 경험을 시에 반영하여 두보와 같은 비장한 시풍이 드러난다.

의 음절(音節)을 터득하였고 방옹(放翁) 육유(陸游)[40]는 격조가 다소 낮지만 시인의 풍치를 다하였다. 산곡과 후산을 배우는 것보다는 차라리 간재와 방옹을 취하는 것이 나으니, 이들은 시도(詩道)와의 거리가 그래도 가깝기 때문이다.

• • • • • •

40 방옹(放翁) 육유(陸游) : 1125~1210. 남송(南宋)의 시인으로 방옹은 호이고 자는 무관(務觀)이다. 효종(孝宗) 때 쇄청시(鎖廳試)에 급제하여 진사가 되었으며, 뒤에 보장각 대제(寶章閣待制)를 지냈으나 조정이 부패하자 은퇴하여 향리에서 시작(詩作)에 전념하여 거의 1만 수(首)에 달하는 시를 남겨 중국 시사상(詩史上) 최다작의 시인으로 꼽힌다. 그의 시는 당시풍(唐詩風)의 강렬한 서정을 표현한 것이 많은데, 우국의 비통한 시에서부터 전원생활의 기쁨을 노래하는 한적한 시에 이르기까지 주제의 폭이 매우 다양하다.

17. 두 차례 크게 변한 송시宋詩

해설 | 송대의 시를 시기에 따라 셋으로 구분하고, 전 시대의 구양수와 왕안석은 순수한 당시의 격조[唐調]는 아니었지만 당조에서 크게 변하지 않았는데, 동파 소식이 나오면서 처음으로 한 번 바뀌었고 황정견과 진사도에 이르러 또 한 번 크게 바뀌었다고 논하였다.

蘇, 黃以前에 如歐陽, 荊公諸人은 雖不純乎唐이나 而其律絕諸體 猶未大變唐調라 但歐公太流暢하고 荊公太精切하고 又有議論故實之累耳라 自東坡出로 而始一變하고 至山谷, 后山出하여는 則又一大變矣라

소동파(蘇東坡)[41]와 황산곡(黃山谷) 이전에 구양공(歐陽公)과 형공(荊公, 왕안석) 같은 분들은 비록 당시(唐詩)에 순수하지는 않지만 율시와 절구 등여러 시체들은 그래도 당시의 격조를 크게 바꾸지 않았다. 다만 구양공은 지나치게 유창하였고 형공은 지나치게 정절(精切, 정밀하고 간절함)한 데다가 또 의론과 고실을 중시한 결점이 있다. 그러다가 동파가 나온 뒤로비로소 한 번 변하고, 산곡과 후산이 나오자 또 한 번 크게 변하였다.

······
41 소동파(蘇東坡) : 송(宋)나라 문장가 소식(蘇軾, 1037~1101)으로, 동파는 호이고자는 자첨(子瞻)이다. 문장으로는 당송팔대가(唐宋八大家)의 한 사람이며 글씨로는 채양(蔡襄), 황정견(黃庭堅), 미불(米芾)과 함께 송나라의 4대가로 꼽힌다.

18. 구양수를 잘못 배운
모곤茅坤

해설 | 모곤이 《당송팔대가문초》를 엮은 것은 당시 왕세정, 이반룡 등의 의고 문파들이 고문을 모방하는 폐습을 바로잡기 위해서였음을 밝히고 모곤의 문장 비평을 높이 평가하였다. 그러나 그가 지은 작품은 부박(浮薄)하고 화려하여 왕세정만 못함을 밝히고, 문장을 짓기가 참으로 쉽지 않음을 말하였다.

茅鹿門이 作《八大家文鈔》는 蓋以矯王, 李諸人贋勦之習이요 其論古今文章偏正得失之際도 亦多中窾이라 及觀其所自爲하여는 則曼衍冗長하고 浮靡華艶하여 辭繁而意寡하고 文勝而質弱하니 其視弇州之體裁遒整하고 結構緻密하면 反不及焉이라 蓋慕歐公之風神紆餘로되 而不得矩矱理致爾니 信乎文之難也로다

모녹문(茅鹿門)이 《당송팔대가문초(唐宋八大家文鈔)》[42]를 지은 것은 왕세정(王世貞)·이반룡(李攀龍) 등 여러 사람들의 표절하는 습성을 바로잡으려

••••••
42 당송팔대가문초(唐宋八大家文鈔) : 명나라 때 모곤(茅坤)이 당나라의 한유(韓愈)와 유종원(柳宗元), 송나라의 구양수(歐陽脩), 소순(蘇洵), 소식(蘇軾), 소철(蘇轍), 왕안석(王安石), 증공(曾鞏) 등 여덟 명 문장가의 산문을 뽑아 만든 책으로, 문장을 배우는 자들의 필독서가 되어 후세에 큰 영향을 미쳤다.

하였고, 그가 고금의 문장이 편벽된지 바른지, 좋은지 나쁜지를 논한 것도 대부분 적절하였다. 그러나 그 자신이 지은 문장을 보면 문장이 쓸데없이 길고 부미(浮靡)하고 화려하여, 말은 많지만 뜻은 적고 꾸밈은 뛰어나나 실질은 약하니, 체재가 정돈되고 결구(結構)가 치밀한 엄주(弇州, 왕세정)의 문장과 비교해보면 도리어 녹문이 엄주만 못하다. 이는 풍신(風神)이 넉넉한 구양공의 문장을 배우려다가 법도와 이치를 얻지 못한 것이니, 진실로 문장을 짓기가 어려운 것이다.

19. 방효유方孝孺 · 왕수인王守仁과
   왕신중王愼中 · 당순지唐順之의 문장

해설 | 명나라 문장가 중 방효유(方孝孺) · 왕수인(王守仁) · 왕신중 · 당순지는 모두 구양수와 소식의 부류임을 밝히고 작자의 장단점을 나열한 다음, 요컨 대 왕신중과 당순지는 모두 방효유와 왕수인의 범위를 벗어나지 못한다고 비 평하였다.

明文에 如遜志, 明, 遵巖, 荊川은 皆是歐, 蘇流派라 就中에 遜志는 規模宏大하고 筆力滂沛로되 而少收斂裁畧之功하고 陽明은 天才豪敏하여 有操縱하고 有闔闢이로되 而少深淳典厚之致하니 此所以不及歐, 蘇라 遵巖, 荊川은 宏大不如遜志하고 豪敏不如陽明이로되 而體裁則加密焉이라 然要不出方, 王度內耳라

명나라 문장가 중에 손지(遜志) 방효유(方孝孺)[43]와 양명(陽明) 왕수인(王

• • • • • •

43 손지(遜志) 방효유(方孝孺) : 1357~1402. 명(明)나라 초기의 명신(名臣)으로 손 지는 호이고 자는 희직(希直)이다. 송렴(宋濂)에게 수학하고, 혜제(惠帝)를 섬겨 시강학사(侍講學士)로서 당대 제일의 학자라는 중망을 누렸다. 그러나 건문(建 文) 4년(1402) 연왕(燕王) 주체(朱棣)가 무력으로 황위(皇位)를 찬탈한 뒤 등극 조서를 작성할 것을 명하자, 이를 거부하다가 집안 전체가 죽임을 당하였다. 배

守仁)⁴⁴, 준암(遵巖) 왕신중(王愼中)⁴⁵과 형천(荊川) 당순지(唐順之)⁴⁶와 같은 사람은 모두 구양공, 소동파의 유파이다. 이 가운데 손지는 규모가 크고 필력이 활달하지만 수렴하여 불필요한 것을 잘라내는 노력이 부족하고, 양명은 타고난 재주가 호방(豪放)하고 민첩하여 조종(操縱, 잡아 쥐었다가 풀어줌)과 합벽(闔闢, 열었다가 닫음)을 적시적소에 구사하지만 심오하고 전아하고 중후한 운치가 부족하니, 이것이 구양공과 소동파의 경지에 미치지 못한 점이다. 준암과 형천은 큰 규모가 손지만 못하고, 호방하고 민첩한 재주가 양명만 못하지만 체재는 더욱 정밀하다. 그러나 요컨대 방효유와 왕수인의 범위를 벗어나지는 못하였다.

• • • • • • •

우는 자들이 정학(正學)선생이라 칭하였다.

44 양명(陽明) 왕수인(王守仁) : 1472~1528. 명나라 중기의 사상가로 양명은 호이고 자는 백안(伯安)이며 시호는 문성(文成)이다. 홍치(弘治) 12년(1499) 진사시에 급제하였고 벼슬이 남경 병부 상서(南京兵部尙書)에 이르렀다. 당대의 주류 학문인 주자학을 비판하고 육구연(陸九淵)의 심성론(心性論)을 계승하여 심즉리(心卽理), 지행합일(知行合一), 치양지(致良知)의 원리를 제창하여 양명학이란 새로운 유학을 창도하였는바, 이후 양명학은 동아시아 지성사에 심대한 영향을 끼쳤다.

45 준암(遵巖) 왕신중(王愼中) : 1509~1559. 명나라의 문장가로 준암은 호이고 자는 도사(道思)이다. 가정(嘉靖) 5년(1526) 진사시에 급제하여 벼슬이 하남 참정(河南參政)에 이르렀다. 처음에는 전칠자(前七子)를 따라 의고(擬古)를 주장하였으나 뒤에 입장을 바꿔 당송파의 일원이 되고 구양수와 증공을 높이 평가하였다. 그의 산문은 필세가 유려하고 기세가 웅건하며 자유롭다는 평가를 받았다.

46 형천(荊川) 당순지(唐順之) : 1507~1560. 명나라 후기의 문신이자 문장가로 형천은 호이고 자는 응덕(應德)이다. 가정 8년(1529) 진사시에 장원으로 급제하였고 벼슬이 봉양 순무(鳳陽巡撫)에 이르렀다. 양명학자(陽明學者)로 이름났으며 그의 글은 달의(達意)를 중시하고 당·송의 문장을 높이 평가하였다.

20. 당시唐詩를 배운
   명나라 서정경徐禎卿과 고숙사高叔嗣

해설 | 명나라 시인 중에 서정경과 고숙사는 비록 이몽양·하경명과 호응하였으나 타고난 재주가 본래 당나라 사람과 가까워 성취한 바가 높다고 비판하고, 당순지·채여남 등은 모두 당시를 배워 충화(沖和)하고 한정(閒靜)하다고 비평하였다.

明詩에 如徐昌穀, 高子業은 雖與李, 何相和應이나 而其天才自近唐人이라 故로 所就高出一時라 徐以神秀勝하고 高以幽澹勝이요 而子業은 於性情尤近이라 此外에 如唐應德, 蔡子木諸人은 皆學唐하여 而其詩沖和閒艶하여 無叫呼激詭之習이라

명나라의 시인 중에 서창곡(徐昌穀)[47]·고자업(高子業)[48]과 같은 사람은

••••••
47 서창곡(徐昌穀) : 1479~1511. 명나라의 문장가이자 서예가인 서정경(徐禎卿)으로 창곡은 자이다. 이몽양(李夢陽)·하경명(何景明)·변공(邊貢)·강해(康海)·왕구사(王九思)·왕정상(王廷相) 등과 함께 전칠자(前七子)의 한 사람으로 꼽힌다. 도교에 심취하여 양생술에 힘썼으나 33세의 젊은 나이에 요절하였다. 저서로 《적공집(迪功集)》·《담예록(談藝錄)》 등이 있다.

비록 이몽양(李夢陽)·하경명(何景明)[49]과 서로 화답하여 응하였으나 그 타고난 재주가 본디 당나라 시인에 가까웠다. 그러므로 성취한 경지가 한 시대에 높이 뛰어났다. 서창곡은 신수(神秀, 신묘하고 빼어남)로 뛰어났고 고자업은 유담(幽澹, 그윽하고 담박함)으로 뛰어났으며, 고자업은 성정(性情)에 있어 더욱 당시(唐詩)에 가까웠다. 이밖에 당응덕(唐應德, 당순지)·채자목(蔡子木)[50]과 같은 이들은 모두 당시를 배워서 그 시가 충화(沖和, 담박하고 온화함)하고 한정(閒靚, 한가하고 그윽함)하여 목청 높여 부르짖거나 과격한 기습이 없다.

・・・・・・

48 고자업(高子業) : 1501∼1537. 명나라의 시인인 고숙사(高叔嗣)로 자업은 자이고 호는 소문산인(蘇門山人)이며 상부(祥符) 사람이다. 가정(嘉靖) 2년(1523) 진사가 되어 공부주사(工部主事)로 임명되었고 뒤에 호광 안찰사(湖廣按察使)로 옮겼다가 임지에서 죽었다. 어린 시절부터 이몽양과 알고 지냈으나 이몽양의 시풍을 따르지는 않았다. 그의 시는 담아(淡雅)하고 청광(淸曠)하여 '본조(명나라의) 제일(本朝第一)'이라는 평을 받았다.

49 하경명(何景明) : 1483∼1521. 명나라 중기의 문신이자 시인으로 호는 대복(大復)이고 자는 중묵(仲默)이며 하남(河南) 신양(新陽) 사람이다. 홍치(弘治) 15년(1502)에 진사시에 급제하여 섬서 제학부사(陝西提學副使) 등을 역임하였다. 전칠자 중의 한 사람으로 고문사파(古文辭派)를 주도하였다.

50 채자목(蔡子木) : 명나라 문장가인 채여남(蔡汝楠, 1514∼1565)으로 자목은 자이고 호는 백석(白石)이며 호주(湖州) 덕청(德淸) 사람이다. 가정(嘉靖) 11년(1532)에 진사가 되었고 벼슬이 병부시랑(兵部侍郎)에 이르렀다. 저서로 《자지당집(自知堂集)》 등이 있다.

21. 당시 못지않은
고숙사高叔嗣의 시

해설 | 고숙사의 시가 깊은 맛이 있어 당시에 가까움을 높이 인정하고 그의 산문 역시 시와 비슷하다고 평하였다.

高子業之詩는 隱約幽古하고 冲深溫雅하여 雖語氣似簡短이나 而旨味實 雋永하여 其光黯然하고 其聲瀏然하여 使讀者로 反復吟咀而不能已하니 使在唐時라도 亦當不失爲名家라 嘗見其自序數篇하니 亦大類其詩하여 甚愛之로되 惜不多得耳로라

고자업(高子業)의 시는 은약(隱約, 뜻이 깊고 말이 간략함)하고 그윽하며 심오하고 온아(溫雅, 온아하고 전아함)하여 비록 말은 간략하지만 의미가 실로 깊으며, 그 빛은 희미하지만 소리가 맑아서 독자로 하여금 반복하여 읊조려 그만둘 수 없게 하니, 만약 당나라 때에 있었더라도 또한 명가(名家)가 되었을 것이다. 내 일찍이 그의 자서(自序) 몇 편을 읽어 보았는데 대체로 그의 시와 비슷해서 매우 좋아하였으나 애석하게도 많이 구해서 읽어보지 못하였다.

22. 진기眞氣가 없는 왕세정과 진기가 있는 이몽양

해설 | 후칠자(後七子)의 대표라 할 수 있는 왕세정은 전칠자의 대표라 할 수 있는 이몽양(李夢陽)을 숭상하면서도 시어를 정선하고 다듬는 공력이 미진했던 점을 불만족스러워했는데, 미진한 점은 오히려 경혼굴강(硬渾屈强)한 진기(眞氣)를 잘 보존할 수 있는 바탕이 되었으므로, 시어를 단련하는 데 공력을 쏟으면서 참된 기운을 잃은 왕세정보다 이몽양이 낫다고 평하였다.

弇州輩는 雖宗尙空同이나 而其論은 常若有所不滿하니 蓋以其淘洗刻削之功未盡也일새라 然今觀空同之長은 在於莽蒼勁渾, 倔强疎鹵하니 正以其淘洗刻削之功未盡하여 而眞氣猶有不喪耳라 至弇州諸人하여는 揣摩愈工하고 鍛鍊愈精이로되 而眞氣則已喪하니 此所以反遜於空同也니라

엄주(弇州, 왕세정)의 무리가 비록 공동(空同, 이몽양)을 숭상하였지만 그의 논의는 항상 불만이 있는 듯하니, 이는 공동이 시어(詩語)를 정선하고 다듬는 노력이 미진했기 때문이다. 그러나 지금 보건대, 공동의 장점은 거칠고 혼연(渾然)하며 굳세고 질박한 점에 있으니, 이는 시어를 선별하고 다듬는 노력이 미진하여 참된 기운이 오히려 사라지지 않은 것이다. 엄주 등 여러 사람의 경우는 이리저리 생각하는 것이 더욱 공교하고 다듬는 것이 더욱 정밀하였으나 참된 기운은 이미 사라졌으니, 이것이 도리어 공동보다 못하게 된 까닭이다.

23. 온아溫雅한 풍도를 갖춘
    시인 하경명何景明

해설 | 전칠자(前七子)의 하경명은 옛것을 배운다고 자부하였으나, 후인들처럼 지나치게 과격하지 않아 관평 화아(寬平和雅)한 시의 태도가 있다고 평하였다.

何大復은 天才溫雅故로 雖以學古自命이나 而不至如後來諸人之矯激이라 其詩雖少眞至警絶이나 然寬平和雅하여 猶有詩人之度라

하대복(何大復, 하경명)은 타고난 자질이 온아(溫雅)하였다. 그래서 비록 옛것을 배운다고 자처하였으나 후세 사람들처럼 지나치게 과격하지는 않았으니, 그의 시가 비록 진지(眞至, 감정이 진실함)와 경절(警絶, 놀랍도록 뛰어남)이 부족하지만 기상이 관평 화아(寬平和雅)하여 여전히 시인의 풍도가 있다.

24. 당唐 이후의 전고典故를 버린
이반룡李攀龍

해설 | 이 글 역시 의고문파에 대한 비평이다. 당나라 이후의 책을 읽지 말라고 한 이몽양(李夢陽)과 명나라 이후의 말(문자)을 사용하지 말라고 한 이반룡(李攀龍)을 비판하였는데, 신묘한 깨우침이 없이 단지 언어로 모의하려한 이반룡을 더욱 비판하였다.

강교수는 농암의 문자 중 이 글이 의고문파에 대한 가장 통렬한 비판이라 평하였다.

獻吉이 勸人不讀唐以後書하니 固甚狹陋라 然이나 此猶以師法言이니 可也어니와 至李于鱗輩하여는 作詩使事에 禁不用唐以後語하니 則此大可笑라 夫詩之作은 貴在抒寫性情하고 牢籠事物하여 隨所感觸하여 無乎不可라 事之精粗와 言之雅俗도 猶不當揀擇이어든 況於古今之別乎아 于鱗輩는 學古에 初無神解妙悟하고 而徒以言語摸擬라 故로 欲學唐詩하면 須用唐人語하고 欲學漢文하면 須用漢人字하여 若用唐以後事하면 則疑其語之不似唐이라 故로 相與戒禁如此하니 此豈復有眞文章哉아 元美亦初守此戒러니 至續稿하여는 不盡然하니 蓋由晚年識進하고 兼亦勢不行耳라

헌길(獻吉, 이몽양)이 사람들에게 당나라 이후의 글을 읽지 말도록 권한

것은 실로 매우 편협하고 비루한 견해이다. 그러나 이는 그래도 사법(師法, 스승 삼고 본받음)을 가지고 말하였으니 괜찮다. 그런데 이우린(李于鱗, 이반룡)의 무리에 이르러는 시를 짓고 전고(典故)를 쓸 적에 당나라 이후의 말은 쓰지 말도록 금지하였으니, 이는 참으로 가소로운 일이다. 시를 짓는 데에는 성정(性情)을 표현하고 사물을 묘사함을 귀중하게 여기므로 자신의 생각과 느낌을 따라 표현하면 안 될 것이 없다. 일의 정밀함과 거침, 말의 고아함과 속됨도 오히려 가려서는 안 되는데, 하물며 옛날과 지금을 구별함에 있어서랴.

이우린의 무리는 옛것을 배울 때 애초에 신묘한 이해와 깨달음이 없이 단지 언어를 가지고 흉내 냈을 뿐이다. 그러므로 당나라의 시를 배우려면 당나라 사람의 말을 써야 하고, 한나라의 산문을 배우려면 한나라 사람의 문자를 써야 한다고 생각하였다. 그리하여 만약 당나라 이후의 고사를 사용하면 그 말이 당나라의 시어와 같지 않게 된다고 의심하였다. 이 때문에 서로 함께 경계하고 금지하기를 이와 같이 한 것이니, 이들에게 어찌 다시 진정한 문장이 있겠는가.

원미(元美, 왕세정)도 처음에는 이 경계를 지키다가 속고(續稿)에 이르러서는 모두 그렇게 하지 않았으니, 아마도 말년에 식견이 진보하고 아울러 또한 형편상 이렇게 할 수도 없었기 때문일 것이다.

25. 이규보李奎報의 시문에 대한 고금의 평가

해설 | 남용익(南龍翼)의 《기아(箕雅)》에 이규보의 문장이 우리나라 최고라 한 것을 비판하고, 문장은 목은(牧隱) 이색(李穡)을, 시는 읍취헌(挹翠軒) 박은(朴誾)을 최고로 추존해야 한다고 역설한 글이다. 이규보의 시에 대해 높은 평가를 했던 이는 남용익 외에도 여러 사람이 있었다. 그런데도 농암이 이규보에 대해 이처럼 혹평한 것은 의문이 아닐 수 없다. 강교수는 이를 농암 이전의 비평적 정설을 뒤엎음으로써 새로운 비평을 성립하려는 의도로 보았는데, 그보다는 문장에 대한 농암의 기호가 반영된 글로 보인다.

近見壺谷所編《箕雅》目錄하니 稱李奎報文章이 爲東國之冠이나 余意此論殊不然이라 奎報詩擅名東方이 久矣라 前輩諸公이 亦皆推爲不可及하니 蓋其材力捷敏하고 蓄積富博하여 爭多鬪速하여 一時莫及이요 又能自造言語하여 不蹈襲前人以爲工하니 亦可謂有詩人之才矣라 然其學識鄙陋하고 氣象庸下하여 格卑而調雜하고 語瑣而意淺이라 其古律絶數千百篇이 無一語一句道得淸明灑落, 高古宏闊意思하고 其所沾沾自喜하여 以爲不經人道語者 大抵皆徐凝之惡詩니 眞嚴羽卿所謂下劣詩魔入其肺腑者也라 試拈其數句하노라 如"滿院松篁僧富貴 一江煙月寺風流"와 "竹根迸地龍腰曲 蕉葉當窓鳳尾長"과 "湖平巧印當心月 浦闊貪

呑入口潮"此等은 皆人所膾炙하여 以爲奇警者로되 而自今觀之하면 殆
同村學童所習《百聯鈔》句語耳니 亦何足尙哉아 當時之人은 目見其贍
敏擅場하니 固宜畏服이어니와 至於後來尙論하여는 宜有不然이어늘 而至
今三四百年에 猶不敢置異議於其間하니 誠所未解라 然此特以詩言耳
요 至他文하여는 尤不足深論이라 雖詞賦騈儷頗有可取나 而若以是壓倒
牧隱諸人하여 而爲東國之冠이라하면 則恐未爲允也라 論文章에 於東國
에 固難以一人斷爲冠首나 然文則當推牧隱爲大家요 詩則當推挹翠爲
絶調라 牧隱은 不獨文爲大家요 詩亦宏肆豪放하여 氣象可觀하니 不似奎
報齷齪이니라

　　근래에 호곡(壺谷) 남용익(南龍翼)[51]이 엮은 《기아(箕雅)》의 목록을 보니,
이규보의 문장이 우리나라에서 으뜸이라고 칭찬하였다. 그러나 나는 이
논의가 매우 옳지 못하다고 생각한다. 이규보의 시가 동방에 명성을 떨
친 지가 오래되었고 여러 선배들도 모두 추앙하여 따라 미칠 수 없다고
하였으니[52], 이는 그의 시재(詩才)가 민첩하고 축적된 식견이 풍부하여 많

• • • • • •

51　호곡(壺谷)……기아(箕雅) : 호곡은 남용익(南龍翼, 1628~1692)의 호로 자는
　　운경(雲卿)이고 본관은 의령(宜寧)이다. 1648년에 정시문과에 급제하고 대제학
　　을 역임하였으며 시호는 문헌(文憲)이다. 1689년(숙종 15) 왕자 정호(定號)의 일
　　에 홀로 반대하다가 기사환국(己巳換局) 때 명천으로 유배되어 1692년에 배소에
　　서 죽었다. 《기아》는 남용익이 《동문선(東文選)》, 《청구풍아(靑丘風雅)》, 《대동시
　　선(大東詩選)》의 단점을 보완하기 위해 엮은 시선집으로 이규보에 대한 항목은
　　다음과 같다.
　　"이규보는 자가 춘경(春卿)이고 호가 백운거사(白雲居士)이며 황려인(黃驪人)이
　　다. 명종 때에 급제하였으나 10년 동안 조용(調用)되지 못하다가 뒤에 벼슬이 태
　　보(太保)와 평장사(平章事)에 이르렀다. 시호는 문순(文順)이니, 문장이 동국의
　　으뜸이 되었다.〔文章爲東國之冠〕"
52　선배들도……하였으니 : 최자(崔滋)는 《보한집(補閑集)》에서 "문순공(이규보)이
　　소년시절에 지은 것은 모두 기(氣)가 살아 있는 구절로 인구(人口)에 회자되었

이 짓고 빨리 지어서 당대에 따를 자가 없었기 때문이다. 게다가 자신이
새로 말을 만들어 옛 사람들의 언어를 답습하지 않는 것을 솜씨 좋은 것
으로 여겼으니, 또한 시인의 재주가 있다고 할 수 있다.

   그러나 그는 학식이 비루하고 기상이 용렬하여, 품격이 낮고 격조가
잡되며 말이 자질구레하고 뜻이 얕다. 고시(古詩), 율시(律詩), 절구(絕句) 수
천 수백 편 가운데 한 마디 말과 한 구절도 깨끗하고 명랑하며 소탕하고
대범하며 고상하고 예스러우며 크고 넓은 의사를 담은 것이 없고, 그가
의기양양하게 스스로 기뻐하여 '다른 사람이 일찍이 쓴 적이 없는 말'이
라고 한 것은 대체로 모두 서응(徐凝)의 나쁜 시[53]와 같은 부류이니, 참으
로 엄우경(嚴羽卿)[54]의 이른바 '저열(低劣)한 시마(詩魔)가 그의 폐부(肺腑, 뱃

● ● ● ● ● ●
    다."라고 하면서 '竹根迸地龍腰曲 蕉葉當窓鳳尾長'과 '湖平巧印當心月 浦濶貪呑入
    口潮'를 예로 들었다. 그리고 이수광(李睟光)은 《지봉유설(芝峰類說)》에서 이규
    보를 이색(李穡), 김시습(金時習)과 함께 시의 명인(名人)으로 꼽고, 이규보의 '滿
    院松篁僧富貴 一江煙月寺風流'와 '湖平巧印當心月 浦濶貪呑入口潮'를 예로 들었으
    므로 말한 것이다.
53 서응(徐凝)의 나쁜 시 : 서응은 당나라의 시인이다. 그가 지은 〈여산폭포(廬山瀑
    布)〉 시의 끝 구절에 "한 줄기 폭포가 푸른 산빛 깨뜨리네.〔一條界破靑山色〕"라 한
    것에 대해 소식(蘇軾)이 속되고 비루하다고 비판하며 장난삼아 절구 한 수를 지
    었는데, 그 중에 "폭포수가 흩뿌리는 물거품은 많건마는 서응의 나쁜 시를 씻어
    주지는 못하는구나.〔飛流濺沫知多少 不與徐凝洗惡詩〕" 하였다. 《東坡全集 卷13 世
    傳徐凝瀑布詩云⋯乃作一詩》
54 엄우경(嚴羽卿)⋯⋯들어간 : 엄우경은 엄우(嚴羽)를 가리킨 것으로 그의 자가 의
    경(儀卿)인 바, 경(卿) 자가 잘못 들어갔거나 중간에 의(儀) 자가 빠진 것으로 보
    인다. 송나라 사람으로 또 다른 자는 단구(丹丘)이며 자호는 창랑포객(滄浪逋客)
    이다. 시마(詩魔)는 시의 작법이나 기풍이 좋지 않은 방향으로 흘러 시상(詩想)
    이 괴벽한 것을 말한다. 엄우의 《창랑시화(滄浪詩話)》의 〈시변(詩辯)〉에 "시를 배
    우는 사람은 식견을 위주로 하여 입문(入門)을 바르게 하고 뜻을 높이 세워야 하
    니, 한(漢), 위(魏), 진(晉), 성당(盛唐)의 시인을 스승으로 삼아야지, 당나라 개원
    (開元), 천보(天寶) 연간 이후의 인물이 되어서는 안 된다. 스스로 위축되고 물러
    나면 저열한 시마가 폐부에 들어가게 될 것이니, 이는 뜻을 높이 세우지 않았기

속)에 들어간 경우라고 하겠다.

여기에 해당하는 몇 구절을 들어 보면 다음과 같다.

"사원에 가득한 소나무와 대나무는 승려의 부귀요. 강가의 안개와 달빛은 사원의 풍류로다.〔滿院松篁僧富貴 一江煙月寺風流〕", "땅 위로 솟은 소나무 뿌리는 용의 굽은 허리요. 창문 앞의 파초 잎은 봉황의 긴 꼬리로다.〔竹根迸地龍腰曲 蕉葉當窓鳳尾長〕", "호수가 잔잔한데 한 가운데에 달이 비치고, 포구가 넓으니 밀물을 한껏 들이켜네.〔湖平巧印當心月 浦闊貪吞入口潮〕"

위와 같은 구절들은 모두 사람들에게 회자(膾炙)되어 뛰어나다고 일컬어지는 경구(警句)들이다. 그러나 지금 살펴보면 시골 학동(學童)이 익히는 《백련초(百聯鈔)》[55]의 구절과 거의 같을 뿐이니 어찌 숭상할 가치가 있겠는가. 당시 사람들은 그의 시재가 풍부하고 민첩하여 대적할 사람이 없음을 직접 보았으므로 경외하며 탄복한 것이 당연하지만, 후세 사람들이 그의 시를 논할 경우에는 마땅히 그렇지 않아야 하는데도 3, 4백 년이 흐른 지금까지도 여전히 그 속에서 이의를 제기하지 못하고 있으니, 참으로 이해할 수 없다.

그러나 이것은 시를 가지고 말하였을 뿐이고, 다른 문장의 경우는 더욱 깊이 논할 가치가 없다. 비록 사부(詞賦)와 변려문(騈儷文) 중에서 취할 만한 것이 자못 있지만, 만약 이것을 가지고 목은(牧隱) 이색(李穡) [56] 등 여러 사람

• • • • • •

때문이다." 하였다.

55 백련초(百聯鈔) : 초학자들에게 한시를 가르치기 위해 칠언고시 중에서 연구 100개를 뽑아 엮은 책으로 명종 때 하서(河西) 김인후(金麟厚)가 엮었다 하나 확실하지 않다.

56 목은(牧隱) 이색(李穡) : 1328~1396. 고려 말기의 문신이자 문장가로 목은은 호이고 자는 영숙(穎叔), 본관은 한산(韓山), 시호는 문정(文靖)이다. 1341년(충

을 압도하여 우리나라의 으뜸이 된다고 한다면 옳지 않을 듯하다.

　문장을 논할 적에 우리나라에서 참으로 어느 한 사람을 으뜸이라고 단
정하기는 어렵다. 그러나 문장은 마땅히 목은을 대가로 추앙해야 하고
시는 마땅히 읍취헌(挹翠軒) 박은(朴誾)[57]을 절창(絕唱)으로 추앙해야 한다.
목은은 문장만 대가일 뿐이 아니라 시도 규모가 크고 호방하여 그 기상
을 볼 만하니, 이규보의 촉박스러움과는 같지 않다.

혜왕 2) 진사시에 장원 급제하고 벼슬이 대제학을 거쳐 문하시중(門下侍中)에 이
르렀다. 스승 이제현(李齊賢)과 쌍벽을 이루는 대문장가이다. 조선조에 벼슬하지
아니하여, 포은(圃隱) 정몽주(鄭夢周), 야은(冶隱) 길재(吉再)와 함께 삼은(三隱)
으로 일컬어진다.

57　읍취헌(挹翠軒) 박은(朴誾) : 1479~1504. 조선 초의 문장가로 읍취헌은 호이고
자는 중열(仲說)이며 본관은 고령(高靈)이다. 1496년(연산군 2) 식년 문과에 급
제하였으며 같은 해 사가독서(賜暇讀書)에 선발되었다. 홍문관에 있으면서 20세
의 약관으로 유자광(柳子光)을 탄핵하여 파직되자 자연에 묻혀 술과 시로써 세
월을 보내다가 갑자사화에 동래로 유배되고 다시 의금부에 투옥되어 처형되었
다. 해동 강서파(海東江西派)의 대표적 시인이며, 친구 이행(李荇)이 그의 시를 모
아 《읍취헌유고》를 간행하였다.

26. 천진난만하고 기기氣機가 풍부한
박은朴誾의 시

해설 | 박은은 황정견과 진사도의 송시를 배웠지만 재능이 뛰어나 그들에게 얽매이지 않으므로 천진이 난만해서 기기(奇氣)가 넘쳐난다고 높이 평하였다.

挹翠軒은 雖學黃, 陳이나 而天才絶高하여 不爲所縛이라 故로 辭致淸渾하고 格力縱逸이요 至其興會所到하여는 天眞爛漫하고 氣機洋溢하여 似不犯人力하니 此則恐非黃, 陳所得囿也로라

읍취헌 박은은 비록 황정견(黃庭堅)과 진사도(陳師道)의 시를 배웠으나 타고난 재주가 매우 높아 그에 속박당하지 않았다. 그래서 시문의 운치가 맑고 혼연하며 격조와 기세가 호매하고 분방하다. 그리고 흥이 일어난 대목에 이르러서는 천진이 난만하고 기운이 가득 흘러넘쳐 사람의 힘으로 이룬 것 같지 않으니, 이것은 아마도 황정견, 진사도의 문장에 얽매이지 않았기 때문일 것이다.

27. 안평대군安平大君의 글씨를 닮은 박은朴誾의 시

해설 | 박은의 시가 안평대군의 글씨와 비슷하다고 논한 글이다. 시는 당시(唐詩)가 최고이고 글씨는 왕희지(王羲之)가 최고인데, 위에서 말했듯이 박은은 황정견과 진사도의 송시를 배웠지만 시어가 당시와 흡사하고, 안평대군은 원나라 조맹부의 글씨를 배웠지만 필획이 왕희지와 유사하다고 높이 평하였다.

余嘗謂挹翠之詩는 正與安平書相似라 安平書는 雖規模松雪이나 而其筆畫則二王也요 挹翠詩는 雖師法黃, 陳이나 而其神情興象은 猶唐人也니 此皆天才高故爾라

나는 일찍이 읍취헌의 시는 안평대군(安平大君)[58]의 글씨와 유사하다고 생각하였다. 안평대군의 글씨는 송설(松雪)을 배웠으면서도 필획이 이왕

58 안평대군(安平大君) : 세종의 셋째 아들 이용(李瑢, 1418~1492)으로, 자는 청지(淸之), 호는 비해당(匪懈堂), 매죽헌(梅竹軒)이다. 1428년(세종 10) 대군에 봉해졌으며 시문에 뛰어났고 당대의 명필로 이름을 떨쳤으나, 계유정난(癸酉靖難)으로 김종서(金宗瑞) 등이 살해된 후 강화(江華)에 유배되었다가 교동(喬桐)으로 옮겨져 사사(賜死)되었다.

(二王)과 같고[59], 읍취헌의 시는 황정견, 진사도의 시를 배웠으면서도 정신과 기상은 당나라의 시인을 닮았으니, 이는 모두 타고난 재주가 높기 때문이다.

● ● ● ● ● ●

59 송설(松雪)을……같고 : 송설은 명나라의 명필가 조맹부(趙孟頫, 1254~1322)를 가리킨다. 고려의 충선왕이 원나라에 들어가 만권당(萬卷堂)을 짓고 그와 친하게 교유하였기 때문에 그의 글씨가 우리나라에 많이 유포되어 큰 영향을 끼쳤다. 이왕(二王)은 동진(東晉)의 명필가이며 서성(書聖)으로 알려진 왕희지(王羲之)와 그의 아들 왕헌지(王獻之)를 가리킨다.

28. 이규보가 넘볼 수 없는
박은의 풍격

해설 | 박은의 시 가운데 경절(警絶)이라 할 수 있는 여러 연구(聯句)를 차례로 열거하고 이런 시어(詩語)는 비장 노건(悲壯老健)하고 청신 경절(淸新警絶)하니 이규보의 문집에서는 이와 비슷한 말을 찾아볼 수 없다고 평하였다.

挹翠詩에 如"風從木葉蕭蕭過 酒許山妻淺淺斟"과 "春陰欲雨鳥相語 老樹無情風自哀"와 "怒瀑自成空外響 愁雲欲結日邊陰"과 "夜深纖月 初生影 山靜寒松自作聲"과 "一年秋興南山色 獨夜悲懷缺月懸"과 "故 人自致靑雲上 老我孤吟黃菊邊"과 "雨後海山皆秀色 春還禽鳥自和 聲"과 "風帆飽與潮俱上 漁戶渾臨岸欲傾"等語는 悲壯老健하고 淸新警 絶하니 如李奎報集中에 那得有一語似此리오

　읍취헌의 시 중에 "바람은 낙엽이 우수수 떨어지는 속에 지나가고, 술은 아내가 조금씩 따르도록 허락하네.[風從木葉蕭蕭過 酒許山妻淺 淺斟]", "흐린 봄날 비 오려하니 새들 서로 지저귀고, 늙은 나무 무정한 데 바람이 절로 슬프구나.[春陰欲雨鳥相語 老樹無情風自哀]", "성난 폭 포 소리는 하늘 저편에서 울려오고, 근심 어린 구름은 태양 곁에 끼려 하네.[怒瀑自成空外響 愁雲欲結日邊陰]", "깊은 밤 초승달이 작은 그림

자를 만들고, 고요한 산 차가운 소나무 절로 소리 내네.〔夜深纖月初生影 山靜寒松自作聲〕", "한 해의 가을 흥취는 남산 빛에 있고, 외로운 밤의 슬픈 감회는 조각달에 걸려 있네.〔一年秋興南山色 獨夜悲懷缺月懸〕", "벗님은 스스로 청운에 올랐는데, 늙은 이 몸 외로이 황국 곁에서 읊조리네.〔故人自致靑雲上 老我孤吟黃菊邊〕", "비 갠 뒤 바다와 산 빛깔 모두 빼어나고, 봄이 오니 새소리 절로 조화롭네.〔雨後海山皆秀色 春還禽鳥自和聲〕", "돛단배는 바람 한껏 안고서 밀물과 함께 올라오고, 어부의 집은 완전히 언덕에서 바다로 빠지려 하네.〔風帆飽與潮俱上 漁戶渾臨岸欲傾〕" 등과 같은 말들은 비장(悲壯)하고 노건(老健, 노련하고 힘이 있음)하며 청신(淸新)하고 매우 뛰어나니, 이규보의 문집 속에서 어찌 한 마디라도 이와 같은 말을 찾아낼 수 있겠는가.

29. 이행李荇의 시가 갖춘 격식과 기세氣勢

해설| 이행(李荇)의 시는 박은에게 미치지 못하지만 내용이 원만하고 화평하여 한 시대의 고수라 할 수 있으며, 또 오언고시에는 매우 아름다운 작품이 있어 이안눌(李安訥)이 미칠 수 있는 상대가 아니라고 하였다.

容齋詩는 雖格力不及挹翠나 而圓渾和雅하고 意致老成하여 足爲一時對手라 其五言古詩는 往往有絶佳者하여 非東岳所及也라

용재(容齋) 이행(李荇)의 시는 비록 격조와 기세가 읍취헌에 미치지 못하지만 원혼(圓渾, 원만하고 질박함) 화아(和雅, 화평하고 아정(雅正)함)하며, 의미와 취향이 노성(老成)하여 당대의 맞수가 되기에 충분하였다.[60] 그의 오언고

• • • • • •

60 용재(容齋)……충분하였다. : 용재는 이행(李荇, 1478~1534)의 호로, 자는 택지(擇之)이며 본관은 덕수(德水)이다. 1495년(연산군 1)에 문과에 급제하여 벼슬하였다. 갑자사화(甲子士禍) 때 폐비의 복위를 반대하다가 유배되었고 중종반정(中宗反正) 때 해배되어 교리가 되었다. 이후 벼슬이 좌의정에 이르렀으나 김안로(金安老)의 전횡을 논하다가 귀양가서 죽었다. 농암이 우리나라에서 꼽은 시인은 읍취헌 박은과 용재 이행, 그리고 소재(穌齋) 노수신(盧守愼)이었다. 신정하(申靖夏)는 그의 저서 《서암집(恕菴集)》〈잡기(雜記)〉에서 "농암이 우리나라에서 취한 분은 읍취헌, 용재, 눌재 세 분 뿐이요, 나머지는 취한 것이 없다.[農巖之所

시 중에는 왕왕 매우 아름다운 것이 있어서 동악(東岳) 이안눌(李安訥)[61]이
미칠 수 있는 바가 아니다.

●●●●●●

取於吾東者 唯三家 翠軒訥齋穌齋而已 餘無取焉)"라고 하였다. 용재에 대해서는 허
균의 《성수시화(惺叟詩話)》에서 "우리나라의 시는 마땅이 이용재를 제일로 삼아
야 할 듯하다. 그의 시는 침후 화평(沈厚和平)하고 담아 순숙(澹雅純熟)하다. 오
언고시는 누보로 들어가 진후산으로 나왔으니, 고고하고 간절하여 필설로 다 찬
양할 수 있는 바가 아니다.〔我國詩 當以李容齋爲第一 沈厚和平 澹雅純熟 其五言古
詩 入杜出陳 高古簡切 有非筆舌所可讚揚)"라고 하였다. 김만중(金萬重)은 《서포
만필(西浦漫筆)》에서 "우리 조선조의 시체는 너덧번 이상 바뀌었다. 조선 초기에
는 고려의 실마리를 이어 순전히 동파를 배웠는데 선릉(宣陵, 성종)과 정릉(靖
陵, 중종)에 이르기까지 오직 용재가 대성했다고 일컬어진다.〔國朝詩體 不啻四五
變 國初承麗國之緖 全學東坡 而迄於宣靖 惟容齋稱大成焉)"하였다. 신흠은 《청창연
담(晴窓軟談)》에서 "우리 조선조에는 작가가 시대마다 있어서 수백 가(家)가 넘
는데, 화평하고 담아하여 일가의 말을 이룬 근대의 시인으로 말하면 세 부류가
있다. 용재 이행과 낙봉(駱峯) 신광한(申光漢)이 있는데, 낙봉은 비교적 깨끗하고
용재는 비교적 원숙하다. 대가로는 사가(四佳) 서거정(徐居正)이 마땅히 제일이
되어야 할 것이요, 점필재(佔畢齋) 김종직(金宗直)과 허백당(虛白堂) 성현(成俔)
이 그 다음이다.〔我朝作者 代有其人 不啻數百家 以近代人言 途有三焉 和平淡雅 成
一家言者 容齋李荇駱峯申光漢 而申較淸李較圓 大家則徐四佳居正當爲第一 而佔畢金
宗直虛白成俔次之)"하였다. 그리고 남용익은 이용재의 시를 원혼(圓渾)하다고 평
가하였다.

61 동악(東岳) 이안눌(李安訥) : 1571~1637. 조선 중기의 문신으로 동악은 호이고
   자는 자민(子敏)이며 본관은 덕수(德水)이다. 1599년(선조 32) 식년 문과에 급제
   하고 벼슬이 예조 판서에 이르렀다. 평생 시를 짓는데 힘써 4천3백여 수의 방대
   한 시를 남겼다.

30. 천진과 질박이 사라진
선조조宣祖朝 이후의 시

해설 | 조선조의 시는 선조 때가 최고라는 세상 사람들의 평을 일축하고, 시도(詩道)가 쇠한 것이 실로 이때부터 시작되었다고 비평하였다. 이 역시 명나라의 의고문파를 의식한 것인바, 농암은 선조조에 이르러 왕세정·이반룡의 영향으로 당시를 배우는 사람들이 점점 많아져 서로 모방해서 정밀하고 곱게 단련하는 것을 숭상한 나머지 성정에서 발로된 천진스러움을 상실하였다고 평하였다.

世稱本朝詩 莫盛於穆廟之世라하나 余謂詩道之衰 實自此始라하노라 蓋穆廟以前은 爲詩者大抵皆學宋故로 格調多不雅馴하고 音律或未諧適이로되 而要亦疎鹵質實하고 沈厚老健하여 不爲塗澤艶冶하여 而各自成其爲一家言이러니 至穆廟之世하여는 文士蔚興하여 學唐者寖多하고 中朝王、李之詩 又稍稍東來하니 人始希慕倣效하여 鍛鍊精工이라 自是以後로 軌轍如一하고 音調相似하여 而天質不復存矣라 是以로 讀穆廟以前詩하면 則其人猶可見이로되 而讀穆廟以後詩하면 其人殆不可見하니 此詩道盛衰之辨也니라

세상에서는 우리 조선의 시가 목묘(穆廟, 선조(宣祖)) 때보다 성한 적이 없

다고 하지만, 나는 시도(詩道)가 쇠한 것이 사실 이때부터 시작되었다고 생각한다. 목묘 이전에는 시를 짓는 분들이 대체로 모두 송나라의 시를 배웠기 때문에, 격조가 대부분 아순(雅馴)하지 못하고 음률도 간혹 조화롭지 못하였다. 그러나 요컨대 또한 진솔하고 진실하며 중후하고 노련하면서도 힘이 있고 곱게 겉치장을 하거나 화려하게 문식을 하지 않아 각자 일가(一家)의 말을 이루게 되었다.

그런데 목묘 때에 이르러는 문사(文士)가 많이 나와서 당시(唐詩)를 배우는 분들이 점차 많아졌고, 중국의 왕세정(王世貞)과 이반룡(李攀龍)의 시도 차츰 우리나라로 들어오니, 사람들이 비로소 그들의 시를 사모하고 모방하여 정교하게 다듬기 시작하였다. 이후로는 문사들이 따르는 법도가 한결같고 음조도 서로 비슷해져서 천진함과 질박함이 더 이상 보존되지 못하였다. 이 때문에 목묘 이전의 시를 읽으면 그 사람을 알 수 있으나 목묘 이후의 시를 읽으면 그 사람을 거의 알 수 없으니, 이것이 시도가 성하고 쇠한 것의 구별이다.

31. 우환 속에서 득력得力한
노수신盧守愼의 시

해설 | 소재(蘇齋) 노수신의 시는 두시(杜詩)의 격조와 기운을 체득하였으므로 후대에 두시를 배운 사람들이 따를 수 없었음을 높이 평가하였다. 그러나 19년 동안 섬에 유배되어 있으면서 오직 두시에 정력을 쏟았고 그 외엔 〈숙흥야매잠해〉를 지었으나 그 안의 의리를 잘 수용하지 못해 유배지에서 풀려난 뒤에 기절이 많이 사라졌다고 평하였다.

盧蘇齋詩는 在宣廟初에 最爲傑然하니 其沈鬱老健하고 莽宕悲壯하여 深得老杜格力하여 後來學杜者 莫能及하니 蓋其功力深至하여 得於憂患者爲多라 余謂此老十九年在海中에 只做得《夙興夜寐箴解》나 而亦未甚受用하여 後日出來에 氣節太半消沮하고 獨學得杜詩 如此好耳라하노라

노소재(盧蘇齋)[62]의 시는 선묘(宣廟) 초기에 가장 뛰어났는데, 침울(沈鬱)

••••••

62 노소재(盧蘇齋) : 1515~1590. 조선 중기의 문신이자 학자인 노수신(盧守愼)으로, 소재는 호이고 자는 과회(寡悔)이며 본관은 광주(光州)이다. 1543년(중종 38) 식년 문과에 장원 급제하였다. 1547년(명종 2) 순천(順天)으로 유배되었는데, 양재역 벽서사건(良才驛壁書事件)에 연루되어 죄가 가중되었기 때문에 다시 진도(珍島)로 이배되어 19년간 귀양살이를 하였다. 1567년 선조가 즉위하자 풀

하고 노건(老健)하며 드넓고 비장하여 노두(老杜)[63]의 격조와 기세를 깊이 체득하였다. 그리하여 그 뒤에 두보를 배운 자들이 그를 미칠 수 없었으니, 그가 공력을 많이 들여 우환 속에서 득력(得力)한 것이 많았던 것이다. 내 생각에 이 노인은 19년 동안 섬(진도)에 있으면서 단지 〈숙흥야매잠해(夙興夜寐箴解)〉[64]를 지었으나, 그 의리를 깊이 수용(受用)하지 못하여 훗날 섬에서 나왔을 적에 기절(氣節)이 태반은 사라진 듯하다. 다만 두시(杜詩)를 배운 일만 이처럼 좋았을 뿐이다.

려나와 대사간·대제학 등을 지냈고, 우의정과 좌의정을 거쳐 1585년(선조 18)에 영의정에 올랐다. 온유하고 원만한 성격으로 사림의 중망을 받았으며, 특히 선조의 지극한 존경과 은총을 받았다. 저서로 《소재집》이 있으며, 시호는 문간(文簡)이다.

63 노두(老杜) : 두보(杜甫)를 가리킨다. 만당(晩唐)의 두목(杜牧)과 구별하기 위하여 앞시대의 두보를 노두, 뒷시대의 두목을 소두(小杜)라 칭하였다.

64 숙흥야매잠해(夙興夜寐箴解) : 〈숙흥야매잠(夙興夜寐箴)〉은 남송(南宋)의 학자 남당(南塘) 진백(陳柏)이 지은 것으로, 아침 일찍 일어나고 저녁 늦게 자면서 몸과 마음을 수양하라는 잠언(箴言)으로 옛날 학자들이 주자(朱子)의 〈경재잠(敬齋箴)〉과 함께 반드시 읽었던 글이다. 이 두 편은 모두 퇴계의 〈성학십도(聖學十圖)〉에 들어있는 바, 〈숙흥야매잠해〉는 〈숙흥야매잠〉에 대한 해석이다.

32. 서로 다른 정사룡鄭士龍·노수신盧守愼· 황정욱黃廷彧 삼가三家의 시

해설 | 호음 정사룡, 소재 노수신, 지천 황정욱 세 분은 관각삼걸(官閣三傑)로 알려진 인물들이다. 농암은 이 세 분 시의 특징을 밝힌 다음, 소재를 가장 높이 평가하였다.

世稱湖, 穌, 芝나 然三家詩實不同이라 湖陰은 組織鍛鍊이 頗似西崑이나 而風格不如穌하고 芝川은 矯健奇崛이 出自黃, 陳이나 而宏放不及穌하니 穌齋其最優乎인저

세상에서는 호음(湖陰) 정사룡(鄭士龍)[65]과 소재(穌齋) 노수신(盧守愼), 지천(芝川) 황정욱(黃廷彧)[66]을 일컫지만 세 사람의 시는 실제 똑같지 않다.

••••••

65 호음(湖陰) 정사룡(鄭士龍) : 1491~1570. 조선 전기의 문신으로 호음은 호이고 자는 운경(雲卿)이며 본관은 동래(東萊)이다. 1509년(중종 4) 별시 문과에 급제하고 벼슬은 대제학을 거쳐 공조 판서에 이르렀다. 문장에 뛰어나 중국에 사신으로 가서 문명을 떨쳤는데, 특히 칠언율시에 뛰어나 당시 신광한(申光漢)과 함께 한시의 쌍벽으로 꼽았다.

66 지천(芝川) 황정욱(黃廷彧) : 1532~1607. 조선 중기의 문신으로 지천은 호이고 자는 경문(景文)이며 본관은 장수(長水)이다. 1558년(명종 13) 식년 문과에 급제하고 대제학을 역임하였으며 벼슬이 병조 판서에 이르렀다. 시문과 서법에 능

호음은 글의 짜임새와 단련한 것이 서곤체(西崑體)[67]와 매우 흡사하나 풍격이 소재만 못하고, 지천은 힘차고 기발한 것이 황정견, 진사도에게서 나왔으나 웅장하고 기발함이 소재만 못하니, 소재가 가장 뛰어날 것이다.

• • • • • • •

　　하여 성현(成俔)·신광한(申光漢)·박상(朴祥) 등과 함께 서거정(徐居正) 이후 한문학 4대가로 칭송되었다. 저서로《지천집》등이 있으며 시호는 문정(文貞)이다.

67　서곤체(西崑體) : 송(宋)나라 초기에 유행한 시체(詩體)의 하나로 당(唐)나라의 이상은(李商隱), 온정균(溫庭筠) 등의 시를 본받아 전고(典故)를 많이 인용한 시체인 바, 양억(楊億)과 유균(劉筠) 등이 창화(唱和)한 시집을《서곤수창집(西崑酬唱集)》이라고 한 데서 유래하였다.

33. 시詩로써 자부한 문장가
최립崔岦

해설 | 문(文)으로 더욱 알려진 간이 최립의 시 역시 노수신과 황정욱의 부류로서 후대의 시인이 미칠 수 없다고 평한 다음, 석주(石洲) 권필(權韠)과 최립 사이에 있었던 일화를 소개하였다.

簡易文章名世하니 人謂詩非本色이라하나 而要亦穌、芝之流라 其風格豪橫하고 質致深厚는 不及穌齋나 而鐫畫矯健은 過之요 其警絶處는 聲響鏗然하여 若出金石하니 要非後來詩人所能及也라 嘗聞權石洲見簡易하고 問曰 "當今文筆은 固有吾丈이어니와 在詩則當推何人擅場"고하니 蓋意其必許己也라 簡易瞑目良久에 曰 "不知老夫死後에 何人擅場耳"로라하니 石洲憮然有慚色이라하니 其自負如此云이라

간이(簡易) 최립(崔岦)[68]은 문장으로 세상에 이름을 떨쳤으므로 사람들

<hr />

[68] 간이(簡易) 최립(崔岦) : 1539～1612. 조선 중기의 문신이자 문인으로 간이는 호이고 자는 입지(立之)이며 본관은 통천(通川)이다. 1561년(명종 16) 식년 문과에 장원으로 급제하여 출사하고 버슬이 형조 참판에 이르렀다. 그는 당대 일류의 문장가로 중국과의 외교문서를 많이 작성하였으며, 중국에 사신 갔을 때 중국 문단의 거장 왕세정(王世貞)을 만나 문장을 논하고 중국의 학자들로부터 명문장

이 시는 그의 본색이 아니라고 말하지만, 요컨대 그의 시 또한 소재와 지천의 부류이다. 풍격이 호방하고 바탕이 심후(深厚)한 것은 소재에게 미치지 못하지만 필력이 날카롭고 힘찬 것은 그보다 낫고, 그 중에 뛰어난 부분은 쟁그렁 울리는 음조가 마치 금석(金石)에서 나온 것과 같으니, 요컨대 후세의 시인들이 미칠 수 있는 수준이 아니다.

내가 일찍이 들으니, 권석주(權石洲)[69]가 간이를 보고 묻기를 "지금 문장에 있어서는 실로 어르신이 계십니다만 시에 있어서는 누구를 독보적이라고 추앙해야 합니까?" 하였으니, 이는 간이가 분명 자신을 인정해 줄 것이라고 생각해서 한 말이었다. 그런데 간이는 한참 동안 눈을 감고 있다가 이르기를 "이 늙은이가 죽은 뒤에는 누가 독보적일지 모르겠네." 하니, 이에 석주가 무안하여 부끄러워하는 기색이 있었다. 간이는 자부심이 이와 같았다.

••••••
　　가라는 격찬을 받았다. 저서로 《간이집》 등이 있다.
69 권석주(權石洲) : 석주는 권필(權韠, 1569~1612)의 호로 자는 여장(汝章)이며 본관은 안동(安東)이다. 정철(鄭澈)의 문인으로 당시에 시문으로 명성이 높았다. 동료 문인들의 추천으로 제술관(製述官)이 되고, 또 동몽교관(童蒙敎官)에 임명되었으나 끝내 나아가지 않고서 강화(江華)에서 많은 생도를 가르쳤다. 임숙영(任叔英)이 유희분(柳希奮) 등의 방종한 행동을 비난하는 내용으로 책문(策問)을 지었다가 광해군의 뜻을 거슬러 삭과(削科)된 사실을 권필이 듣고 〈궁류시(宮柳詩)〉를 지어서 풍자 비방하였다. 광해군이 이 시를 보고 대노하여 권필을 해남(海南)으로 귀양을 보냈는데, 가던 도중에 죽고 말았다. 저서에 《석주집》 등이 있다. 유희분은 광해군의 처남으로 당시 광해군을 믿고 방종하게 행동하였다.

34. 전겸익錢謙益이 밝힌 명나라의 문폐文弊

해설 | 명나라 문인의 폐단은 전칠자인 이몽양에게서 비롯되어 후칠자인 왕세정 등에서 심해졌고 경릉파(竟陵派)인 종성(鍾惺)과 담원춘(譚元春)에게서 바뀌어 극도에 달했음을 밝히고 전겸익이 이 점을 잘 비판하였음을 소개하였다. 강교수의 평석에 의하면 경릉파들은 시 창작에 고독의 정서를 즐겨 사용하고 시의 언어 표현 역시 기괴한 경지를 추구했다고 한다.

明之文弊는 始於李、何하여 深於王、李하고 轉變於鍾, 譚而極矣라 近看錢牧齋文字하니 論此最詳하여 其推究源委하고 鍼砭膏肓에 語多切嚴하니 諸人見之라도 亦當首肯이리라

명나라 문장의 폐단은 이몽양(李夢陽)·하경명(何景明)에게서 시작되어 왕세정(王世貞)·이반룡(李攀龍)에게서 깊어지고 종성(鍾惺)[70]·담원춘(譚元春)[71]

------

70   종성(鍾惺) : 1574~1625. 명나라 말기 문인으로 자는 백경(伯敬)이고 호는 퇴곡(退谷)이며 호북(湖北) 경릉(竟陵) 출신이다. 만력(萬曆) 38년(1610) 진사시에 급제하여 벼슬이 복건 제학첨사(福建提學僉事)에 이르렀다. 의고파에 반대하여 문장의 독창성을 주장하였으며, 공안파(公安派)의 시풍 또한 너무 부박(浮薄)하다고 평가하여 시에 있어 유심(幽深)과 기취(奇趣)를 중요하게 여겼다.

71   담원춘(譚元春) : 1586~1637. 명나라 말기의 문인으로 자는 우하(友夏)이고 호

에게서 변환되어 극도에 달하였다. 근래에 전목재(錢牧齋)[72]의 글을 보니, 이 점을 논한 것이 매우 상세하여 그 본말을 미루어 밝히고 병폐의 핵심을 지적한 말이 대부분 절실하고 엄격한데, 위의 여러 사람들이 보더라도 이를 수긍할 것이다.

••••••

는 곡만(鵠灣)이며 호북(湖北) 경릉(竟陵) 출신이다. 천계(天啓) 7년(1627)에 향시(鄕試)에서 장원으로 합격하였지만 벼슬은 하지 않았다. 동향 선배인 종성과 《시귀(詩歸)》 51권을 함께 편집했는데 이 책이 세상에 널리 읽혀져 그의 이름은 유명해졌지만, 이단적인 견해와 강력한 개성 때문에 학자들 사이에 격렬한 비난을 불러일으켰다.

72 전목재(錢牧齋) : 명말 청초의 문인 전겸익(錢謙益, 1582~1664)으로 목재는 호이고 자는 수지(受之)이다. 명나라 만력(萬曆) 38년(1610) 진사시에 급제한 뒤, 예부 시랑(禮部侍郎)에 올랐으며 청(淸)나라가 강남을 평정하자 투항하여 청조의 예부 시랑이 되었다. 박학다재하며 시문에 뛰어나 붓끝에 막힘이 없었으며, 명대 문단의 주류인 전·후칠자를 비판하고 송대의 문장을 높이 평가하였다.

35. 초탈하고 자유로운 전겸익의 문장

해설 | 전겸익의 《유학집(有學集)》을 보고 명말의 대가로서 구양수와 소식의 문체를 따랐음을 칭찬하면서도 법도를 지키는 엄중함이 부족함을 비판하였다. 그러나 그가 형식에 초탈하여 속박됨이 없어서 표절과 모방을 일삼은 왕세정이나 왕도곤보다 낫다고 평하였다.

이 《잡지(雜識)》에서 보면, 농암은 전겸익의 학식을 높이 평가하고 그의 논평을 대부분 따르고 있는바, 이는 당송의 문장을 좋아하는 농암의 취향과 맞았고 또 그가 뒤에 청나라에 항복하여 실절(失節)한 사실을 미처 몰랐기 때문인 것으로 보인다.

近觀牧齋《有學集》하니 亦明季一大家也라 其取法不一이나 而大抵出於歐, 蘇하니 其信手寫去하여 不窘邊幅는 頗類蘇長公이요 俯仰感慨하여 風神生色은 又似乎歐公이라 但豪逸駔宕之過하여 時有俠氣하고 亦時有冶情하여 少典厚嚴重之致하며 又頗雜神怪不經之說하여 殊爲大雅累라 然이나 余猶喜其超脫自在하여 無砌湊絪縛하여 不似弇州, 太函輩의 一味勦襲耳로다

근래에 전목재의《유학집(有學集)》[73]을 보니, 그 역시 명나라 말기의 한 대가이다. 그의 문장은 법도(전범)로 삼은 것이 한둘이 아니었으나 대체로 구양공와 소동파에게서 나왔는데, 손 가는 대로 써서 변폭(邊幅)에 구애되지 않은 점은 소장공(蘇長公, 소식)과 상당히 유사하고, 깊이 생각하고 감탄하여 풍신이 드러남은 또 구양공(歐陽公)과 비슷하다. 다만 호방함과 자유분방함이 너무 지나쳐서 종종 협기(俠氣)가 있고, 또한 때로 야정(冶情, 음탕한 감정)이 있어 전아하고 중후하고 엄중한 운치가 부족하며, 또 괴이하고 불경(不經)한 말이 상당히 섞여 있어 대아(大雅, 덕과 재주가 높음)에 큰 누가 되었다. 그러나 나는 그래도 그의 글이 초탈하고 자유로워 이것저것 주위 모으거나 형식에 속박당하지 않아 엄주(弇州) 왕세정(王世貞)과 태함(太函) 왕도곤(汪道昆)[74]의 무리처럼 한결같이 남의 작품을 표절하는 것과 같지 않은 점을 좋아한다.

••••••

73 유학집(有學集) : 전겸익이 찬한 시문집으로 총 50권으로 이루어져있는 바, 청나라에 저촉되는 내용이 많아서 당시 금서(禁書)로 지정되었다.

74 태함(太函) 왕도곤(汪道昆) : 1525~1593. 명나라의 문인으로 태함은 호이고 또 다른 호는 남명(南溟)이다. 자는 백옥(伯玉), 옥경(玉卿)이고 명나라 휘주부(徽州府) 사람이다. 가정(嘉靖) 26년(1547) 진사(進士)가 되어 의오 현령(義烏縣令)에 임명되었다. 융경(隆慶) 연간에 병부 좌시랑(兵部左侍郎)에 이르렀으며, 시문으로 이름을 떨쳐 왕세정(王世貞)과 함께 남북양사마(南北兩司馬)로 일컬어졌다.

36. 일가의 체제를 이룬 전겸익의 비지문碑誌文

해설 | 전겸익의 비지는 한유와 구양수를 모두 따르지는 않았지만 서사와 의론에 착종을 잘 하였고 때로는 육조(六朝)의 어구를 사용하여 일가의 문체를 이루었으며 또 몇 편의 비지문은 구양수와 매우 흡사하니, 명나라의 문장 중에 보기 드문 문장이라고 높이 평하였다.

牧齋碑誌는 不盡法韓, 歐나 其大篇은 敍事議論이 錯綜經緯하고 寫得淋漓하여 要以究極事情하고 模寫景色하며 又時有六朝句語하여 錯以成文하니 自是一家體라 如《張益之墓表》와《陳愚母墓誌》等數篇은 其風神感慨가 絶似歐公하니 明文中所罕得也라

목재의 비지(碑誌)는 한공(韓公, 한유)과 구양공(歐陽公, 구양수)의 작법을 완전히 본받지는 않았다. 그 가운데 대편(大篇)은 사실을 서술하고 의론을 펼친 것이 종횡으로 착종하고 묘사가 풍부하다. 요컨대 사정을 끝까지 밝히고 경색(景色)을 그대로 묘사하였으며, 또 때로는 육조(六朝) 시대의 어구(語句)를 섞어 문장을 지어 스스로 문체에 일가를 이루었다. 예를

들어 〈장익지 묘표(張益之墓表)〉와 〈진우모 묘지(陳愚母墓誌)〉[75] 등 몇 편은 풍신과 감개가 구양공의 글과 매우 흡사하니, 이는 명나라의 문장 중에서 찾아보기 어려운 비지문이다.

• • • • • •

75 장익지 묘표(張益之墓表)와 진우모 묘지(陳愚母墓誌) : 장익지 묘표의 원래 제목은 〈장익지 선생 묘표(張益之先生墓表)〉이고, 진우모 묘지는 〈진유인 장씨 묘지명(陳孺人張氏墓誌銘)〉이다.《初學集 卷66, 卷58》

37. 옛 지명을 빌려 쓴
전겸익의 비지문

해설 | 전겸익의 비지문에 연경(燕京)을 장안(長安)이라고 표현한 잘못을 지적하고, 시문에 고사는 빌려 써도 되지만 지명은 안 되며 비지의 서사에 있어서는 더더욱 안 됨을 강조하였다.

牧齋碑誌中說京師處에 多云長安하니 此殊未當이라 長安은 本關中一小縣也니 漢, 唐時都此故로 遂爲京師之稱이어니와 明之京師는 乃燕地也니 何得復以關中一小縣之名稱之乎아 凡詩文用事에 有可假借者로되 而惟地名不可라 詩猶可로되 而文尤不可요 他文猶可로되 而碑誌敍事之文는 尤不可라

목재의 비지(碑誌) 중에 경사(京師, 연경)를 말한 곳은 대부분 장안(長安)이라고 표현하였으니, 이는 매우 온당치 못하다. 장안은 본래 관중(關中)의 한 작은 고을인데, 한나라와 당나라 때에 이곳에 도읍하였기 때문에 마침내 경사라 칭하게 되었다. 그렇지만 명나라의 경사는 바로 연(燕) 지방인데 어찌 다시 관중의 한 작은 고을의 이름으로 칭할 수 있겠는가.

시문에 고사를 인용할 경우 가차하여 쓸 수 있는 것이 있지만 오직 지명은 이렇게 해서는 안 된다. 시는 그래도 괜찮지만 산문은 더욱 안 되고, 다른 문장은 그래도 괜찮지만 비문처럼 일을 서술하는 문장은 더더욱 안 된다.

38. 장편으로 작성한
   세 편의 행장行狀

해설 | 주자의 〈장위공행장〉과 왕세정의 〈서계행장〉, 전겸익의 〈손승종행장〉
이 너무 길다 비판하였다.

朱子《張魏公行狀》과 王弇州《徐階行狀》과 錢牧齋《孫承宗行狀》은 皆
至二卷之多하니 古所未有也라 前此에 唯東坡《司馬公行狀》이 頗多나
而尙未至此라【張魏公行狀은 一百三十板이요 孫承宗行狀은 一百十一板이라】

　주자(朱子)의 〈장위공행장(張魏公行狀)〉[76]과 왕엄주(王弇州)의 〈서계행장(徐
階行狀)〉[77], 전목재(錢牧齋)의 〈손승종행장(孫承宗行狀)〉[78]은 모두 분량이 2권

* * * * * *

76　주자(朱子)의 장위공행장(張魏公行狀) : 장위공은 장준(張浚)으로 이 행장의 원
　　래 제목은 〈소사 보신군절도사 위국공 치사 증 태보 장공 행장(少師保信軍節度
　　使魏國公致仕贈太保張公行狀)〉으로,《주자대전(朱子大全)》권 95상(上), 95하(下)
　　에 실려 있다.

77　왕엄주(王弇州)의 서계행장(徐階行狀) : 서계 행장의 원래 제목은 〈명 특진광록
　　대부 주국 소사 겸 태자태사 이부상서 건극전태학사 증 태사 시문정 존재 서
　　공 행장(明特進光祿大夫柱國少師兼太子太師吏部尙書建極殿大學士贈太師諡文貞存
　　齋徐公行狀)〉으로 왕세정의 《엄주유고(弇州遺稿)》권 136~138에 실려 있다.

78　전목재의 손승종행장(孫承宗行狀) : 손승종 행장의 원래 제목은 〈특진 광록대부
　　좌주국 소사 겸 태자태사 병부상서 중극전태학사 손공 행장(特進光祿大夫左柱國
　　少師兼太子太師兵部尙書中極殿大學士孫公行狀)〉으로 전겸익의 《초학집(初學集)》

이나 되니, 이는 예전에 일찍이 없던 것이다. 이전에는 오직 동파(東坡, 소식)의 〈사마공행장(司馬公行狀)〉[79]이 상당히 길었는데 그래도 이렇게까지 길지는 않았다. ─ 〈장위공행장〉은 130판(板)이고 〈손승종행장〉은 111판이다. ─

• • • • • • •

권 47상(上), 47하(下)에 실려 있다.

혹자는 "농암은 왜 이에 대해서 비판하는 말이 없는 것인가. 비지문자가 길어지는 것을 혐오했는데, 이렇게 긴 행장에 대해서는 별다른 비판적 언급이 없다. 주자가 쓴 것이 포함되어 있어서 그런 것인가?" 하고 의문을 제기하기도 한다. 하지만 농암이 여기에서 "예전에 없었던 일이다."라는 단언이 이미 비판한 것이다. 무엇을 더 비판해야 한단 말인가? 주자와 관련된 글이다 보니 무소기탄(無所忌憚)으로 진언불휘(盡言不諱)를 할 수는 없는 것이다. 장준에 대한 주자의 행장은 너무 많은 것도 문제이지만 그보다도 지나치게 찬양한 것이 더 큰 문제가 되어 주자 생전에도 이에 대한 비평이 있었다. 주자의 절친한 벗인 남헌(南軒) 장식(張栻)은 바로 장준의 아들이다. 주자 역시 장식의 말을 그대로 믿고 지었음을 고백한 바 있다.

79 동파의 사마공행장(司馬公行狀) : 이 글의 원래 제목은 〈사마온공 행장(司馬溫公行狀)〉으로 《동파집(東坡集)》 권90에 실려 있는데 분량이 거의 한 권이다.

39. 비지문에 쓰는
계관階官과 직관職官

해설 | 모곤이 구양수의 〈장응지묘표〉를 잘못 비평하였음을 지적하고 송나라 사람의 비지문을 읽을 적에는 계관과 직관을 혼동하지 말아야 함을 강조하였다.

茅鹿門이 於歐文《張應之墓表》에 批云 "宋制에 以觀察推官으로 徙參軍 而知陽武縣하고 又以通判眉州로 入爲員外郎而復知陽武縣하니 可見 當時重令職如此"라하니라 按宋之官制는 有階官하고 有職事官이라 今以 應之所履者言之하면 始遷著作佐郎하여 知陽武縣하고 通判眉州하고 又 累遷屯田員外郎하여 復知陽武縣하니 其著作佐郎及員外郎은 皆階官 也요 通判, 知縣은 職事官也라 方其爲通判、爲知縣에 固帶佐郎、員外銜 이요 非入爲員外郎이며 而又自員外郎出知陽武縣也니 鹿門所謂入爲 員外郎은 恐未察此라 凡看宋人碑誌敍履歷處에 須分別階官、職官하여 不令混淆라야 始得이라

모녹문(茅鹿門)이 구양공의 문장 가운데 〈장응지묘표(張應之墓表)〉[80]에

••••••

80 장응지묘표(張應之墓表) : 이 글의 원래 제목은 〈상서둔전원외랑 장군묘표(尙書 屯田員外郎張君墓表)〉이다. 《文忠集 卷24》, 《唐宋八大家文鈔 卷58》

대해 비평하기를 "송나라 제도에 관찰추관(觀察推官)으로서 참군(參軍)으로 옮겨 양무현(陽武縣)을 맡고 또 미주(眉州)의 통판(通判)으로서 들어가 원외랑(員外郎)이 되고 다시 양무현을 맡았으니, 당시에 현령의 직책을 중시하기를 이와 같이 하였음을 알 수 있다."[81] 하였다.

내가 살펴보건대, 송나라의 관제에는 계관(階官)이 있고 직사관(職事官)이 있다.[82] 지금 장응지가 역임한 것을 가지고 말한다면 그는 처음에 저작좌랑(著作佐郎)으로 승진하여 양무현을 맡고 미주의 통판이 되었다가 또 누차 승진하여 둔전원외랑(屯田員外郎)이 되어 다시 양무현을 맡았으니, 저작좌랑과 원외랑은 모두 계관이고 통판과 지현(知縣, 현령)은 직사관이다. 그가 통판이 되고 지현이 되었을 때에 본디 저작좌랑, 원외랑의 직함(품계)을 지니고 있었던 것이지, 들어가 원외랑이 되고 또 원외랑에서 나와 양무현을 다스린 것이 아니니, 녹문의 "들어가 원외랑이 되었다."는 말은 이 점을 제대로 살피지 못한 말인 듯하다. 무릇 송나라 사람의 비지문에서 이력을 서술한 부분을 볼 때 계관과 직사관을 분별하여 혼동되지 않게 해야 비로소 제대로 알 수 있다.

••••••

81 송나라……있다 : 이 내용은 출처가 자세하지 않다.

82 계관(階官)이……있다 : 계관은 품계로 조선조의 대광보국 숭록대부(大匡輔國崇祿大夫), 또는 통정대부(通政大夫)와 같은 경우이고, 직사관(職事官)은 일을 맡은 관직으로 의정부 영의정이나 승정원 도승지 등이 여기에 해당한다.

40. 한유韓愈의 문장에 대한
모곤의 잘못된 비평

해설 | 이 역시 모곤이 《당송팔대가문초》에서 한유의 〈공사훈묘지〉를 잘못 이해하고 도리어 한유의 소홀함을 의심한 것을 가소롭다고 비평하였다.

韓文《孔司勳墓誌》云 "前夫人을 從葬舅姑兆次러니 卜人曰 '今茲歲未
可以祔'라하니 從卜人言하여 不祔"라한대 茅鹿門批云 "附誌前夫人所以
不及祔葬舅姑兆次之故로되 而不詳與司勳合葬處하니 不可曉"라하니
라 今按本文之意는 謂'前夫人初沒時에 從葬舅姑兆次矣러니 今宜祔葬
於司勳이로되 而卜人云云故로 不得祔云爾'어늘 鹿門이 誤認卜人以下를
竝爲從葬舅姑時事하여 而反疑韓公之疎하니 殊可笑也라

　한공(韓公)의 문장인 〈공사훈묘지(孔司勳墓誌)〉[83]에 "전 부인을 시부모의
묘역에 장사지냈는데, 지금 점쟁이가 올해는 남편과 부장(祔葬)할 수 없다

　　. . . . . .

83　공사훈묘지(孔司勳墓誌) : 공사훈은 공감(孔戡)으로 공자의 후손이다. 당나라 헌
　　종(憲宗) 때 사람으로 한유와 동시대 인물이며 그의 뛰어난 행실이 《소학(小學)》
　　의 〈선행편(善行篇)〉에도 실려 있다. 이 글의 원래 제목은 〈당 조산대부 사훈 원
　　외랑 공군 묘지명(唐朝散大夫司勳員外郞孔君墓誌銘)〉이다. 《昌黎集 卷26》, 《唐宋
　　八大家文鈔 卷14》

고 하기에 점쟁이의 말을 따라 부장하지 않았다."라고 하였다. 모녹문이 비평하기를 "전 부인을 시부모의 묘역에 미처 부장하지 못한 까닭을 덧붙여 기록하였지만 사훈과 합장한 곳을 상세히 밝히지 않았으니, 이해할 수 없다."라고 하였다.

지금 살펴보건대, 본문의 뜻은 '전 부인이 처음 죽었을 때에 시부모의 묘역에 장사 지냈다. 지금 사훈과 부장해야 하는데 점쟁이가 이리이리 말했기 때문에 부장하지 못하였다.'는 말이다. 녹문은 '점쟁이[卜人]' 이하를 모두 시부모의 묘역에 장사 지낼 때의 일로 잘못 이해하여 도리어 한공(韓公)이 글을 소략하게 쓰지 않았나 의심하였으니, 참으로 가소로운 일이다.

41. 한유와 구양수의 비지문과 《사기》

해설 | 모곤이 《당송팔대가문초》에서 한유의 비지는 기굴(奇崛)하고 험흌(險譎)하여 《사기》와 《한서》의 서사법을 얻지 못하였고, 구양공은 사마천의 정수를 얻었다고 평한 것에 대해 반론을 제기하고, 《상서》와 《춘추좌전》에 근본한 한유의 비지문이야말로 금석문자(金石文字) 가운데 천고의 조종이라고 치켜세운 다음, 구양수의 비지문도 전형은 또한 한유에 근본하였다고 평하였다.

鹿門《八大家文鈔》論云 "世之論韓文者는 共首稱碑誌라하나 子獨以韓公碑誌多奇崛險譎하여 不得《史》、《漢》序事法이라 故於風神에 或少遒逸이요 至於歐陽公碑誌之文하여는 可謂獨得史遷之髓"라하니 鹿門此論이 似然矣라 然이나 碑誌, 史傳이 雖同屬敍事之文이나 然其體實不同이라 況韓公文章命世하니 正不必摸擬史遷이니 其爲碑誌에 一以嚴約深重, 簡古奇奧爲主라 大抵原本《尙書》、《左氏》하니 千古金石文字는 當以此爲宗祖니 何必以史遷風神求之耶아 然其敍事處에 往往自有一種生色이요 但不肯一向流宕하여 以傷簡嚴之體耳라 若歐公則其文調本自太史公來라 故로 其碑誌敍事에 多得其風神이나 然典刑則亦本韓公이요 不盡用《史》、《漢》體也라

녹문의 《당송팔대가문초(唐宋八大家文鈔)》에 논하기를 "세상에서 한유의 문장을 논하는 자들은 모두 비지문을 첫 번째로 칭찬한다. 그러나 나는 한공(韓公)의 비지문이 대부분 기괴하고 험휼(險譎)하여 《사기(史記)》와 《한서(漢書)》의 서사법(敍事法)을 체득하지 못했기 때문에 풍신에 혹 힘차고 초일함이 부족하다고 생각한다. 구양공의 비지문은 사마천의 《사기》의 정수를 체득했다고 할 수 있다."[84] 하였으니, 녹문의 이 논평은 옳은 듯하다.

그러나 비지문과 역사서의 전기(傳記)가 비록 모두 서사문(敍事文)에 속하지만 그 체재는 실로 똑같지 않다. 더구나 한공의 문장은 세상에 이름이 났으니, 굳이 《사기》의 문장을 모방할 필요가 없다. 한공이 비지문을 지을 때에 한결같이 엄격하고 간략하며 깊고 중후하며 간결하고 예스럽고 심오함을 위주로 하였다. 이는 대체로 《상서(尙書)》와 《춘추좌전(春秋左傳)》을 근본으로 삼은 것이니, 천고의 금석문(金石文)은 마땅히 이것을 종조(宗祖)로 삼아야 한다. 어찌 굳이 《사기》의 풍신을 요구할 것이 있겠는가.

그러나 한공이 일을 서술한 부분에 왕왕 나름대로의 특색이 있는데, 다만 한결같이 문장을 유창하게 구사해서 간결하고 엄격한 문체를 손상시키려 하지 않았을 뿐이다. 구양공으로 말하면 문체가 본래 태사공(太史公, 사마천)에게서 나왔기 때문에 비지문에 일을 서술한 것이 대부분 《사기》의 풍신을 얻었으나 전범으로 말하면 또한 한공을 근본으로 하였고, 《사기》와 《한서》의 문체를 모두 사용하지는 않았다.

• • • • • •
84 세상에서……있다: 이 내용은 《당송팔대가문초》의 〈당송팔대가문초논례(唐宋八大家文鈔論例)〉에 보인다.

42. 간엄簡嚴하고 기벽奇僻한
한유의 비지문

해설 | 한유의 비지문은 체제와 격식이 본받을 만하지만 때로는 생경하고 기괴한 자구를 사용하였다고 평하고, 우리나라 문인들이 비지문을 지으면서 한유의 비지문에 있는 자구를 사용하기 때문에 문장이 전체적으로 조화를 이루지 못하는 것이라고 비판하였다.

韓碑는 體格이 固極簡嚴可法이나 而其句字는 亦時有太生割奇僻處라 如《曹成王碑》는 通篇皆然하니 要非後人所當學이니 鹿門議之 亦不爲無見이나 但不當專以《史》《漢》律之耳라 吾東文人은 爲碑誌에 類多襲用韓碑句字의 如櫛垢爬痒, 肧胎前光之類로되 而通篇體段은 實不似此하여 如疏布裙裳에 綴錦繡片段하니 奚其稱也리오

한공(韓公, 한유)의 비문은 체제와 격식이 실로 지극히 간결하고 엄격하여 본받을 만하나 그 자구(字句)는 종종 지나치게 생소하거나 괴벽한 부분이 있다. 〈조성왕비(曹成王碑)〉[85] 같은 것은 전편(全篇)이 모두 그러하니,

......

85 조성왕비(曹成王碑) : 조성왕은 당 태종의 현손인 이고(李皐, 724~783)이다. 그의 조고 이명(李明)이 태종의 14번째 아들로 조왕(曹王)에 봉해졌는데, 이고가

요컨대 후인들이 본받을 만한 것이 아니다. 녹문(鹿門)의 비판도 일리가 없다고는 할 수 없지만, 오로지 《사기》와 《한시》만 본보기로 삼아서는 안 된다.

우리 동방의 문인들은 비지문을 지을 적에 대체로 한공의 비문에 있는 자구 중에 "때를 씻어내고 가려운 데를 긁다.[櫛垢爬痒]", "선조의 훌륭한 광채를 배태하다.[胚胎前光]"와 같은 말들을 그대로 갖다 쓰지만 전편의 체재는 실로 한공의 작문과 비슷하지 않아서 마치 거친 베로 만든 치마에 수를 놓은 비단조각을 붙여 놓은 것과 같으니, 어찌 어울리겠는가?

<hr />

세습하여 조왕이 되었고 시호가 성(成)이기 때문에 조성왕이라 한 것이다.

43. 한유의
〈장중승전 후서張中丞傳後序〉

해설 | 한유의 〈장중승전 후서〉는 서사가 지극히 뒤섞여 있어 독자들이 쉽게 이해할 수 없음을 밝히고 그 내용을 하나하나 들어 누구의 말인지를 들고 있다. 독자들의 이해를 돕기 위해 뒤에 전문을 수록하였다.

韓文《張中丞傳後敍》는 敍事極錯落이라 自'南霽雲乞救'로 至'所以志也'此一段은 乃老人所說이요 而其下에 挿入'貞元中'一段은 此又韓公自述其所嘗目見以證之요 其下에 又接以'城陷'一段은 則亦老人語也라 自'巡長七尺餘'로 至'年四十九'此一段은 皆張籍所述于嵩語요 而'嵩貞元初'以下는 又張籍自言이라 故結之以'張籍云'三字하니 不然이면 則或不知爲何人語矣라 凡此逐段敍述이 錯出互見이로되 而皆有至法하니 正是《史》、《漢》妙處니 後人所當參究라 其中'城陷'一段은 讀者最易蹉過하니 曾見尤翁云 此當爲老人說이라하시니 誠然이라

한공의 문장 가운데 〈장중승전 후서(張中丞傳後敍)〉[86]는 서사(敍事)가 지

......
86 장중승전 후서(張中丞傳後敍) : 장중승(張中丞)은 안록산(安祿山)의 반란에 허원(許遠)과 함께 수양성(睢陽城)을 끝까지 지키다가 죽은 장순(張巡, 709~757)을

극히 어지럽게 뒤섞여 있다. '남제운(南霽雲)이 구원병을 요청했을 때[南霽雲乞救]'부터 '나의 뜻을 나타낸 것이다[所以志也]'까지의 한 단락은 노인이 한 말이고, 그 아래에 삽입된 '정원 연간에[貞元中]'의 한 단락은 또 한공(韓公)이 일찍이 직접 보았던 것을 스스로 기술하여 그 일을 증명한 것이고, 그 아래에 또 이어진 '수양성이 함락되자[城陷]'의 한 단락은 또한 노인의 말이다. 그리고 '장순(張巡)은 키가 일곱 자 남짓이고[巡長七尺餘]'부터 '나이가 마흔아홉이었다[年四十九]'까지의 한 단락은 모두 장적(張籍)이 우숭(于嵩)에게서 얻어들은 말이고, '우숭은 정원 초년에[嵩貞元初]' 이하는 또 장적이 스스로 말한 것이다. 그러므로 '장적이 말하였다[張籍云]'라는 세 글자로 끝맺었으니, 이렇게 쓰지 않는다면 누구의 말인지 알 수 없을 것이다.

이렇게 단락마다 서술한 것이 뒤섞여 번갈아 나오지만 모두 지극한 법도가 있다. 바로 이것이 《사기》와 《한서》의 묘한 경지이니, 후인들이 참고하여 연구해 보아야 할 점이다. 그중에 '수양성이 함락되자'의 한 단락은 독자들이 그냥 지나치기 매우 쉬운 부분이다. 일찍이 우옹(尤翁, 송시열(宋時烈))을 뵈었는데 "이는 마땅히 노인의 말이 되어야 한다."라고 하셨으니, 참으로 옳다.

⋯⋯⋯
가리키며, 이 서는 이한(李翰)이 지은 그의 전(傳) 뒤에 덧붙인 글이다. 이한의 전으로 인해 장순의 명성이 크게 알려지게 되었으나 장순에 대해서만 평가하고 허원은 언급하지 않았으므로 한유가 이 서를 지은 것인데, 이로 인해 두 사람 모두 《당서(唐書)》에 나란히 등재되어 있는바 독자들의 참고를 위해 아래에 전문을 수록하였다.

張中丞傳後叙
장중승전 후서

元和二年四月十三日夜에 愈與吳郡張籍으로 閱家中舊書라가 得李翰
所爲張巡傳하니라 翰以文章自名하여 爲此傳頗詳密이라 然尙恨有闕者
하니 不爲許遠立傳하고 又不載雷萬春事首尾라 遠雖材若不及巡者나
開門納巡하고 位本在巡上이러니 授之柄而處其下하여 無所疑忌하고 竟
與巡俱守死하여 成功名하고 城陷而虜하여 與巡死先後異耳라 兩家子弟
材智下하여 不能通知二父志하고 以爲巡死而遠就虜라하여 疑畏死而辭
服於賊이라 遠誠畏死면 何苦守尺寸之地하여 食(사)其所愛之肉하여 以
與賊抗而不降乎아 當其圍守時하여 外無蚍蜉蟻子之援이나 所欲忠者
는 國與主耳라 而賊語以國亡主滅하며 遠見救援不至하고 而賊來益衆하
니 必以其言爲信이요 外無待로되 而猶死守하여 人相食且盡하니 雖愚人
이라도 亦能數日而知死處矣니 遠之不畏死亦明矣라 烏有城壞하여 其徒
俱死어늘 獨蒙媿恥求活이리오 雖至愚者라도 不忍爲어늘 嗚呼라 而謂遠
之賢而爲之邪아

　원화 2년(809) 4월 13일 밤에, 나는 오군(吳郡) 사람 장적(張籍)과 함께 집
에 있는 옛 서적들을 열람하다가 이한(李翰)이 지은 〈장순전(張巡傳)〉을 발견
하였다. 이한은 문장으로 자부하여, 이 전을 지은 것이 자못 자상하고 세밀
하였다. 그러나 오히려 한스럽게도 빠진 것이 있으니, 허원(許遠)을 위해 전
을 짓지 않았고 또 뇌만춘(雷萬春) 사적의 시말을 기재하지 않은 것이다.
　허원의 재능이 비록 장순만 못한 듯하지만 수양성(睢陽城)의 문을 열어

장순을 맞아들이고, 직위가 본래 장순보다 위였음에도 병권(兵權)을 장순에게 주고 자기는 그의 부하로 있으면서 의심하거나 시기함이 없었고, 끝내 장순과 함께 죽음으로 성을 지켜 공명을 이루었고, 성이 함락되자 사로잡혀 죽었는데, 장순과는 단지 먼저 죽고 뒤에 죽은 차이만 있을 뿐이었다.

그런데 두 집안의 자제들은 재능과 지혜가 낮아서 그 부친들의 뜻을 환히 알지 못하였으며, 장가(張家)의 자제들은 장순은 피살되었는데 허원은 포로가 되었다고 하면서 허원이 죽음을 두려워해 적에게 항복을 청한 것으로 의심하였다. 허원이 진실로 죽음을 두려워하였다면 어찌 굳이 고생스럽게 작은 성을 지키면서 사랑하는 사람(첩)을 죽여 그 고기를 병졸에게 먹여가면서까지 적과 대항하며 항복하지 않았겠는가.

그가 성에 포위되어 지킬 때에 성 밖에는 개미 새끼 한 마리의 지원도 없었으나, 충성하려고 했던 대상은 오직 나라와 임금뿐이었다. 그런데 적들이 '나라는 망하고 임금은 죽었다.'라고 말하고, 허원은 구원병은 오지 않고 적병만 더욱 많아지는 것을 보았으니, 반드시 적의 말을 사실로 믿었을 것이다. 그리고 밖에서 기대할 원군(援軍)이 없는데도 오히려 목숨을 걸고 지켜서, 사람들이 서로 잡아먹어 거의 다하게 되었으니, 비록 어리석은 자라도 며칠이면 죽게 될 것을 알았을 것이다. 〈이로써 볼 때〉 허원이 죽음을 두려워하지 않은 것이 분명하다. 어찌 성이 함락되어 부하들이 모두 죽었는데 자기 혼자만 치욕을 무릅쓰고 살려고 하였겠는가. 비록 지극히 어리석은 자라도 차마 그리하지는 않았을 것인데, 아! 허원처럼 현명한 사람이 그리했겠는가.

說者又謂 遠與巡分城而守러니 城之陷이 自遠所分始라하여 以此訕遠하니 此又與兒童之見無異라 人之將死엔 其藏腑必有先受其病者요 引繩而絕之에도 其絕必有處어늘 觀者見其然하고 從而尤之하니 其亦不達於理矣로다 小人之好議論하고 不樂成人之美가 如是哉인저 如巡, 遠之所

成就가 如此卓卓이로되 猶不得免하니 其他則又何說이리오 當二公之初守也에 寧能知人之卒不救하고 棄城而逆遁이리오 苟此不能守면 雖避之他處何益이리오 及其無救而且窮也에 將其創殘餓嬴之餘하여 雖欲去나 必不達이리니 二公之賢으로 其講之精矣리라 守一城하여 扞天下하고 以千百就盡之卒로 戰百萬日滋之師하여 蔽遮江淮하고 沮遏其勢하여 天下之不亡이 其誰之功也아 當是時하여 棄城而圖存者를 不可一二數요 擅彊兵하고 坐而觀者 相環也로되 不追議此하고 而責二公以死守하니 亦見其自比於逆亂하여 設淫辭而助之攻也로다

　　이야기하는 자들은 또 "허원과 장순이 성을 나누어 지켰는데, 성의 함락이 허원이 지키던 곳에서부터 시작되었다."라고 하여, 이로써 허원을 비난하니, 이는 또 어린아이의 소견과 다를 것이 없다. 사람이 죽을 때에는 그 사람의 오장과 육부에 반드시 먼저 병이 든 곳이 있기 마련이고, 노끈을 당겨 끊길 때에도 반드시 끊기는 곳이 있는데, 이것을 본 자들은 이런 정황(죽고 끊김)만을 보고서 먼저 병든 부위와 끊어진 노끈만을 꾸짖으니, 이 또한 사리를 통달하지 못한 것이다. 소인들이 남을 비난하기만을 좋아하고 남의 아름다움을 이루어주기를 좋아하지 않음이 이와 같다. 장순과 허원은 성취한 공적이 이처럼 탁월한데도 오히려 남들의 비평을 면하지 못하였으니, 다른 사람이야 말해 무엇 하겠는가.

　　장공과 허공 두 분이 처음 성을 지킬 적에, 남이 끝내 구원해주지 않을 줄을 어찌 알고서 성을 버리고 지레 도망갈 수 있었겠는가. 만약 이곳을 지키지 못했다면 설령 다른 곳으로 피했다 하더라도 무슨 도움이 되었겠는가. 그러다가 구원병이 오지 아니하여 장차 곤궁해졌을 적에 부상병과 굶주린 병사들을 이끌고 떠나고자 해도 떠날 수 없었을 것이니, 두 분의 현명함으로써 수비의 방책을 헤아린 것이 정밀하였을 것이다. 하나의 성을 지켜 천하

를 방어하고, 거의 죽어가는 천백의 병사를 지휘하여 날마다 늘어나는 백만의 적군과 싸워 장강(長江)·회하(淮河) 지역을 보호하고 적의 기세를 저지해서, 천하가 망하지 않게 한 것이 누구의 공인가.

이때를 당하여 성을 버리고 도망가서 목숨을 보존하기를 도모한 자를 한둘로 셀 수 없고, 강성한 군대를 보유하고도 앉아서 구경만 한 자가 사방에 널려 있거늘, 이런 무리들은 추구(追咎)하지 않고 도리어 목숨을 걸고 성을 지킨 두 공을 꾸짖으니, 여기에서 또한 저들은 자신을 난신적자(亂臣賊子)에게 붙여, 사실에 부합하지 않는 황당한 말을 만들어서 역적을 도와 두 분을 공격하는 것을 볼 수 있다.

愈嘗從事於汴、徐二府에 屢道於兩府間하여 親祭於其所謂雙廟者하니라 其老人이 往往說巡、遠時事하여 云 南霽雲之乞救於賀蘭也에 賀蘭이 嫉巡、遠之聲威功績出己上하여 不肯出師救하고 愛霽雲之勇且壯하여 不聽其語하고 彊留之하여 具食與樂하고 延霽雲坐하니 霽雲이 慷慨語曰 雲來時에 睢陽之人이 不食月餘日矣니 雲雖欲獨食이나 義不忍이요 雖食이라도 且不下咽이라하고 因拔所佩刀하여 斷一指하니 血淋漓라 以示賀蘭하니 一座大驚하여 皆感激爲雲泣下하니라 雲知賀蘭終無爲雲出師意하고 卽馳去하여 將出城할새 抽矢射佛寺浮圖하니 矢著其上甎半箭이어늘 曰 吾歸破賊하고 必滅賀蘭하리라 此矢所以志也라하니라 愈貞元中過泗州에 船上人이 猶指以相語라 城陷에 賊以刃脅降巡이나 巡不屈하니 卽牽去하여 將斬之하니라 又降霽雲하니 雲未應이라 巡이 呼雲曰南八아 男兒死耳언정 不可爲不義屈이라하니 雲笑曰 欲將以有爲也러니 公有言하시니 雲敢不死리오하고 卽不屈하니라

내가 일찍이 변주(汴州)와 서주(徐州) 두 절도부의 막하에 있을 적에 누차

이 두 주 사이를 왕래하면서 장순과 허원을 제사하는 이른바 '쌍묘(雙廟)'라는 곳에 직접 제사를 올린 적이 있었는데, 그곳 노인들이 왕왕 장순과 허원의 일을 다음과 같이 말해주었다.

"남제운(南霽雲)이 하란진명(賀蘭進明)에게 구원병을 요청했을 적에, 하란진명은 장순과 허원의 명성과 위엄과 공적이 자기보다 위에 있을 것을 시기하여 출병해 구원하려 하지 않았으며, 남제운의 용맹하고 건장함을 좋아하여 그의 말을 들어주지 않고 억지로 그를 잡아 두려고 주식(酒食)과 음악을 갖추고서 남제운을 맞이해 자리에 앉혔다.

그러자 남제운은 의분이 복받쳐 격앙된 어조로 '내가 이곳으로 올 때에 수양성 안의 사람들은 먹지 못한 지가 한 달도 넘었다. 내 비록 혼자 먹고 싶어도 의리상 차마 먹을 수 없고, 설령 먹는다 해도 목구멍으로 넘어가지 않을 것이다.'라고 하고서, 패도(佩刀)를 뽑아 손가락 하나를 잘라 피가 철철 흐르는 것을 하란진명에게 보여주니, 온 좌중이 크게 놀라 모두 감격하고 남제운을 위해 눈물을 흘렸다.

남제운은 하란진명이 끝내 자신을 위해 출병할 의사가 없음을 알고는 즉시 말을 달려 떠났다. 성을 나가려 할 때에 화살을 뽑아 불사(佛寺)의 부도(浮圖, 불탑)를 향해 쏘니, 화살의 절반이 불탑 상단의 벽돌에 박혔다. 이에 남제운은 '내가 돌아가 적을 격파하고서 반드시 돌아와 하란진명을 격멸(擊滅)할 것이다. 이 화살이 〔나의 뜻을〕 나타낸 것이다.'라고 하였다."

내가 정원(貞元) 연간에 사주(泗州)를 지났는데, 배 위의 사람들이 그때까지도 여전히 불탑을 가리키며 화살이 박혔던 일을 서로 이야기하였다.

수양성이 함락되자 적이 장순에게 칼날을 들이대고 항복하라고 위협하였으나 장순이 굴복하지 않으니, 즉시 끌고 가서 목을 치려 하였다. 또 적이 남제운에게 항복하라고 협박하니, 남제운이 아무 대답을 하지 않았다. 그러자 장순이 남제운을 부르며 말하기를 "남팔(南八)아, 사내는 죽을지언정 불의(不義)에 굴복해서는 안 된다."라고 하니, 남제운이 웃으면서 "제가 살아남아서 장차 큰 일을 한번 해보고 싶었는데, 공께서 이리 말씀하시니 제가 감히 죽지 않을 수 있겠습니까?"라고 말하고는 굴복하지 않고 죽었다.

張籍曰 有于嵩者하니 少依於巡하고 及巡起事에 嵩常在圍中하니라 籍이 大曆中에 於和州烏江縣에 見嵩하니 嵩時年六十餘矣라 以巡初嘗得臨渙縣尉에 好學하여 無所不讀이라 籍時尙小하여 粗問巡, 遠事하고 不能細也라 云 <u>巡長七尺餘</u>요 鬚髥若神이라 嘗見嵩讀《漢書》하고 謂嵩曰何爲久讀此오 嵩曰 未熟也니이다 巡曰 吾於書에 讀不過三徧이로되 終身不忘也라하고 因誦嵩所讀書하니 盡卷不錯一字라 嵩驚하여 以爲巡偶熟此卷이라하여 因亂抽他帙以試하니 無不盡然이라 嵩又取架上諸書하여 試以問巡하니 巡이 應口誦無疑라 嵩從巡久나 亦不見巡常讀書也로되 爲文章에 操紙筆立書요 未嘗起草라 初守睢陽時에 士卒僅萬人이요 城中居人戶亦且數萬이로되 巡因一見問姓名이면 其後無不識(지)者라 巡怒면 鬚髥輒張이라 及<u>城陷</u>에 賊縛巡等數十人坐하고 且將戮에 巡起旋하니 其衆見巡起하고 或起或泣이어늘 巡曰 汝勿怖하라 死는 命也라하니 衆泣不能仰視하니라 巡就戮時에 顏色不亂하고 陽陽如平常하니라 遠은 寬厚長者로 貌如其心이라 與巡同年生이나 月日後於巡일새 呼巡爲兄하니 死時<u>年四十九</u>러라

장적이 말하였다.

"우숭(于嵩)이라는 자가 있는데, 어려서부터 장순에게 의지하였고, 장순이 군대를 일으켜 반적을 토벌할 적에 우숭은 항상 적의 포위 속에 있었다. 내〔張籍〕가 대력(大曆) 연간에 화주(和州) 오강현(烏江縣)에서 우숭을 만났는데, 그때 우숭의 나이가 60여 세였다. 그는 장순을 수종(隨從)한 공로로 처음 임

환현 위(臨渙縣尉)가 되었는데, 학문을 좋아하여 읽지 않은 책이 없었다. 그때 나는 아직 어려서 장순과 허원의 사적을 대략 묻고 자세히 묻지는 못하였다.

그가 말하기를 '장순은 키가 일곱 자 남짓하고 수염이 신선처럼 길었다. 일찍이 내[于嵩]가 《한서(漢書)》를 읽는 것을 보고서, 나에게 「무엇 때문에 이 글을 그리 오래 읽느냐?」고 하시기에, 내가 「아직 익숙하지 않아서입니다.」라고 대답하니, 장순이 말씀하시기를 「나는 글을 읽을 적에 불과 세 번이면 종신토록 잊지 않는다.」라고 하고서 내가 읽던 글을 배송하였는데, 한 권을 다 외울 때까지 한 글자도 틀리지 않았다. 나는 놀라 장순이 우연히 이 책에 익숙한 것이라고 여겨 마음대로 다른 책을 뽑아 시험해보니, 모두 다 그러하지 않음이 없었다. 내가 또 서가에 꽂힌 여러 권의 책을 뽑아 시험 삼아 장순에게 물어보았더니, 장순은 말이 떨어지자마자 배송하고 막힘이 없었다. 내가 장순을 수종한 지 오래였으나, 평소에 장순이 독서하는 것을 보지 못하였는데, 그가 문장을 지을 때는 지필(紙筆)을 잡고 즉시 써내려갔고 초고를 작성한 적이 없었다. 처음 수양성을 지킬 적에 병졸이 1만에 가까웠고, 성안에 사는 민호(民戶) 또한 수만 호였으나 장순은 일로 인해 한 번 만나 성명을 물으면 뒤에 기억하지 못하는 사람이 없었다.

장순은 노하면 매양 수염이 곤추섰다. 수양성이 함락되자 적군이 장순 등 수십 명을 포박해 앉혀 놓고 장차 죽이려 할 적에, 장순이 일어나서 오줌을 누니 [함께 포로가 된] 부하들은 장순이 일어난 것을 보고서 일어나는 자도 있고 눈물을 흘리는 자도 있었다. 그러자 장순이 「너희들은 두려워하지 말라. 죽음은 운명이다.」라고 하니, 사람들은 눈물을 흘리며 고개를 들고 그를 쳐다보지 못하였다. 장순은 피살 될 때에 안색이 조금도 변하지 않고 평상시처럼 화평하였다.

허원은 관대하고 후덕한 장자(長者)로 외모가 그 내심과 같았다. 장순과 같은 해에 출생하였으나 태어난 달과 날이 장순보다 뒤였으므로 장순을 형으로 불렀다. 죽을 때의 나이가 49세였다.'라고 하였다.

嵩은 貞元初死於亳, 宋間하니 或傳嵩有田在亳, 宋間이러니 武人奪而有之한대 嵩將詣州訟理라가 爲所殺이라하니라 嵩無子하니 張籍云이라

　우숭은 정원 초년에 박주(亳州)와 송주(宋州, 수양(睢陽)) 사이에서 죽었다. 혹자가 전하는 말에 의하면, 박주와 송주 사이에 있는 우숭의 전지를 무인이 빼앗아 소유하자, 우숭이 주(州)로 가서 소송하려다가 살해당하였다고 한다. 우숭은 자식이 없다."
　이상은 장적이 말한 것이다.

44. 한유 비지문의 주인공 묘사

해설 | 한유의 비지 가운데 앞부분에서 이력과 사업을 자세히 기록하였으나 그 인품에 대해서는 상세하게 쓰지 않고 명문(銘文)에서 요약하여 쓴 사례 두 가지를 소개하고, 모두 본받을 만하다고 평하였다. 농암은 앞에서도 비지문은 그 체제가 근엄하여 쓸데없이 장황하지 않고 간결 명료(簡潔明瞭)해야 함을 누차 강조한 바 있다.

韓文에 如《孔左丞墓誌》는 叙歷官行事頗該로되 而顧不詳其爲人하여 似簡略이라 然이나 銘云 "白而長身하고 寡笑與言"이라하니 只此八字에 孔公之容貌氣象이 宛在目中이라 又序中에 載公請留疏云 "守節淸苦하고 論議正平하며 憂國忘家하여 用意至到"라하니 則其爲人大體를 尤可具見이니 固不待復煩叙述也라《王弘中誌文》도 亦於銘中에 詳其爲人하여 曰 "氣銳而方하고 又剛而嚴하며 愛人盡己에 不倦而止하여 與其友處에 順若婦女"라하니 王之資稟性行을 盡於此하니 皆可法也라

한공의 문장 가운데 〈공좌승묘지(孔左丞墓誌)〉[87]와 같은 것은 역임한 벼슬

- - - - - -
87 공좌승묘지(孔左丞墓誌) : 한유가 지은 공규(孔戣)의 묘지명인 〈당 정의대부 상

과 행한 일에 대한 서술이 매우 상세하지만 그의 사람됨에 대해서는 도리어 상세하지 않아 간략한 듯하다. 그러나 명(銘)에 이르기를 "흰 얼굴에 키가 크고 웃음과 말씨가 적었네.〔白而長身 寡笑與言〕" 하였는데, 이 여덟 글자에 공공(孔公)의 용모와 기상이 또렷하게 눈에 들어온다. 그리고 서문에 한공이 공공을 유임하도록 청한 상소가 실려 있는데[88], 그 상소에 "절개를 지켜 청빈하게 살았고, 의론이 바르고 공평하였으며, 나라를 걱정하느라 집안을 잊어 마음 쓰는 것이 극진하였다.〔守節淸苦 論議正平 憂國忘家 用意至到〕" 하였으니, 그 사람의 대략적인 면모를 더욱 자세히 알 수 있다. 굳이 더 이상 번거롭게 서술할 필요가 없는 것이다.

〈왕홍중 묘지문(王弘中墓誌文)〉[89]에도 명(銘)에 그 사람됨을 상세히 서술하여 "기상이 예리하면서도 방정하고 또 굳세면서도 엄격했으며, 백성을 사랑하는데 자신의 정성을 다하여 지쳐도 그만두지 않았고, 벗들과 함께 지낼 적에는 여인처럼 유순하였네〔氣銳而方 又剛而嚴 愛人盡己 不倦而止 與其友處 順若婦女〕"라고 하였다. 왕홍중의 자품과 행실이 모두 드러나 있으니, 다 본받을 만하다.

• • • • • • •

　서좌승 공공묘지명(唐正議大夫尙書左丞孔公墓誌銘)〉을 가리킨다. 공좌승(孔左丞)은 당나라 상서 좌승(尙書左丞)을 지낸 공규로 자는 군암(君嚴)이며 공자의 38세손이다.

88　서문에……있는데 : 공규가 73세에 치사(致仕)를 청하자 황제가 이를 허락하려 하니, 한유가 〈논공규치사장(論孔戣致仕狀)〉이라는 글을 올렸는바, 그의 묘지명 앞부분에도 이 글을 인용하여 그의 인품을 증명하였다.

89　왕홍중 묘지문(王弘中墓誌文) : 왕홍중은 왕중서(王仲舒)로 홍중은 그의 자이다. 이 글의 원래 제목은 〈당 고 강남서도관찰사 중대부 겸 어사중승 증 좌산기상시 태원왕공 묘지명(唐故江南西道觀察使中大夫兼御史中丞贈左散騎常侍太原王公墓誌銘)〉이다.

45. '야也'자를 쓰지 않은 한유韓愈의 비지문

해설 | 한유의 비문 가운데 허자인 '야也' 자를 사용하지 않은 다섯 작품을 들고서, 이것이 《서경書經》의 서술방식을 따른 것임을 밝혔다.

韓碑에 如《曹成王》《平淮西》《烏氏廟》《袁氏廟》《田弘正先廟》等 文에 皆不使也字하니 蓋法《尙書》也라

한공의 비문 가운데 〈조성왕비(曹成王碑)〉, 〈평회서비(平淮西碑)〉, 〈오씨묘비(烏氏廟碑)〉, 〈원씨묘비(袁氏廟碑)〉, 〈전홍정선묘비(田弘正先廟碑)〉[90] 등의 글은 모두 '야(也)' 자를 사용하지 않았는데, 이는 《상서(尙書)》를 본받은 것이다.

......

90 오씨묘비(烏氏廟碑)……전홍정선묘비(田弘正先廟碑) : 오씨묘비의 원래 제목은 〈오씨 선묘비명(烏氏先廟碑銘)〉으로 헌종 때 번진(藩鎭)의 난을 평정하는데 공을 세운 오중윤(烏重胤)과 그의 아버지 오석(烏石)의 공적을 기린 글이며, 원씨묘비 (袁氏廟碑)의 원래 제목은 〈원씨 선묘비(袁氏先廟碑)〉로 형남절도사(荊南節度使) 원자(袁滋)가 장안(長安)에 세운 가묘(家廟)를 위해 지은 것이며, 전홍정 선묘비 (田弘正先廟碑)는 〈위박절도사 기국공 선묘비명(魏博節度使沂國公先廟碑銘)〉으로 역시 번진의 난을 평정한 전홍정(田弘正) 일가의 공적을 기린 비문이다.

46. 한유의 〈평회서비平淮西碑〉와 구양수의 〈농강천표瀧岡阡表〉

해설 | 고금의 금석문 가운데 최고인 것은 한유의 〈평회서비〉와 구양수의 〈농강천표〉라고 논한 글이다. 두 분의 비지문의 뛰어남에 대해선 농암이 이미 앞에서 언급한 바 있다. 〈농강천표〉는 워낙 유명하므로 전문을 뒤에 수록하였다.

古來金石文字에 有決不容復有對者하니 韓之《平淮西碑》와 歐之《瀧岡阡表》是也라

예로부터 전해 내려온 금석문자 중에는 결코 다시 나올 수 없는 훌륭한 비문이 있으니, 한유의 〈평회서비〉[91]와 구양수의 〈농강천표〉[92]가 이런 경우에 해당한다.

• • • • • •

91 평회서비(平淮西碑) : 헌종(憲宗) 원화(元和) 12년에 회서절도사(淮西節度使) 오원제(吳元濟)가 반란을 일으키자 배도(裴度) 등을 보내 평정하고, 이를 기념하기 위하여 한유로 하여금 짓게 한 비문이다.

92 농강천표(瀧岡阡表) : 구양수가 자신의 아버지인 구양관(歐陽觀)을 위하여 지은 묘표(墓表)이다. 강서성(江西省) 봉황산(鳳凰山)에 농강(瀧岡)이라는 언덕이 있는데, 구양수가 4살 때 아버지를 여의고서 이곳에 장사지내고 그로부터 60년 만에 아버지를 위하여 직접 묘표를 지었다. 농강을 '상강'으로 발음하기도 한다. 한유의 〈평회서비〉는 《고문진보 후집》에 실려 있으니 참고하기 바라며, 구양수의 〈농강천표〉는 여러 선인들이 모두 칭찬하였으나 《고문진보》에 기재되지 않았으므로 아래에 전문을 수록하였다.

瀧岡阡表

농강천표

嗚呼라 惟我皇考崇公을 卜吉于瀧岡之六十年에 其子脩始克表於其阡하니 非敢緩也요 蓋有待也라 脩不幸生四歲而孤한대 太夫人이 守節自誓하여 居窮에 自力於衣食하여 以長以教하여 俾至于成人이라 太夫人이 告之曰 汝父爲吏에 廉而好施與하며 喜賓客하여 其俸祿雖薄이나 常不使有餘하시고 曰 毋以是爲我累라하시니 故其亡也에 無一瓦之覆, 一壠之植하여 以庇而爲生하니 吾何恃而能自守邪아 吾於汝父에 知其一二하여 以有待於汝也로라 自吾爲汝家婦로 不及事吾姑나 然知汝父之能養也로라 汝孤而幼하니 吾不能知汝之必有立이나 然知汝父之必將有後也로라 吾之始歸也에 汝父免於母喪이 方逾年이라 歲時祭祀에 則必涕泣하여 曰 祭而豐이 不如養之薄也라하고 間御酒食이면 則又涕泣曰 昔常不足이러니 而今有餘나 其何及也리오하시니라 吾始一二見之하여 以爲新免於喪하여 適然耳러니 旣而其後常然하여 至其終身에 未嘗不然이라 吾雖不及事姑나 而以此知汝父之能養也로라 汝父爲吏에 嘗夜燭治官書라가 屢廢而歎이어늘 吾問之한대 則曰 此死獄也라 我求其生이나 不得爾로라 吾曰 生可求乎아 曰 求其生而不得이면 則死者與我 皆無恨也니 矧求而有得邪아 以其有得이면 則知不求而死者有恨也라 夫常求其生이라도 猶失之死어늘 而世常求其死也라하고 回顧乳者抱汝而立于旁하시고 因指而歎曰 術者謂我歲行在戌에 將死라하니 使其言然이면 吾不及見兒之立也리라 後當以我語告之하라하시니라 其平居教他子弟에 常用此語하니 吾耳熟焉이라 故能詳也로라 其施於外事는 吾不能知나 其居于家는 無

所矜飾而所爲如此하시니 是眞發於中者邪인저 嗚呼라 其心厚於仁者邪
인저 此吾知汝父之必將有後也니 汝其勉之하라 夫養不必豐이니 要於孝
요 利雖不得溥於物이나 要其心之厚於仁이라 吾不能教汝하니 此汝父之
志也라하여시늘 脩泣而志之하야 不敢忘이로라

오호라! 우리 황고(皇考) 숭공(崇公)을 농강(瀧岡)에 안장한 지 60년 만에
그 아들 수(脩)가 비로소 그 묘도에 묘표를 세우니, 그 이유는 감히 늦춘 것
이 아니라, 때를 기다림이 있어서였다.

내[脩]가 불행하게도 태어난 지 4년에 부친을 여의었는데, 태부인(모친)께
서는 수절할 것을 스스로 맹세하시고, 집안 살림이 곤궁하였으나 자력으로
의식(衣食)을 마련하여 나를 길러주시고 가르쳐주시어 성인(成人)이 되게 해
주셨다. 태부인께서는 다음과 같이 말씀하셨다.

"너의 선친은 관직에 계실 때 청렴하고 베풀기를 좋아하셨으며 빈객을 접
대하기를 좋아하셨다. 녹봉은 비록 적었으나 항상 남는 것이 없게 하시며,
'이것(녹봉) 때문에 나에게 누를 끼치지 마시오.'라고 하셨다. 그러므로 돌아
가셨을 때 한 장의 기와로 지붕을 덮을 만한 집과 곡식을 심을 만한 한 뙈기
의 땅조차 없었으니, 내가 무엇을 믿고 수절할 수 있었겠느냐? 내가 너의 선
친에 대해 한두 가지를 알고 너에게 기대함이 있었기 때문이다.

내가 구양씨 가문의 며느리가 된 뒤로 미처 시어머니를 모시지는 못하였
지만, 너의 선친이 시어머니를 잘 봉양하신 것을 알고 있다. 네가 어린 나이
에 부친을 여의었으니, 네가 반드시 공명(功名)을 세울지는 알 수 없지만, 너
의 선친이 반드시 훌륭한 후사(後嗣)를 두게 될 줄은 알았다. 내가 처음 시집
왔을 때는 너의 선친이 모친상을 마친 지 막 한 해가 넘은 시점이었다. 세시
(歲時)의 제사 때가 되면 너의 선친은 반드시 눈물을 흘리시면서 말씀하시기
를 '[돌아가신 뒤에] 제사를 풍성하게 올리는 것은 [살아계실 때] 변변찮게

봉양하는 것만 못하다.'라고 하시고, 간혹 술과 음식을 드실 때면 또 눈물을 흘리면서 말씀하시기를 '옛날에는 항상 부족했는데, 지금은 여유가 있지만 어떻게 모친에게 드릴 수 있겠소.'라고 하셨다. 내가 처음에는 한두 번 이런 광경을 보고 갓 탈상한 뒤라서 당연한 일이라고 생각했다. 그런데 그 뒤에도 항상 이렇게 하시면서 돌아가실 때까지 그렇게 하지 않은 적이 없으셨다. 내가 비록 미처 시어머니를 모시지는 못했지만 이러한 일을 통해 너의 선친께서 모친을 잘 봉양하셨음을 알게 되었다.

그리고 너의 선친께서 관직 생활을 하실 적에 일찍이 밤에 촛불을 밝히고 문서를 처리하시다가 여러 차례 중지하고 탄식하셨다. 내가 그 연유를 물으니 말씀하시기를 '이것은 사형수의 옥안(獄案, 사건)이오. 내가 죄인의 목숨을 살려주려고 하는데 방법이 없소.'라고 하셨다. 내가 '살려줄 방법을 찾을 수도 있습니까?'라고 묻자, 말씀하시기를 '살려줄 방법을 찾다가 찾을 수 없는 경우에는 죽는 자와 내가 모두 여한이 없는데, 하물며 방법을 찾을 수 있는 경우이겠소? 살려줄 방법을 찾을 수 있다면 방법을 찾아보지 못하고 죽는 자는 유감이 있을 것임을 알 수 있소. 항상 살려줄 방법을 찾더라도 오히려 잘못하여 죽이는 경우가 있는데 세상에서는 항상 죄인을 죽일 방법만 찾는구려.'라고 하셨다.

그리고는 젖을 먹이는 유모가 너를 끌어안고 옆에 서 있는 것을 돌아보시고 손가락으로 가리키며 탄식하시기를 '내가 술(戌)이 들어가는 해가 오면 장차 죽을 것이라고 술사(術士)가 말하였으니, 만일 그 말이 맞는다면 나는 이 아이가 성장하는 것을 미처 보지 못할 것이오. 뒷날 내 말을 이 아이에게 고해주어야 하오.'라고 하셨다. 평소 남의 자제를 가르치실 때에도 항상 이 말씀을 하셔서 내가 귀에 익숙하므로 상세하게 말할 수 있는 것이다.

바깥일을 어떻게 하셨는지는 내가 알 수 없지만 집에 계실 때에는 겉으로 꾸미는 것이 없이 이와 같이 행동하셨으니, 이는 참으로 마음에서 발현된 것이리라. 아아! 그 마음이 인후(仁厚)하셨던 것이 아니겠느냐. 이로 인해 내가 너의 선친이 반드시 훌륭한 후사를 두게 될 줄을 알았으니, 너는 힘쓰도록 하여라. 봉양은 굳이 풍족하게 하지 않아도 되니 효성스럽게 하는 것이 중요하고, 이익을 비록 백성들에게 널리 베풀지는 못하더라도 그 마음이 인후한 것이 중요하다. 나는 너를 제대로 가르칠 수 없으니, 이것은 너의 선친의 뜻이다."

내가 울면서 그 말씀을 가슴에 새겨 감히 잊지 못하였다.

先公이 少孤力學하여 咸平三年에 進士及第하여 爲道州判官, 泗、綿二州推官하고 又爲泰州判官하니 享年五十有九라 葬沙溪之瀧岡하다 太夫人은 姓鄭氏요 考諱德儀니 世爲江南名族이라 太夫人은 恭儉仁愛而有禮라 初封福昌縣太君하고 進封樂安, 安康, 彭城三郡太君하다 自其家少微時로 治其家以儉約이러니 其後常不使過之하사 曰 吾兒不能苟合於世하니 儉薄은 所以居患難也라하시니라 其後에 脩貶夷陵에 太夫人言笑自若하사 曰 汝家故貧賤也라 吾處之有素矣니 汝能安之면 吾亦安矣라하시니라

선공(先公)은 어려서 부친을 여의고 학문에 힘써 함평(咸平) 3년(1000)에 진사에 급제하여 도주 판관(道州判官), 사주(泗州)와 면주(綿州)의 추관(推官)이 되었고 다시 태주 판관(泰州判官)이 되셨으니, 향년이 59세였다. 사계(沙溪)의 농강(瀧岡)에 장사지냈다. 태부인은 성이 정씨(鄭氏)이고 부친의 휘는 덕의(德儀)이니 대대로 강남의 명문가였다. 태부인께서는 공검(恭儉)하고 인애로우시며 예가 있으셨다. 처음 복창현 태군(福昌縣太君)에 봉해지시고 낙안(樂安)·안강(安康)·팽성(彭城) 세 군의 태군(太君)에 진봉(進封)되셨다.

태부인께서는 집이 한미할 때부터 검약으로 집안을 다스리셨는데, 그 뒤항상 넘치지 않도록 하시면서 말씀하시기를 "우리 아이는 세상에 구차하게

영합할 수 없으니 검소함은 환난에 대처하는 방법이다." 하셨다. 그 후 내가
이릉(夷陵)으로 좌천되자 태부인께서 태연자약하여 말씀하시고 웃으시면서
"너희 집안은 예로부터 빈천하였다. 나는 가난에 익숙하니, 네가 편안하다
면 나 또한 편안하다." 하셨다.

自先公之亡二十年에 脩始得祿而養하고 又十有二年에 列官于朝하여
始得贈封其親하고 又十年에 脩爲龍圖閣直學士, 尙書吏部郎中, 留守
南京한대 太夫人以疾終于官舍하시니 享年七十有二라 又八年에 脩以非
才로 入副樞密하여 遂參政事하고 又七年而罷하다 自登二府로 天子推恩
하사 襃其三世하시니 蓋自嘉祐以來로 逢國大慶이면 必加寵錫이라 皇曾
祖府君은 累贈金紫光祿大夫 太師 中書令하고 曾祖妣는 累封楚國太
夫人이요 皇祖府君은 累贈金紫光祿大夫 太師 中書令 兼尙書令하고 祖
妣는 累封吳國太夫人이요 皇考崇公은 累贈金紫光祿大夫 太師 中書令
兼尙書令하고 皇妣는 累封越國太夫人이라 今上初에 郊할새 皇考는 賜爵
爲崇國公하고 太夫人은 進號魏國이라

선공(先公)께서 돌아가신 지 20년에 내가 처음으로 관직을 얻어 모친을
봉양하고, 또 12년이 지나서 조정의 반열에 서게 되어 비로소 부친께 증직
과 봉작(封爵)이 내려졌다. 또 10년이 지나서 내가 용도각 직학사(龍圖閣直學
士) 상서 이부랑중(尙書吏部郎中) 남경 유수(南京留守)가 되었는데, 태부인께서
병으로 관사에서 돌아가시니, 향년이 72세였다. 또 8년이 지나 내가 재주
없는 몸으로 추밀원 부사(樞密院副使)가 되어 마침내 참지정사(參知政事)가 되
었고 또 7년이 지나 파직되었다. 중서성(中書省)과 추밀원(樞密院) 두 부의 직
임에 오르고 나서 천자가 추은(推恩)하여 3대의 조상을 포증(襃贈, 표창하여
추증함)하셨는데, 이는 가우(嘉祐) 이래로 나라에 큰 경사가 있을 때 반드시

특별한 은총을 더해준 것이었다.

황증조부군(皇曾祖府君)은 여러 차례 증직되어 금자광록대부 태사 중서령(金紫光祿大夫太師中書令)이 되셨고, 증조비(曾祖妣)는 여러차례 봉해져 초국태부인(楚國太夫人)이 되셨다. 황조부군(皇祖府君)은 여러차례 증직되어 금자광록대부(金紫光祿大夫) 태사 중서령(太師中書令) 겸상서령(兼尙書令)이 되셨고, 조비(祖妣)는 여러 차례 봉해져 오국태부인(吳國太夫人)이 되셨다. 황고 숭공(皇考崇公)은 여러 차례 증직되어 금자광록대부 태사 중서령 겸상서령(金紫光祿大夫太師中書令兼尙書令)이 되셨고, 황비(皇妣)는 여러 차례 봉해져 월국태부인(越國太夫人)이 되셨다. 지금 황제의 즉위 초에 교사(郊祀)를 지낼 때 황고(皇考)는 숭국공(崇國公)의 작위가 내려지고 태부인(太夫人)은 위국태부인(魏國太夫人)으로 진봉되셨다.

於是에 小子脩泣而言曰 嗚呼라 爲善無不報而遲速有時하니 此理之常也라 惟我祖考積善成德하시니 宜享其隆이라 雖不克有於其躬이나 而賜爵受封하여 顯榮褒大하여 實有三朝之錫命하니 是足以表見於後世而庇賴其子孫矣라 乃列其世譜하여 具列于碑하고 旣又載我皇考崇公之遺訓과 太夫人之所以敎而有待於脩者하여 並揭于阡하여 俾知夫小子脩之德薄能鮮이 遭時竊位하여 而幸全大節하여 不辱其先者 其來有自하노라

이에 소자 수가 울면서 말한다.

"오호라! 선을 행함에 보답 받지 못함이 없으나 그 시기의 늦고 빠름이 있으니, 이는 당연한 이치이다. 우리 할아버지와 아버지께서는 선을 쌓고 덕을 이루셨으니, 융숭히 보답 받아야 마땅하다. 비록 〈살아생전에〉 직접 보답을 받지는 못하셨으나 〈돌아가신 뒤에〉 작위와 봉호를 받아 매우 영광스럽게 칭양(稱揚)되어 실로 세 조정으로부터 증직의 명을 받으셨으니, 이는 후세에

드러내어 그 자손들이 보호를 받고 은덕을 입기에 충분한 것이다. 이에 그 세보(世譜)를 열서(列書)하여 모두 비석에 새기고, 또 황고 숭공의 유훈과 태부인께서 가르치시어 나에게 기대했던 말씀을 비석에 새겨 아울러 묘도에 세워, 덕이 작고 재능이 부족한 소자가 좋은 시절을 만나 과분한 자리를 차지하고서 다행히 대절을 온전히 하여 선조를 욕되게 하지 않는 것이 유래가 있음을 알게 한다."

熙寧三年歲次庚戌四月辛酉朔十有五日乙亥에 男推誠保德崇仁翊戴功臣 觀文殿學士 特進行兵部尙書 知靑州軍州事 兼管內勸農使 充京東東路安撫使 上柱國 樂安郡開國公 食邑四千三百戶 食實封一千二百戶脩는 表하노라

희령(熙寧) 3년(1070) 세차 경술년(歲次庚戌年) 신유삭(辛酉朔) 4월 15일 을해(乙亥)에 아들 추성보덕숭인익대공신(推誠保德崇仁翊戴功臣) 관문전 학사(觀文殿學士) 특진 행병부상서(特進行兵部尙書) 지청주군주사(知靑州軍州事) 겸관내권농사(兼管內勸農使) 충경동동로안무사(充京東東路安撫使) 상주국 낙안군개국공(上柱國樂安郡開國公) 식읍 4,300호, 실제 봉해진 식읍 1,200호인 수(脩)는 묘표를 쓴다.

47. 의론과 체재가 뛰어난
이몽양李夢陽의 〈주자실기서朱子實記序〉

해설 | 이몽양의 산문은 《춘추좌전》과 《사기》를 모방하였지만 단련이 지극하지 못하다고 비난하면서도 그의 작품 가운데 일부는 예스럽고 질박하며 노련하면서도 힘차다고 높이 평가하고 그 예로 〈주자실기서〉를 들었다.

李空同文은 學左, 馬하여 雖摸擬太露하고 鎔鍊未至하여 全篇合作者少나 而往往古直蒼健하여 有一二可喜處라 曾見尤翁頗稱之하시니 尤翁不熟明文이로되 而嘗見其《朱子實記序》故로 云耳라 空同此文은 議論旣好하고 體裁亦有法하니 誠合作也니라

이공동(李空同, 이몽양)의 글은 좌씨(左氏)와 사마천(司馬遷)을 배웠는데 비록 모방한 것이 지나치게 드러나고 자신의 것으로 녹여낸 것이 지극하지 못하여 전편 중에 문장을 짓는 법도에 부합하는 것이 드물지만, 왕왕 고직(古直)하고 창건(蒼健)하여 한두 가지 좋은 부분이 있다. 일찍이 우옹(尤翁)이 그의 글을 상당히 칭찬하시는 것을 보았는데, 우옹은 명나라 문장

에 익숙하지 않았지만 일찍이 그의 〈주자실기서(朱子實記序)〉[93]를 보셨기 때문에 이렇게 말씀한 것이다. 공동의 이 글은 의론이 좋고 체재도 법도가 있으니, 참으로 문장의 법칙에 부합하는 글이다.

• • • • • •

93 주자실기서(朱子實記序) : 명나라 때 무원(婺源)의 대선(戴銑)이 《주자실기(朱子實紀)》를 판각할 적에 지은 서문으로, 원래 제목은 〈각주자실기서(刻朱子實紀序)〉이다. 《空同集 卷50》

48. 기상과 격조가 고경古勁한 두보杜甫의 산문

해설 | 두보의 산문은 뜻이 분명하지 못하고 난삽하여 통창하지 못하지만, 기조(氣調)가 예스럽고 힘차서 볼만하다고 칭찬하였다. 그 가운데 〈공손대랑 검무서(公孫大娘劍舞序)〉는 백여 글자에 불과한 짧은 글이지만 오르내린 곡절과 강개가 질탕하여 사마천의 글과 같음을 밝히고, 우암 송시열 역시 두보의 산문을 칭찬하였음을 소개하였다.

余又嘗謂杜甫文雖晦澁하여 不通暢이나 其氣調 亦自古勁可喜라 如《公孫大娘劍舞序》는 僅百餘言이로되 而俯仰曲折과 感慨跌宕이 大類太史公하니 蓋其才近也라 後見尤翁하니 亦謂子美文殊好라하시니 尤翁於文章에 頗尙奇故로 其言如此라

나는 또 일찍이 '두보(杜甫)의 산문은 비록 내용이 분명하지 못하고 난삽하여 통창하지는 못하나 그 기상과 격조는 또한 본래 고풍스럽고 힘차서 볼만하다.'라고 생각하였다. 예를 들어 〈공손대랑검무서(公孫大娘劍舞

序)》⁹⁴는 겨우 백여 자이지만 억양의 곡절과 감개의 질탕함이 태사공(太史公, 사마천)의 글과 매우 흡사하니, 이는 재주가 태사공과 비슷하기 때문이다. 뒤에 우옹(尤翁)을 만나 뵈니, 역시 '자미(子美, 두보)의 문장이 매우 좋다.'라고 하셨는데, 우옹은 문장에 있어 특이한 것을 숭상하시기 때문에 그 말씀이 이와 같았던 것이다.

49. 장유張維의 문장에 대한 송시열宋時烈의 평

해설 | 우암 송시열이 계곡 장유의 문장을 우리나라 최고라고 자주 칭찬하였으나 이는 옳지 않으며 그의 기조와 재력은 실로 고인에 미치지 못한다고 비판하였다. 명나라의 문장가를 싸잡아 비난한 우암에 대해 이는 우암이 명나라 문장을 많이 보지 못하였기 때문이며, 명나라의 문장 중에 방효유(方孝孺)·왕수인(王守仁)·왕신중(王愼中)·당순지(唐順之) 등은 경학에 밝고 논리가 넉넉하다고 칭찬하였다. 장유는 당시 한문사대가(漢文四大家)로 알려진 인물이지만 농암은 그의 문장이 너무 평탄하고 완만하여 사람을 감동시키지 못한다고 여러 차례 평하였다.

尤翁은 亟推谿谷文章하여 謂爲東方第一이라 嘗語靜觀齋云 "谿谷去歐、蘇不遠하여 大明三百年에 未有其比라 陽明雖詑張震耀나 而其實은 不如"라하시니 此論은 竊恐未然이라 谿谷文이 典雅通暢하여 辭理俱備하고 體裁不苟하여 在吾東에 固當爲大家나 然其氣調才力이 實不及古人이라 明人如空同、弇州一派는 固非韓, 歐正脈이나 至於遜志、陽明、遵巖, 荊川數大家하여는 皆深於經術하고 優於理致하며 宏博精深하고 高明峻潔하니 皆非谿谷所能及이라 陽明은 誠有詑張處나 然其天才自高하여 長於操縱이요 非徒爲張皇者也라 尤翁이 實不多見明文하여 槩謂明人皆僞學古文이라하시니 不知自有遵巖, 荊川一派에 谿谷正在其範圍中耳니라

우옹(尤翁, 송시열)은 계곡(谿谷) 장유(張維)[95]의 문장을 자주 추앙하여 동방(우리나라)에서 제일이라고 하셨다. 그리고 일찍이 정관재(靜觀齋) 이단상(李端相)[96]에게 말씀하시기를 "계곡은 구양수, 소식과의 차이가 별로 없어서 명나라 300년 동안 그와 견줄 만한 문인이 없다. 양명(陽明, 왕수인)은 비록 과장하여 광채를 냈지만 실제는 이보다 못하다." 하셨는데, 이 말씀은 옳지 않은 듯하다.

계곡의 문장이 전아하고 통창하여 사리(辭理, 문장과 논리)가 모두 갖추어지고 체재가 구차하지 않아서 우리 동방에서는 진실로 마땅히 대가라고 하여야 한다. 그러나 그 기조(氣調, 기세와 품격)와 재력(才力, 재주와 능력)은 사실 옛사람에 미치지 못하였다. 명나라 사람 중에 공동(空同, 이몽양)과 엄주(弇州, 왕세정)의 한 파는 실로 한유와 구양수의 정맥이 아니지만 손지(遜志, 방효유), 양명, 준암(遵巖, 왕신중), 형천(荊川, 당순지) 등 몇몇 대가에 이르러서는 모두 경학에 조예가 깊고 이치(논리)에 넉넉하며 규모가 굉박(宏博)하고 정심(精深)하며 고명(高明)하고 준결(峻潔)하였으니, 모두 계곡이 미칠 수 있는 바가 아니다.

••••••

95　계곡(谿谷) 장유(張維) : 1587~1638. 조선 중기의 문인으로 계곡은 호이고 자는 지국(持國)이며 본관은 덕수(德水)이다. 우의정 김상용(金尙容)의 사위이고 효종의 비 인선왕후(仁宣王后)의 아버지이며 김장생(金長生)의 문인이다. 1609년(광해군 1) 증광 문과에 을과로 급제하고 호당(湖堂)에 들어갔으며, 1623년 인조반정에 가담하여 정사 공신(靖社功臣) 2등에 녹훈되고 대제학을 거쳐 우의정에 임명되었으나, 어머니의 상(喪)으로 끝내 사퇴하고 장례 후 과로로 병사하였다. 이정귀(李廷龜)·신흠(申欽)·이식(李植) 등과 더불어 당시 조선 한문학의 4대가(四大家)로 칭송되었고, 저서로 《계곡만필》·《계곡집》 등이 있다. 신풍부원군(新豐府院君)에 봉해졌으며, 시호는 문충(文忠)이다.

96　정관재(靜觀齋) 이단상(李端相) : 1628~1669. 정관재는 호이고 자는 유능(幼能)이며 본관은 연안(延安)으로 대제학 이명한(李明漢)의 아들이다. 문과에 급제하여 여러 관직을 역임하였으나 뒤에는 벼슬을 사퇴하고 양주에서 학문 연구에 힘썼다. 시호는 문정(文貞)이다.

양명은 참으로 글을 과장하여 쓴 부분이 있지만 타고난 재주가 본디 높아 문장을 구사하는 솜씨가 뛰어난 것이지 부질없이 장황하게 쓴 것이 아니다. 우옹은 실로 명나라의 문장을 많이 보지 못하여 "명나라 사람들은 모두 고문을 잘못 배웠다."라고 한결같이 생각하시고, 따로 준암과 형천의 한 파가 있는데 계곡도 바로 그 범위 안에 있다는 것을 알지 못했을 뿐이다.

50. 장유張維와 구양수歐陽脩
문장의 비교

해설 | 이 역시 장유의 문장에 대한 비판이다. 구양수의 문장은 평탄하고 화완(和緩)한 듯하지만 그의 봉사(封事)와 주차(奏箚)는 이해(利害)를 진술한 것이 곡진하고 절실함을 밝히고, 장유의 글은 한결같이 평범하고 완만하여 격절한 부분이 없음을 지적하였다.

谿谷之文은 典則理致가 雖近宋大家나 然失之太平緩이라 宋文에 如歐公은 雖若寬平和緩이나 而其封事, 奏箚는 指陳利害하고 摸寫事情에 委曲深切하여 刺骨透髓하여 令人主聽之하면 不得不動心開悟요 其序, 記, 碑誌, 祭文等文은 風神遒麗하고 音調逸宕하여 俯仰感慨하여 一唱三歎하여 往往有歔欷欲絕處하니 此所以不可及也라 谿谷은 一味平緩하여 全無激切處하여 爲疏章則不足以動人主之聽하고 爲碑誌則無風神生色하고 爲祭文則無悽愴鳴咽之旨하니 蓋其天資寬平하고 得之又容易하여 不曾致深湛之思故로 所就者然耳라 後人尊尚其文하여 以爲圓熟渾成하여 絕無斧鑿瑕纇可指議라하니 此姑卽其所就言之하면 則可耳어니와 若以比古人이면 正見其疲苶不及하니 安得謂無可議也리오

계곡의 문장은 전칙(典則, 법칙)과 이치(理致, 논리와 정취)가 비록 송나라의

대가들과 가까웠으나 지나치게 평탄하고 완만한 것이 흠이다. 송나라의 문장가 중에 구양공의 문장은 비록 평탄하고 완만한 듯하지만 봉사(封事)와 차자(箚子)97는 이로움과 해로움을 진술하고 사정을 묘사한 것이 곡진하고 절실하여 골수에 사무쳐 임금이 그것을 들으면 마음을 움직여 깨닫지 않을 수 없게 하였다. 그리고 서(序)·기(記)·비지(碑誌)·제문 등의 글은 풍신이 빼어나고 아름다우며 음조가 호탕해서 독자들로 하여금 깊이 생각하고 개탄하며 칭찬해 마지않게 하고, 왕왕 한숨 쉬어 숨이 끊어질 것 같은 부분이 있으니 이것이 미칠 수 없는 점이다.

　그런데 계곡의 글은 한결같이 평탄하고 완만하여 격렬한 대목이 전혀 없기 때문에 소장(疏章)을 지으면 임금의 마음을 움직이지 못하고, 비문을 지으면 생동하는 풍신이 없고, 제문을 지으면 구슬퍼 오열하는 뜻이 없으니, 이는 그의 타고난 자품이 너그럽고 평탄한 데다가 글을 구상하기를 또한 쉽게 하여 깊이 생각하지 않았기 때문에 성취한 바가 그러한 것이다.

　후세 사람들은 그의 글을 높여 원숙하고 혼연(渾然, 자연스러움)하여 인위적으로 다듬은 흔적이 없어 비난할 만한 것이 전혀 없다고 칭찬한다. 그런데 이는 그가 이룩한 경지를 가지고 하는 말이라면 괜찮지만, 만약 옛사람의 글과 견주어 본다면 문장이 약하여 미치지 못함을 비로소 알 수 있으니, 어찌 비난할 점이 없다고 말할 수 있겠는가.

· · · · · ·

97　봉사(封事)와 차자(箚子) : 봉사는 봉사소(封事疏)를 가리킨 것으로 국가의 중요한 사항에 대한 상소문은 봉함하지 않고 올리는 데에서 유래하였으며, 차자는 일정한 격식을 갖추지 않고 사실만 간략히 적어 올리는 상소문을 이른다.

51. 서사의 번간繁簡이 마땅한 장유張維

해설 | 장유의 비지문은 사실을 서술함에 있어서 번잡함과 간략함이 마땅함을 얻었고, 남을 칭찬한 부분은 하찮은 것까지 헤아렸으므로 훌륭하다고 평하였다.

谿谷碑誌는 雖乏逸調나 然其敍事繁簡得當하고 稱美處에 亦有斟酌分寸하니 斯其所以爲善也라

계곡의 비문은 비록 빼어난 격조가 부족하지만, 일을 서술할 적에 번다함과 간략함을 적절하게 하였고 인물의 훌륭한 점을 칭찬할 때에도 조그만 부분까지 헤아려 서술하였으니, 이 때문에 그의 비문이 훌륭하다는 평가를 받는 것이다.

52. 최립崔岦과 장유張維
문장의 비교

해설 | 간이 최립과 계곡 장유의 문장에 대한 우열이 서로 비슷함을 논하였다.

簡易文은 谿谷論之悉矣라 今以擬於谿谷하면 其高處는 谿谷所不能이요
而低處는 谿谷所不爲니 要當爲雁行也라

  간이(簡易) 최립(崔岦)의 문장에 대해서는 계곡이 충분히 논하였다.[98] 그
런데 지금 그의 문장을 계곡의 문장과 비교해 보면, 수준이 높은 곳은
계곡이 따를 수 없고 수준이 낮은 곳은 계곡이 하지 않았으니, 요컨대
수준이 비슷하다고 해야 할 것이다.

......

98 간이(簡易)……논하였다 : 장유는 그가 쓴 〈간이당집서(簡易堂集序)〉에서 최립의
    글을 논하기를 "뜻이 너무도 깊어 차라리 아무도 모를지언정 혹시라도 천박하게
    하지 않으려 하였고, 말이 너무도 기이하여 차라리 난삽(難澁)할지언정 행여 범속
    (凡俗)하게 하지 않으려고 하였다.〔意過深而寧晦 毋或淺 語過奇而寧澁 毋或凡〕"라고 평
    하고, 그가 한유의 글을 치밀하게 공부하여 자신의 글 속에서 진부한 표현을 제거
    하기 위해 노력했다고 말하고 있다.

53. 중국인들이 탄복한
최립의 주문奏文

해설 | 최립의 글 가운데 명나라에 올린 주문이 내용으로 보나 행문으로 보나 모두 적절하여 군더더기와 천박함이 없음을 높이 평가하고, 이는 그의 재주가 높고 공력이 깊기 때문으로, 중국 사람들의 감탄이 당연하다고 하였다.

《簡易集》中에 中朝奏文最好라 此等文字는 最易循襲常套요 欲免此면 則又患事情不周帀詳盡이어늘 而簡易諸奏文은 敷陳情實에 旣懇切委曲하고 行文又古雅簡鍊하여 無一語冗率膚俗하니 觀此하면 可見其才高功深이니 宜乎中朝人之歎賞也라

《간이집(簡易集)》 가운데 중국에 올린 주문(奏文)[99]은 매우 좋다. 이러한 글은 무엇보다 상투적인 글을 그대로 답습하기가 가장 쉽고, 이것을 피하고자 하면 또 사정이 두루 상세하지 못한 병통이 있게 되는데, 간이의

••••••

99 중국에 올린 주문(奏文) : 최립이 1581년(선조 14)에 종계변무 주청사(宗系辨誣奏請使)의 질정관(質正官)이 되어 연경(燕京)에 갔을 적에 예부에 올린 글을 말한다. 이 주문은 《간이집》 권4에 실려 있다. 도곡 이의현의 〈도협총설(陶峽叢說)〉 60번에 이 내용이 자세히 보이는데, 진인석(陳仁錫)의 《명문기상(明文奇賞)》에도 이 글이 실려 있음을 밝혀 놓았다.

주문은 실정을 진술한 것이 간절하고 곡진한 데다가 행문(行文, 문장을 써 내려감)도 고아(古雅)하고 간결하여 한마디도 쓸데없거나 천박하고 속된 말이 없다. 이를 보면 그가 재주가 높고 공부가 깊었음을 알 수 있으니, 중국 사람들이 탄복하여 칭찬한 것이 당연하다.

54. 장편이 좋지 못한
최립의 비지문

해설 | 최립의 비지문은 단편은 좋으나 장편은 좋지 않다고 평한 우암 송시열
의 말을 인용하고 그 말에 동조하였다.

尤翁謂簡易碑誌는 小篇好而大篇不好라하시니 誠然이라

우옹(尤翁)이 이르시기를 "간이의 비지문은 소편(小篇)은 좋으나 대편(大
篇)은 좋지 않다."라고 하셨으니, 참으로 옳다.

55. 장유의 사부詞賦와 이식의 변려문騈儷文

해설 | 택당(澤堂) 이식(李植)과 계곡 장유의 문장에 대해 장단점을 말하고, 옛날 작가에 비하면 한유·유종원과 비슷하다고 평한 글이다. 한유와 유종원은 모두 고문운동을 했던 당나라의 대문장가지만, 일반적으로 문은 한유를, 시는 유종원을 더 높게 평한다.

澤堂文은 體段渾成은 不如谿谷이나 而結構精密은 過之라 谿之詞賦와 澤之騈儷가 又足相當하니 比之於古하면 殆似韓, 柳라 近世蔡湖洲 每稱張, 李云 "澤堂詩勝谿谷"이라하니 此又與子厚, 退之相似라

택당(澤堂) 이식(李植)[100]의 문장은 체단(體段)의 자연스러움은 계곡만 못하나 결구(結構, 짜임새)의 정밀함은 그보다 낫다. 계곡의 사부(詞賦)와 택

......

100 택당(澤堂) 이식(李植) : 1584~1647. 조선 중기의 문인으로 택당은 호이고 자는 여고(汝固)이며 본관은 덕수(德水)이다. 1610년(광해군 2) 문과에 급제하여 출사하고 인조 때 중용되어 벼슬이 대제학과 이조 판서에 이르렀다. 문장에 뛰어나 월사(月沙) 이정귀(李廷龜), 계곡(谿谷) 장유(張維), 상촌(象村) 신흠(申欽)과 함께 한문 4대가로 불린다. 시호는 문정(文靖)이며, 저서로《택당집》등이 있다.

당의 변려문(騈儷文)[101]을 또한 서로 견줄 만한데, 옛사람에 비교해보면 한유(韓愈)·유종원(柳宗元)[102]과 매우 흡사하다. 근세의 호주(湖洲) 채유후(蔡裕後)[103]는 늘 계곡과 택당을 일컫기를 "택당의 시가 계곡보다 낫다." 하였으니, 이는 또 자후(子厚, 유종원)와 퇴지(退之, 한유)의 관계와 서로 비슷하다.

••••••

101 변려문(騈儷文) : 문체의 한 가지로 한(漢)·위(魏)에서 비롯되어 육조(六朝)와 당나라 초기에 유행하였다. 대구(對句)와 압운(押韻)이 많아 유려하고 아름다운데, 주로 네 글자와 여섯 글자씩 조합하므로 사륙변려문(四六騈儷文)이라고도 한다.

102 유종원(柳宗元) : 773~819. 당나라의 문장가로 자는 자후(子厚)이고 유하동(柳河東) 또는 유유주(柳柳州)라고도 부른다. 당송팔대가(唐宋八大家)의 한 사람으로 한유(韓愈)와 함께 고문운동(古文運動)을 창도하였으며, 산수시(山水詩)를 특히 잘하여 도연명(陶淵明)과 비교되었다. 왕유(王維)·맹호연(孟浩然) 등과 당시(唐詩)의 자연파를 형성하였는데, 자구(字句)의 완숙미와 표현의 간결, 정채(精彩)함은 후대에 높은 평가를 받았다.

103 호주(湖洲) 채유후(蔡裕後) : 1599~1660. 조선 중기의 문인으로 호주는 호이고 자는 백창(伯昌)이며, 본관은 평강(平康)이고 시호는 문혜(文惠)이다. 어릴 때부터 문장이 뛰어났으며 1623년(인조 1) 개시 문과(改試文科)에 장원으로 급제하였다. 이후 대제학을 겸하였고 예조와 이조의 판서 등을 지냈다. 관직에 있는 동안 술 때문에 여러 차례 탄핵을 받았으나 문재가 뛰어나 중용되었다. 저서로 《호주집》이 있다.

56. 정밀하고 간절한
이식李植의 소차疏箚

해설 | 이 글 역시 택당 이식과 계곡 장유의 문장에 대해 그 장단점을 말한 것이다. 택당의 문장은 너무 치밀하여 계곡에게 미치지 못하지만, 소차 등 일을 논한 부분은 정밀하고 간절하여, 평범한 계곡의 문장과는 다르다고 평하였다.

澤堂文은 太密塞하여 文字外에 不見有餘地하니 此不及谿谷處라 然이나
如疏箚論事之文은 精覈切深하여 不似谿谷平泛無激發處라

택당의 글은 비록 치밀하기는 하나 너무 치밀하여 문자 외에 여지(餘地)가 있음을 볼 수 없으니, 이는 계곡에게 미치지 못하는 점이다. 그러나 예컨대 소차(疏箚) 등 일을 논한 글은 정밀하고 상세하며 간절하고 깊어 계곡의 글이 평범하여 격발(激發)하는 곳이 없는 것과는 다르다.

57. 신흠申欽의 수사修辭와
이정귀李廷龜의 논리

해설 | 월사 이정귀와 상촌 신흠의 문장에 대해 평한 글이다. 당시 문단의 평은 신흠이 낫다고 하였으나 뒤에 우암 송시열은 이정귀가 낫다고 했던 사실을 밝히고, 수사를 위주로 하는 사람은 신흠이 낫다고 하였고 논리를 위주로 하는 사람은 이정귀를 취하였으니 이는 각자의 소견에 따른 것이라고 하였다.

月沙, 象村이 同時齊名이러니 前後論者 互有軒輊이라 當時文苑之論은 頗以象村爲勝하니 觀谿谷所序二公文集하면 可見也라 至近世하여 尤翁始以月沙爲勝하니 蓋象村은 視古修辭하여 藻飾之功多하고 月沙는 隨意抒寫하여 紆餘之致勝이라 尙辭者右象村하고 主理者取月沙하니 固各有所見也라

월사(月沙) 이정귀(李廷龜)[104]와 상촌(象村) 신흠(申欽)[103]은 동시대에 나란

· · · · · ·

104 월사(月沙) 이정귀(李廷龜) : 1564~1635. 조선 중기의 문인으로 월사는 호이고 자는 성징(聖徵)이며, 본관은 연안(延安)이고 시호는 문충(文忠)이다. 1585년(선조 18) 진사에 합격하고, 1590년(선조 23) 증광문과에 병과로 급제하였다. 중국어에 능하여 어전통관(御前通官)으로 명나라 사신이나 지원군의 접대에 조정을 대표하여 활약하였으며, 1598년(선조 31)에 명나라 병부 주사(兵部主事) 정응태

히 이름이 났는데, 전후로 논자들이 번갈아 우열을 논하였다. 당시 문단의 논의는 자못 상촌이 낫다고 하였으니, 계곡이 쓴 두 분의 문집 서문[106]을 보면 알 수 있다. 그러다가 근세에 이르러 우옹(尤翁)이 처음으로 월사가 낫다고 하였는데, 이는 상촌이 옛 글을 본받아 수사(修辭)하여 꾸미는 공력이 많고, 월사는 뜻에 따라 감정을 서술하고 경치를 묘사하여 여유로운 운치가 뛰어나기 때문이다. 그리하여 수사를 중시하는 자들은 상촌을 높이고, 이치(논리)를 위주하는 자들은 월사를 높이니, 이는 진실로 각각 소견이 있기 때문이다.

(丁應泰)가 임진왜란(壬辰倭亂)이 조선에서 왜병(倭兵)을 끌어들여 중국을 침범하려 한 것이라고 신종(神宗)에게 무고하자, 진주부사(陳奏副使)로서 명나라에 가서 무고임을 밝히고 정응태를 파직하게 하였다. 대제학, 병조 판서, 예조 판서, 우의정, 좌의정 등을 역임하였으며, 문장에 뛰어나 장유(張維), 이식(李植), 신흠(申欽)과 더불어 한문사대가(漢文四大家)로 일컬어진다. 저서로 《월사집》이 있다.

105 상촌(象村) 신흠(申欽) : 1566~1628. 조선 중기의 문인으로 상촌은 호이고 자는 경숙(敬叔)이며, 본관은 평산(平山)이고 시호는 문정(文貞)이다. 1586년(선조 19)에 별시문과에 병과로 급제하였고, 1623년(인조 1) 인조 즉위 후에 이조 판서, 대제학 등을 지냈으며, 우의정, 좌의정을 거쳐 1627년(인조 5) 9월에 영의정에 오르고 이듬해 별세하였다. 저서로 《상촌집》, 《야언(野言)》 등이 있다.

106 계곡이……서문 : 장유(張維)는 이정귀와 신흠의 문집 서문을 모두 지었는데, 각각 〈월사집서(月沙集序)〉와 〈상촌선생집서(象村先生集序)〉로 실려 있다.

58. 문장이 여유로운 이정귀李廷龜와
찬란한 신흠申欽

해설 | 이 글 역시 신흠과 이정귀의 문장에 대해 평한 것이다. "신흠은 타고난 재주가 민첩하고 절묘하였으나 심후(深厚)함이 부족하였고, 이정귀는 재주가 화려하고 넉넉하였으나 고상하고 간결함이 부족하였다." 하고서, 실질(實質) 을 숭상한 공자의 말씀으로 미루어보면 이정귀를 더 높인 송시열의 견해가 온당하다고 하였다.

象村는 天才敏妙나 而深厚不足하고 又學諸子及《國》,《策》하고 且喜皇 明諸大家라 故로 其文이 態度俊麗하고 光彩絢爛이로되 但少質實之意, 雋永之味라 月沙는 天才華贍이나 而高簡不足하고 且不規規於古人繩 墨하여 出之甚易라 故로 其文이 紆餘通暢하여 絶無艱難拘窘之態로되 但 體裁欠典嚴하고 格調不古雅하니 兩家長短이 槩不出此라 以夫子從先 進之義하면 則尤翁之論이 其殆近矣乎인저

상촌은 타고난 재주가 민첩하고 절묘하였으나 심후(深厚)함이 부족하 고, 또 제자(諸子)와 《전국책(戰國策)》을 배운 데다가 명나라의 대가들을 좋아하였기 때문에 그의 문장은 기세가 준려(俊麗)하고 광채가 찬란하였 으나 꾸밈이 없고 질실(質實)한 뜻과 깊은 맛이 부족하다.

월사는 타고난 재주가 아름답고 넉넉하였으나 청고(淸高)함과 간결함이 부족하고 또 옛사람의 법도에 얽매이지 않아 문장을 매우 쉽게 지었다. 이 때문에 그의 문장은 여유가 있고 통창하여 난삽하고 궁색한 모습이 전혀 없으나, 다만 체재에 전아하고 엄격함이 부족하고 격조가 고아하지 못하다. 이 두 문장가의 장단점이 대체로 여기에서 벗어나지 않지만 선배를 따르겠다고 한 공자의 뜻[107]을 가지고 보면 우옹(尤翁)의 논의가 거의 이치에 가까울 것이다.

• • • • • •

107 선배를……뜻 : 《논어》〈선진(先進)〉에 공자가 "지금 사람들은 선배들이 예악(禮樂)에 대해 한 것을 보고 촌스러운 사람이라 하고, 후배들이 예악에 대해 한 것을 보고 군자답다고 하는데, 내가 만일 예악을 쓴다면 나는 선배를 따르겠다."라고 하셨는데, 이것은 예악에 있어 바탕이 부족하고 문채가 넉넉한 것보다는 문채가 부족하고 바탕이 넉넉한 쪽을 선택하겠다는 뜻이다. 여기서는 형식미는 부족하나 호방한 문장을 구사한 이정귀를 허여한 말이다.

59. 가법家法을 물려받은
신최申最의 문장

해설 | 신최의 문장이 그의 할아버지인 상촌 신흠보다 낫다고 하는 혹자의 평을 들고, 〈원론(原論)〉 등의 편은 훌륭하지만 다른 문장은 그렇지 못하다는 이유로 신최가 그의 할아버지보다 낫다는 평에 유보적인 입장을 취하였다.

申最季良之文을 或謂勝於象村이라 今觀其原論諸篇이면 贍博宏衍하여
誠不易得이나 至他文하여는 不脫明人氣習하니 要其家法故在하니 謂之
勝乃祖는 未知如何耳로라

신최(申最) 계량(季良)[108]의 문장을 어떤 사람은 상촌보다 낫다고 한다.
지금 그가 지은 원론(原論)의 여러 편[109]을 살펴보면 풍부하고 해박하며

· · · · · ·

108 신최(申最) 계량(季良) : 1619~1658, 조선 중기의 문신으로 계량은 자이고 호는
　　춘소(春沼)이다. 본관은 평산(平山)으로 동양위(東陽尉) 신익성(申翊聖)의 아들
　　이고 상촌(象村) 신흠(申欽)의 손자이다. 문장에 능하였는데 특히 부(賦)에 뛰어
　　났다고 한다. 17세 때 진사에 올라 1648년(인조 26) 문과에 급제하였고 승문원
　　(承文院)에 등용되었다. 그 후 함경도 도사(咸鏡道都事)로 나갔다가 병사하였다.
109 원론(原論)의 여러 편 : 신최가 일찍이 《춘소십일원(春沼十一原)》을 지었는데, 그
　　제목은 〈원속(原俗)〉, 〈원교(原敎)〉, 〈원농(原農)〉, 〈원재(原財)〉, 〈원병(原兵)〉, 〈원정
　　(原政)〉, 〈원례(原禮)〉, 〈원악(原樂)〉, 〈원력(原曆)〉, 〈원재(原才)〉, 〈원학(原學)〉이다.

웅대(雄大)하여 참으로 쉽게 얻을 수 없는 문장이다. 그러나 다른 글에 이르러서는 명나라 사람들의 기습(氣習)을 벗어나지 못하였으니, 요컨대 물려받은 가법(家法)이 본래 그러하였던 것이다. 그러나 그가 조부(상촌)보다 낫다고 하는 말은 어떨지 모르겠다.

••••••
원(原)은 그 근원을 규명한다는 뜻이다.

60. 명나라 문장을 배운
신익성申翊聖과 박미朴瀰

해설 | 동양위(東陽尉) 신익성은 명나라 의고문파를 배웠지만 그리 심하지 않아 좋아할 만하고, 재사의 민첩하고 절묘함은 상촌 신흠에게 미치지 못하지만 정갈하고 정돈됨은 오히려 조금 낫다고 평하였다. 한편 금양위(錦陽尉) 박미 역시 명나라의 문장을 배웠지만 난삽한 어구와 표절한 문체를 답습하여 그의 문장이 번잡하고 장황하다고 혹평하였다.

東淮는 學明文而不爲已甚이라 故로 其文이 頗峻潔可喜하니 雖才思敏妙
는 不及象村이나 簡整은 却差勝이라 同時에 錦陽尉亦學明文이로되 而專
襲其鉤棘勒賾之體하여 繁冗靡曼하여 全無體要하니 遠不及東淮니라

동회(東淮) 신익성(申翊聖)[110]은 명나라의 문장을 배웠으나 지나치게 심함

<hr>

110 동회(東淮) 신익성(申翊聖) : 1588~1644. 조선 중기의 문인으로 동회는 호이고 자는 군석(君奭)이다. 본관은 평산(平山)으로 상촌 신흠의 아들이다. 선조(宣祖)의 딸인 정숙옹주(貞淑翁主)와 혼인하여 동양위(東陽尉)에 봉해졌고, 임진왜란 때에는 선무원종공신(宣武原從功臣) 1등에 올랐다. 1623년(인조 1) 이괄(李适)의 난이 일어나자 왕명으로 3궁(宮)을 호위하였고, 1627년(인조 5) 정묘호란(丁卯胡亂) 때에는 세자를 모시고 전주(全州)로 피난하였으며, 1636년(인조 14) 병자호란(丙子胡亂) 때에는 인조를 호종하여 끝까지 성을 지켜 청군(淸軍)과 싸울

에는 이르지 않았다. 그러므로 그의 문장이 자못 힘이 있고 간결하여 좋아할 만하다. 비록 재사(才思)의 민첩함과 절묘함은 상촌(象村)에게 미치지 못하나 간결함과 정돈됨은 도리어 조금 낫다. 동시대에 금양위(錦陽尉) 박미(朴瀰)[111] 또한 명나라의 문장을 배웠는데, 그는 오로지 난삽한 문체와 표절을 일삼는 것만 답습하여 쓸데없이 번다하고 장황해서 전혀 요점이 없으니, 동회에게 크게 미치지 못한다.

· · · · · ·

것을 주장하였다. 시문과 글씨에 뛰어났으며, 특히 김상용(金尙容)과 더불어 전서(篆書)의 대가였다. 저서로 《낙전당집(樂全堂集)》, 《낙전당귀전록(樂全堂歸田錄)》, 《청백당일기(靑白堂日記)》 등이 있다. 시호는 문충(文忠)이다.

111 금양위(錦陽尉) 박미(朴瀰) : 1592~1645. 조선 중기의 문신이자 선조의 부마로, 자는 중연(仲淵)이고 호는 분서(汾西)이며 본관은 반남(潘南)이다. 선조의 다섯째 딸 정안옹주(貞安翁主)와 혼인하여 금양위(錦陽尉)에 봉해졌다. 1613년(광해군 5) 폐모론이 일어났을 때 정청(庭廳)에 불참하였다는 이유로 김류(金瑬) 등과 함께 십사(十邪)로 불리면서 관작을 삭탈당하였다. 1625년(인조 3) 회맹공신(會盟功臣) 책봉 때 구공신적장자(舊功臣嫡長子)로 가자(加資)되고 혜민서 제조(惠民署提調)에 서용되었으며, 1638년 동지 겸 성절사(冬至兼聖節使)로 청나라에 다녀온 뒤 금양군(錦陽君)으로 개봉(改封)되었다. 서예에도 뛰어나 박이서(朴彝敍)의 비문(碑文) 등의 글씨를 썼다.

61. 신익성申翊聖 부자父子의 시

해설 | 신익성과 그 아들 신최의 시에 대한 평이다. 이들은 시를 짓는 재질이 모두 열등하며 고율시(古律詩)는 더욱 아름다운 것이 없다고 평하고, 그나마 신익성이 조금 낫지만 그래도 상촌 신흠에는 미치지 못한다고 평하였다.

東淮父子는 詩才皆劣이요 季良은 詩尤不佳하여 旣乏聲調하고 又無氣力하여 集中古律絕이 無佳者라 東淮差勝이나 而亦不及象村也라

동회의 부자(父子)[112]는 시재(詩才)가 모두 열등한데, 신계량(申季良, 신최(申㝡))의 시는 더욱 좋지 못하여 성조(聲調)가 부족한 데다 기력도 없으므로 그의 문집 가운데 고시와 율시, 절구는 좋은 시가 하나도 없다. 동회가 조금 낫지만 또한 상촌에게는 미치지 못한다.

• • • • • •
112 동회의 부자(父子) : 동회 신익성과 그의 아들 신최(申㝡)를 가리킨 것이다.

62. 정두경鄭斗卿 시의 성취

해설 | 의고문파를 배운 동명 정두경의 문장에 대한 평이다. 가행(歌行)[113]의 장편은 이백과 두보를, 율시와 절구는 성당(盛唐)을 모의하여 위대하다고 평하면서도, 그의 재주와 기력은 읍취헌(挹翠軒) 박은(朴誾)에게 미치지 못하며, 그가 성취한 경지는 석주(石洲) 권필(權韠)과 동악(東岳) 이안눌(李安訥)을 뛰어넘지 못한다고 평하였다.

鄭東溟은 出於晚季하여 能知有漢, 魏古詩樂府爲可法이라 歌行長篇은 步驟李, 杜하고 律絶近體는 摸擬盛唐하여 不肯以晚唐、蘇、黃作家計하니 亦偉矣라 然其才具氣力이 實不及挹翠諸公이요 又不曾細心讀書하여 深究詩道하고 沈潛自得하여 充拓變化하고 徒以一時意氣로 追逐前人影響이라 故로 其詩雖淸新豪俊하여 無世俗齷齪庸腐之氣나 然其精言妙思가 不足以窺古人之奧하고 橫鶩旁驅가 又未能極詩家之變하니 要其所就하면 未能超石洲, 東岳而上之也라

......
113 가행(歌行) : 고대 악부시(樂府詩)에서 발전된 고시(古詩)의 한 체(體)로, 음절과 격률이 비교적 자유로운 시체(詩體)이다.

동명(東溟) 정두경(鄭斗卿)[114]은 말세에 태어나 한(漢)·위(魏)의 고시(古詩)와 악부시(樂府詩)가 본받을 만한 것임을 잘 알았다. 그리하여 가행(歌行) 등 장편은 이백(李白)과 두보(杜甫)를 본받고 율시와 절구 등 근체시는 성당(盛唐)을 모방해서 만당(晚唐)과 소식(蘇軾)·황정견(黃庭堅)을 배우려고 하지 않았으니, 또한 위대하다. 그러나 그의 재주와 기력은 실로 읍취헌(挹翠軒) 박은(朴誾) 등 여러 공에게 미치지 못하였다.

또 그는 일찍이 세심하게 독서하여 시(詩)를 짓는 방법을 깊이 탐구하거나 침잠(沈潛)하여 스스로 터득해서 확충하고 변화시키지 못하였고, 단지 한때의 의기(意氣)로 옛사람들의 자취를 좇았을 뿐이다. 그래서 그의 시가 비록 청신(淸新)하고 호준(豪俊, 호방하고 힘참)하여 세속의 비루하고 진부한 기운은 없지만, 정밀한 말과 오묘한 생각이 옛사람의 깊은 경지를 엿보지 못하였고, 이리저리 치달린 것이 또 시가(詩家)의 변화를 다하지 못하였으니, 그가 성취한 것을 요약해보면 석주(石洲) 권필(權韠)과 동악(東岳) 이안눌(李安訥)을 뛰어넘지 못한다.

<hr />

114 동명(東溟) 정두경(鄭斗卿) : 1597~1673, 조선 중기의 문인으로 동명은 호이고 자는 군평(君平)이며 본관은 온양(溫陽)이다. 1629년(인조 7)에 14살의 나이로 별시문과에 장원으로 급제하여 문명을 떨쳤으며, 1626년(인조 4) 중국 사신이 왔을 때 부름을 받아 김류(金瑬) 등과 함께 중국 사신을 접대하였다. 홍문관 부수찬, 사간원 정언, 공조와 예조의 참의, 홍문관 제학, 공조와 예조의 참판, 승문원 제조 등을 역임하였다. 시문과 글씨에 뛰어났으며, 저서로《동명집(東溟集)》이 있다.

63. 《사기》와 악부시樂府詩를 서툴게 배운 정두경鄭斗卿의 시

해설 | 이 글 역시 동명 정두경의 시를 비평한 내용이다. 그의 시가 뛰어날 수 있었던 이유는 《사기》를 즐겨 읽고 고악부(古樂府)의 문자를 즐겨 썼기 때문인데 이는 다만 세상 사람들에게 익숙하지 않은 것들이어서 사람들의 이목을 놀라게 할 수 있었던 것으로, 실상은 고인이 말한 서툰 도적이라고 평가절하하였다.

東溟詩 所以易高於流俗者는 以平生好讀《馬史》하고 又留意古樂府하여 爲詩歌에 喜用其語라 此皆世人所不習故로 驟見之에 足以驚動耳目이나 而其實은 殆古人所謂鈍賊이니 非竊狐白裘手也니라

동명의 시가 세속의 작품보다 쉽게 뛰어날 수 있었던 이유는 그가 평소에 사마천의 《사기》를 즐겨 읽고 또 옛 악부시에 유의하여, 시가(詩歌)를 지을 적에 이들 책에 있는 말을 즐겨 사용하였기 때문이다. 이런 말들은 모두 세상 사람들이 익히지 않은 것이기 때문에, 얼핏 보았을 적에 사람들의 이목을 깜짝 놀라게 할 수 있었으나, 실상은 옛사람이 말한 '서툰 도적[鈍賊]'

이란 것이니, 호백구(狐白裘)를 훔치는 훌륭한 솜씨는 아니었다.[115]

••••••
115 실상은……아니었다 : 송(宋)나라 증조(曾慥)의 《유설(類說)》 제51권 〈시원유격
    (詩苑類格)〉의 삼투조(三偸條)에서 시를 지을 때에 행해지는 세 가지 도둑질을
    소개하였는데, 남의 작품에서 어구, 뜻, 기세를 훔치는 것이 그것이다. 그중에 어
    구를 훔치는 것이 가장 서툰 도적이고, 기세를 훔치는 것은 재주가 공교롭고 뜻
    이 정밀하여 흔적이 없는 것이 호백구를 훔치는 솜씨라고 할 만하다고 하였다.
    호백구를 훔치는 솜씨란 표시가 나지 않게 남의 물건을 감쪽같이 훔치는 것을
    말한다. 전국(戰國) 시대에 진 소왕(秦昭王)에게 억류되어 있던 제(齊)나라의 맹
    상군(孟嘗君)이 소왕의 총애하는 여인에게 뇌물을 주고 자신의 석방을 주선해
    달라고 부탁하였는데, 그녀는 호백구를 요구하였다. 맹상군은 일찍이 명품의 호
    백구를 가지고 있었으나, 이미 소왕에게 바쳐 그녀의 요구에 응할 수가 없었다.
    마침 수행한 문객(門客) 중에 도둑질을 잘 하는 자가 있어 궁중의 창고에 가서
    예전에 바쳤던 호백구를 훔쳐 내어 그녀의 주선으로 탈출한 일이 있었던 데서
    나온 말이다. 《史記 卷75 孟嘗君列傳》

64. 춘추좌전春秋左傳에 대한
   주석의 오류

해설 | 《춘추좌전》에 정정(程鄭)이 자신을 낮추는 방법을 물은 것에 대한 연명(然明)의 논의가 있는데, 이 논의에 대한 주(註)가 잘못되었음을 지적한 글이다. 강교수에 의하면 《춘추좌전》의 주석서로 두예(杜預)의 《춘추경전집해(春秋經傳集解)》와 임요수(林堯叟)의 《춘추좌전구해(春秋左傳句解)》를 합쳐 만든 《좌전두림합주(左傳杜林合注)》가 있는데, 농암이 본 주석서는 《좌전두림합주》일 가능성이 높다고 하였다.

《左傳》에 然明이 論程鄭降階之問하여 曰 "夫旣登而求降階者는 知人也니 不在程鄭이니 其有亡釁乎인저 不然이면 其有惑疾하여 將死而憂也"라한대 註에 "若不在程鄭이면 其家將有出亡之釁乎"인저하니 此註恐誤라 按不在程鄭은 謂上所謂明知之人은 非如程鄭者所能當也니 今此問降階者는 不過其身將有亡釁而然이요 不然則將死云爾라 此與上文 "是將死니 不然將亡"으로 相應하니 亡與死는 皆指程鄭之身而言耳니 何得復云其家리오 註者不曉 '不在程鄭' 一句之意하고 而遷就其說如此하니 不可從也라

《춘추좌전》에 연명(然明)이 관계(官階)를 낮추려는 일(높은 품계에 있으면서

자신을 낮춤)을 물은 정정(程鄭)의 질문에 대해 논하기를 "이미 높은 자리에 올라서 관계를 낮추려는 자는 지혜로운 사람이다. 그러나 이러한 것이 정정에게는 있지 않으니, 도망할 징조가 있는 것이다. 그렇지 않다면 미혹되는 질병(미친 병)이 있어 장차 죽게 되어 근심하는 것이다."라고 하였는데,[116] 그 주에 이르기를 "만약 정정 자신에게 있지 않다면 그 집안이 장차 도망하는 화가 있을 것이다." 하였으니, 이 주는 잘못된 듯하다.

　내가 살펴보건대 '정정에게 있지 않다.'는 것은 위에서 말한 '지혜로운 사람은 정정과 같은 자가 감당할 수 있는 바가 아니다.'라는 말이니, 지금 관계를 낮추려는 일을 물은 것은 그 자신이 장차 도망할 징조가 있어 그런 것이고 그렇지 않다면 장차 죽게 됨을 말한 것에 불과하다. 이는 윗글의 "그는 장차 죽을 것이다. 그렇지 않다면 장차 도망하게 될 것이다."라는 말과 서로 응하니, 도망하는 것과 죽는 것은 모두 정정을 가리켜 말한 것일 뿐이다. 어찌 다시 그의 집안을 말했겠는가. 주를 낸 사람은 '부재정정(不在程鄭)' 한 구의 뜻을 제대로 이해하지 못하고 그 설을 왜곡시킨 것이 이와 같으니, 따라서는 안 된다.

------

116 춘추좌전에……하였는데 : 이 내용은 《춘추좌전》 양공(襄公) 24년조에 보인다.

65. 옹규雍糾의 처妻와
노포계盧蒲癸의 처

해설 | 《춘추좌전》에 임금의 명령에 따라 남편이 자신의 친정아버지를 몰래 살해하려는 것을 알고 이에 대처한 두 여인이 있는데, 한 여인은 친정아버지를 위해 자기 남편을 죽게 하고 한 여인은 남편을 위해 친정아버지를 죽게 하였다. 이에 대해 농암은 아내의 도리는 지성으로 남편을 말렸어야 하고 그렇지 않으면 죽어야 하며 어느 한 쪽을 편들어서는 안 된다고 단정하였다.

雍糾之妻는 知其夫將殺其父於郊享하고 以其事告祭仲하여 而雍糾謀敗見殺하고 盧蒲癸之妻는 知其夫將殺其父於廟嘗故로 告之以激慶舍하여 而慶舍遂行被禍하니 此二婦所遭正相類나 而所處絶相反이라 余謂爲二婦之道는 但當至誠痛迫하여 諫止其夫하여 不從則死可也니 決不容有所左右於彼此라 盧蒲之妻 設機趣(촉)禍하니 其事尤所不忍이라

옹규(雍糾)의 처는 자기 남편이 교외의 연향에서 자신의 친정아버지를 죽이려는 것을 알고 이 일을 친정아버지인 채중(祭仲)에게 고하여, 옹규의 계획이 실패하여 죽임을 당하였다[117]. 노포계(盧蒲癸)의 처는 자기 남편이

••••••
117 옹규(雍糾)의……당하였다 : 이는 《춘추좌전》 환공(桓公) 15년조에 보이는데,

사당의 가을 제사 자리에서 자신의 친정아버지를 죽이려는 것을 알고 이
일을 친정아버지인 경사(慶舍)에게 알려 격분케 하여, 경사는 결국 제사
에 갔다가 화를 당하였다.[118] 이 두 부인이 처한 상황이 서로 비슷했지만

• • • • • •

그 내용은 다음과 같다. 채중(祭仲)이 정권을 전횡하니 정백(鄭伯, 정나라 임금)
이 이를 근심하여 채중의 사위인 옹규를 시켜 채중을 죽이게 하였다. 옹규는 교
외에서 연회를 열어 접대한다는 구실로 채중을 유인해 죽이려고 하였다. 옹규의
아내인 옹희(雍姬)가 그 사실을 알고 친정어머니에게 "아버지와 남편 중에 누가
더 가깝습니까" 하고 물으니, 어머니는 대답하기를 "남자는 누구나 너의 남편이
될 수 있으나 아버지는 하나뿐이니 어찌 남편과 비교될 수 있겠는가?"라고 하였
다. 그러자 옹희가 채중에게 고하기를 "옹씨가 자기 집을 놓아두고 교외에서 아
버님을 접대하려 하니, 저는 그 일이 의심스러워 고합니다."라고 하였다. 채중은
옹규를 죽여 그 시체를 주씨(周氏)의 연못가에 버려두었다.〔祭仲專遂專鄭政 鄭伯
患之 使其壻雍糾殺之 將享諸郊 雍姬知之 謂其母曰 父與夫孰親 其母曰 人盡夫也 父
一而已 胡可比也 遂告祭仲曰 雍氏舍其室而將享子於郊 吾惑之 以告 祭仲殺雍糾 尸諸
周氏之汪〕

118 노포계(盧浦癸)……당하였다 : 이는 《춘추좌전》 양공(襄公) 28년조에 보이는
데, 그 내용은 다음과 같다. 노포강(盧蒲姜)이 남편 노포계에게 말하기를 "계획
하는 일이 있으면서 내게는 알려 주지 않으니 반드시 성공하지 못할 것이오."라
고 하니 노포계가 장인인 경사(慶舍)를 죽이려 한다는 사실을 말하였다. 노포강
이 말하기를 "우리 아버지는 성질이 괴팍하여 말리는 사람이 없으면 아마도 상제
(嘗祭, 가을의 큰 제사)에 나가지 않을 것이니, 내가 아버지를 말리겠소."라고 하
니, 노포계가 승낙하였다. 11월 을해일(乙亥日)에 태공(太公)의 사당에 상제를 거
행할 때 경사가 그 제사를 주관하기로 되어 있었다. 노포강이 경사에게 반란의
음모가 있음을 고하고, 또 제사에 가지 말라고 하자, 경사는 듣지 않고 말하기를
"누가 감히 이런 짓을 할 수 있단 말이냐?"라고 하였다. 경사는 마침내 태공의
사당으로 가서 마영(麻嬰)을 공시(公尸)로 삼고 경혈(慶奰)을 상헌(上獻)으로 삼
았다. 노포계와 왕하(王何)는 침과(寢戈)를 들고 옆에서 시위하고 경씨(慶氏)는
갑사(甲士)를 거느리고 공궁(公宮)을 포위하였다.……노포계가 뒤에서 경사를
찌르고 왕하가 창으로 쳐서 경사의 왼쪽 어깨를 잘랐다. 그런데도 경사는 오히
려 사당의 서까래를 잡아당겨 용마루를 흔들고, 도마〔俎〕와 술병〔壺〕을 던져 사
람을 죽인 뒤에 죽었다.〔盧蒲姜謂癸曰 有事而不告我 必不捷矣 癸告之 姜曰 夫子憒
莫之止 將不出 我請止之 癸曰諾 十一月乙亥 嘗于太公之廟 慶舍涖事 盧蒲姜告之 且止
之 弗聽曰 誰敢者 遂如公 麻嬰爲尸 慶奰爲上獻 盧蒲癸王何執寢戈 慶氏以其甲環公宮
……盧蒲癸自後刺子之 王何以戈擊之 解其左肩 猶援廟桷 動於甍 以俎壺投殺人而後
死〕

대처하는 방법은 정반대였다.

　내 생각에 이 두 부인의 도리는 오직 지극한 정성과 애통한 마음으로 남편을 만류하고 남편이 따르지 않으면 죽는 것이 옳으니, 결코 이편과 저편 사이에서 어느 한 쪽을 편들어서는 안 된다. 노포계의 아내는 함정을 놓아 친정아비의 화를 재촉하였으니, 이러한 일은 더욱 차마 할 수 없는 짓이다.

66. 동곽강東郭姜의 화禍

해설 | 한 여인의 미모에 반해 결국은 군주를 시해하고 자기 집안을 망치고 수많은 사람을 죽게 한 제(齊)나라의 집권자 최저(崔杼)의 일을 《춘추좌전》을 통해 비판하였다.

讀《左史》崔杼殺莊公傳하면 因東郭姜一人而死者 莊公、賈擧、州綽、邴師、公孫敖、封具、鐸父、襄伊、僂堙、申蒯、蒯之宰와 及癸蔑、太史二人과 東郭偃、棠無咎、崔成、崔强、崔杼凡十九人이요 而其身亦不免하니 婦女之禍 可畏也哉인저

《좌사(左史)》[119]의 최저(崔杼)가 장공(莊公)을 시해한 일에 대한 전(傳)을 읽어보면, 동곽강(東郭姜) 한 사람으로 인해 죽은 사람이 장공, 가거(賈擧), 주작(州綽), 병사(邴師), 공손오(公孫敖), 봉구(封具), 탁보(鐸父), 양이(襄伊), 누인(僂堙), 신괴(申蒯), 신괴의 가신과 종멸(癸蔑), 태사(太史) 두 사람과 동곽언(東郭偃), 당무구(棠無咎), 최성(崔成), 최강(崔强), 최저 등 모두 열아홉 사람이고 그

......

119 좌사(左史) : 좌구명(左丘明)이 지은 역사책이라는 뜻으로 《춘추좌전(春秋左傳)》을 가리킨 것인바, 사마천의 《사기》를 '마사(馬史)'라고 약칭하는 것과 같다.

자신도 화를 면치 못하였으니, 부녀(婦女)의 화[120]는 두려워할 만하다.

●●●●●●
120 부녀(婦女)의 화 : 부녀자로 인하여 일어난 화를 이른 것으로 이 내용은《춘추좌
전》양공(襄公) 25년과 27년조에 보인다. 제나라 당공(棠公)의 아내는 최저(崔
杼)의 가신인 동곽언(東郭偃)의 누이였다. 당공이 죽자 동곽언이 최저와 함께 조
문을 갔는데, 최저는 당공의 아내 강씨(姜氏)의 미모에 반해 사람들의 반대를 물
리치고 몰래 그녀를 아내로 맞이하니, 이가 바로 동곽강(東郭姜)이다. 그 후 강씨
는 제나라 임금 장공(莊公)과 간통하니, 최저는 장공을 원망하고 장공에게 앙심
을 품은 가거(賈擧)를 유인하여 장공을 시해하기로 하였다. 장공이 거(莒)나라
임금과 면회를 하였는데, 최저가 신병을 핑계로 연회에 나오지 않자, 장공은 최
저를 문병하고 이어 최저의 아내 강씨와 간통하였다. 장공을 모시는 가거가 다
른 시종들을 대문 밖으로 내쫓고 대문을 잠그자, 최저의 무장한 병사들이 쳐들
어와 담을 넘어 달아나는 장공에게 화살을 쏘아 죽였다. 이 난리에 가거(賈擧)와
주작(州綽), 병사(邴師), 공손오(公孫敖), 봉구(封具), 탁보(鐸父), 양이(襄伊), 누
인(僂堙) 등이 죽었고 축관(祝官)인 타보(佗父)는 고당(高唐)에서 제사를 지내고
최저의 집으로 갔다가 죽었으며, 시어(侍御) 신괴(申蒯)는 가신과 함께 죽었고
최저는 종멸(鬷蔑)을 죽였다. 그리고 2년 뒤에 최저와 관련된 살육극이 또다시
벌어진다. 최저는 아들 최성(崔成)과 최강(崔强)을 두고 홀아비가 되었다가 동곽
강을 맞이하여 아들 최명(崔明)을 낳았다. 그런데 동곽강은 당공 사이에서 낳은
아들 당무구(棠无咎)를 데리고 왔다. 그리하여 당무구는 외숙인 동곽언과 함께
최씨 가문의 일을 돕고 있었다. 최저는 큰 아들 최성이 지병이 있으므로 최명을
후계자로 삼았다. 최성이 채읍(采邑)인 최읍(崔邑)으로 물러나 있겠다고 하자, 최
저는 허락하였으나 동곽언과 당무구는 최읍을 내주지 않았다. 최성과 최강은 노
하여 두 사람을 죽이려고 권력자인 경봉(慶封)을 찾아가 "저희들의 아버지는 오
직 당무구와 동곽언의 말만 듣고 있습니다. 혹여 어른에게 해가 미칠까 염려되어
아룁니다." 하였다. 이에 경봉이 노포계를 불러 상의하니, 노포계는 "최저와 경씨
집안은 원수지간이니, 그들을 도우라." 하고 권유하였다. 이에 경봉은 최성과 최
강의 거사를 찬성하고 자신이 돕겠다고 약속하였다. 최성과 최강이 동곽언과 당
무구를 죽이자, 최저는 크게 노하여 경봉을 찾아가 자신의 가문을 일으켜달라
고 청하니, 경봉은 노포계를 시켜 최씨 가문을 공격하여 최성과 최강과 그 일족
을 멸망시켰다. 이때 최저의 아내 동곽강은 목을 매어 자살하였다. 경봉은 최저
를 집으로 돌려보냈으나 집안이 망한 것을 보고 최저 역시 목을 매어 자살하였
다. 이 모든 사건이 최저가 동곽강과 억지로 결혼한 때문에 일어난 비극이었다.

67. 《춘추좌전》의 간결한 서사

해설 | 《춘추좌전》에서 일을 서술함이 지극히 간략하면서도 묘한 부분을 소개한 글이다. 진(晉)나라의 두 무장(武將)과 정(鄭)나라의 어자(御者)를 서술하면서 두 무장의 성명을 거론하지 않고 '모두[皆]'라는 글자로 요약하고, 어자 한 사람은 독립시켜 저절로 드러나게 하였음을 논하였다. 《춘추좌전》의 요약된 서술 방식은 어느 책도 따를 수 없는 것으로 정평이 나있다.

《左傳》은 敍事에 有極簡妙處라 如晉張骼·輔躒이 同鄭宛射犬하여 致楚師一段은 前後曲折甚多로되 而終不出二子及射犬名하니 始看에 似錯亂이나 細玩之하면 彼此賓主俱極了了라 其曰 "已皆乘乘車", 曰 "皆踞轉而鼓琴", 曰 "皆取冑於櫜而冑", 曰 "皆下搏人以投", 曰 "皆超乘抽弓而射", 曰 "皆笑"라하니 此皆는 指二子也라 曰 "不告而馳之", 曰 "不待而出"은 皆指射犬也라 凡言二子엔 悉用皆字하니 則固不待擧名이로되 而可知其爲二人이요 以此對彼하면 又不待擧名이로되 而可知其爲射犬이니 此敍事簡妙處라 前後六皆字又錯落하여 甚奇라

《춘추좌전》에서 일을 서술한 것을 살펴보면 지극히 간결하고도 묘한 부분이 있다. 예를 들어 진(晉)나라의 장격(張骼)과 보력(輔躒)이 정(鄭)나라

의 완야견(宛射犬)과 함께 초(楚)나라 군대에게 도전한 한 단락[121]은 전후의 곡절이 매우 많으나 끝내 두 사람과 완야견의 이름을 드러내지 않았다. 그리하여 처음 볼 때에는 어지럽게 뒤섞인 듯하지만 자세히 살펴보면

• • • • • •
121 춘추좌전……단락 :《춘추좌전》양공(襄公) 24년조에 "겨울에 초자(楚子)가 정(鄭)나라를 토벌하여 제나라를 구원할 때 정나라의 동문(東門)을 공격하고서 극택(棘澤)에 주둔하니, 제후들은 군대를 돌려 정나라를 구원하였다. 진후(晉侯)는 장격(張骼)과 보력(輔躒)을 보내어 초군(楚軍)에게 도전하게 하고서 정나라에 수레를 모는 어자(御者)를 요구하였다. 정인(鄭人)이 완야견(宛射犬)을 어자로 보내는 것이 어떤지에 대해 점을 치니, 길하였다. 자태숙(子太叔)이 완야견에게 '대국(진나라를 가리킴) 사람을 대등하게 대하지 말라.'라고 경계하자, 완야견은 '군대가 많은 나라든 적은 나라든 어자가 거좌(車左)와 거우(車右)의 상관(上官)이 되는 것은 모든 나라가 같습니다.'라고 대답하니, 자태숙이 말하기를 '그렇지 않다. 작은 언덕에는 송백(松柏)이 생장하지 않는다.'라고 하였다. 두 사람은 완야견을 홀대하여 자신들은 군막 안에 앉고 완야견은 밖에 앉게 하였으며, 자기들이 식사를 마친 뒤에 완야견에게 밥을 먹게 하였다. 또 완야견에게는 광거(廣車)를 몰게 하고 자기들은 모두 승거(乘車)를 타고 가다가 거의 초군의 진영에 이른 뒤에 완야견의 광거로 옮겨 타고서 모두 후거(車後)의 횡목(橫木)에 걸터앉아 거문고를 탔다. 초군이 진영 가까이 다가오자 〈완야견이〉 두 사람에게 고하지도 않고 초군의 진영으로 달려가니, 〈두 사람은〉 모두 자루에서 투구를 꺼내어 썼다. 광거가 초군의 진영으로 들어가자 모두 광거에서 내려 격투해서 초군을 잡아 수레 위로 집어던지고, 초군을 잡아 겨드랑이에 끼었다. 〈완야견은〉 또 두 사람을 기다리지 않고 수레를 몰아 나오니 〈두 사람은〉 뛰어올라 광거를 타고서 활을 꺼내어 추격해 오는 초군을 향해 쏘았다. 위험지역을 벗어나자, 〈두 사람은〉 다시 횡목에 걸터앉아 거문고를 타며 '공손(완야견)아, 한 수레에 동승하였으니 그 의리가 형제와 같은데 어째서 두 번씩이나 상의도 없이 수레를 내몰았는가?'라고 하니, 〈완야견이〉 대답하기를 '처음에는 적진으로 돌진해 들어가는 데에 뜻이 있어 고하지 못하였고, 이번에는 겁이 나서 기다릴 수 없었습니다.'라고 하였다. 두 사람은 웃으면서 '공손은 성질이 급하기도 하다.'라고 하였다〔冬 楚子伐鄭以救齊 門于東門 次于棘澤 諸侯還救鄭 晉侯使張骼輔躒致楚師 求御于鄭 鄭人卜宛射犬吉 子大叔戒之曰 大國之人 不可與也 對曰 無有衆寡 其上一也 大叔曰 不然 部婁無松柏 二子在幄 坐射犬于外 旣食而後食之 使御廣車而行 已皆乘乘車 將及楚師而後從之乘 皆踞轉而鼓琴 近 不告而馳也 皆取冑於囊而冑 入壘皆下 搏人以投 收禽挾囚 不待而出 皆超乘 抽弓而射 旣免 復踞轉而鼓琴曰 公孫同乘兄弟也 胡再不謀 對曰 曩者志入而已 今則怯也 皆笑曰 公孫之亟也〕"라고 보인다.

피(彼)와 차(此), 빈(賓)과 주(主)의 관계가 모두 지극히 분명하다. '모두 승거를 탔다〔皆乘乘車〕', '모두 수레 뒤턱에 걸터앉아 거문고를 탔다〔皆踞轉而鼓瑟〕', '모두 자루에서 투구를 꺼내어 썼다〔皆取冑於橐而冑〕', '모두 수레에서 내려 격투해서 적을 잡아 수레 위로 던졌다〔皆下 搏人以投〕', '모두 수레에 뛰어올라 활을 꺼내어 추격해오는 적(초군)을 쏘았다〔皆超乘抽弓而射〕', '모두 웃었다〔皆笑〕'라고 하였는데, 여기의 '모두〔皆〕'는 다 두 사람을 가리키는 말이다. 그리고 '고하지 않고 수레를 내몰았다〔不告而馳之〕', '기다리지 않고 나갔다〔不待而出〕'라고 한 것은 모두 완야견을 가리키는 말이다.

무릇 두 사람을 말할 적에는 다 '모두〔皆〕' 자를 썼으니 굳이 이름을 들지 않아도 두 사람임을 알 수 있고, 이쪽을 들어 저쪽과 상대하면 또 이름을 들지 않아도 그가 완야견임을 알 수 있다. 이것이 간결하고도 절묘하게 일을 서술한 부분이다. 그리고 앞뒤로 여섯 개의 '모두〔皆〕' 자를 여기저기 배치하였는데, 매우 기이하다.

68. 농암이 《춘추좌전》의 구두句讀를
잘못 떼어 읽은 경험

해설 | 자신이 젊었을 적에《춘추좌전》을 읽으면서 구(句)를 잘못 끊었던 일을 회상하고, 명나라의 종성(鍾惺)과 담원춘(譚元春)도 자신처럼 잘못 읽고는 도리어《춘추좌전》의 기사를 비평한 일을 소개하면서 고인의 문자는 함부로 비평해서는 안 된다고 강조하였다.

少時에 讀《左傳》의 入而賦호되 大隧之中에 其樂也融融하고 出而賦호되 大隧之外에 其樂也洩洩하고 認以爲敍事하여 而疑其太俳矣러니 後來에 始覺兩賦字當句하고 大隧以下十八字는 當爲所賦之詩하여 頓釋前疑라 近讀錢牧齋集하니 已辨此一段이라 當時鍾, 譚輩 誤讀此文을 正如余少時하고 而輒敢評議古人을 牧齋辨之極明快라 以此로 知古人文字를 不可以麤心讀過요 亦不宜妄生雌黃也로라

내가 젊었을 적에 《춘추좌전》에서 "지하도로 들어가 시를 읊기를 '큰 굴 속(지하도)에 들어오니 그 즐거움이 화락하도다.'[入而賦 '大隧之中 其樂也融融]"라 하였고, "나와서 시를 읊기를 '지하도 밖으로 나오니 즐거

움이 넘치도다.'〔出而賦 '大隧之外 其樂也洩洩'〕"라는 글귀[122]를 읽고, 이 대목에 대해 일을 서술한 부분으로 오인하여 "들어가서는 '지하도 안에서 그 즐거움이 화락하네.'라고 읊었다.", "나와서는 '지하도 밖으로 나오니 즐거움이 넘치네.'라고 읊었다."라고 잘못 읽고서, 지나치게 짝을 맞추었다고 의심했었다. 그런데 뒤에 비로소 두 '부(賦)' 자에서 구두를 떼어야 하고, '대수(大隧)' 이하의 18자는 읊은 시로 보아야 함을 깨달아 예전의 의심이 완전히 풀리게 되었다.

근래에 전목재(錢牧齋, 전겸익)의 문집을 읽어보니, 이미 이 단락에 대해 논변하였는데, 당시에 종성(鍾惺), 담원춘(譚元春)의 무리가 바로 내가 젊었을 적에 그랬던 것처럼 이 글을 잘못 읽고서 제멋대로 감히 옛사람을 비평하였다고 목재가 매우 명쾌하게 논변하였다. 이로 인하여 옛사람의 문장을 거친 마음으로 대충 읽고 넘어가서도 안 되고 함부로 비평을 해서도 안 된다는 것을 알게 되었다.

• • • • • •

122 춘추좌전에서……글귀 : 이 내용은 《춘추좌전》 은공(隱公) 원년조에 "정(鄭)나라 장공(莊公)은 어머니 강씨(姜氏)가 자신을 미워하고 아우인 태숙 단(太叔段)을 편애하여 반란을 일으키게 한 것에 노해서 태숙 단을 공격하여 쫓아내고 어머니 강씨와도 지하에서나 만나겠다고 맹세하였다. 이 말은 곧 살아생전에는 어머니를 만나지 않겠다는 다짐이었다. 그러나 영고숙(潁考叔)이라는 신하의 효성에 감복하여 자신의 처지와 맹세에 대해 말해주며 후회하고 있다고 하였다. 이에 영고숙은 "지하도에서 만나면 되지 않습니까." 하여 모자가 서로 만나게 되었다. 이때 장공이 굴(지하도) 속으로 들어가 시를 읊기를 '큰 굴 속에 들어오니 즐거운 마음 화락하도다.'라고 하였고, 강씨가 밖으로 나와서 시를 읊기를 '지하도를 나오니 즐거움이 넘치도다.'라고 하였다. 그리고는 드디어 모자가 예전처럼 화목하게 지냈다.〔公入而賦 大隧之中 其樂也融融 姜出而賦 大隧之外 其樂也洩洩 遂爲母子如初〕"라고 한 것을 가리킨다.

69. '질姪'과 '유자猶子'에 관한 설

해설 | 《이정문집(二程文集)》의 '질(姪)'을 '유자(猶子)'로 고친 것에 대해 주자(朱子)가 장식(張栻)과 논한 편지를 소개한 글이다. 주자는 "《이아(爾雅)》에 '여자가 형제의 자식을 일컬어 질(姪)이라 한다.'는 글만 있고, 남자에 대해서는 적당한 칭호가 없으니, 종부(從父)의 예를 따라 종자(從子)로 호칭하는 것이 좋겠다." 하였다. 농암은 이에 대해 《사기》〈전분전〉의 기록을 들어 한나라 때에 이미 자질(子姪)이라는 말이 쓰였음을 밝히면서도 《한서》에는 자질이 '자성(子姓)'으로 기록된 사실을 들어 단정을 유보하였다.

朱先生《與南軒書》에 論《程集》姪與猶子之說하여 曰 "《爾雅》云 女子謂兄弟之子爲姪이라한대 註에 引《左氏》姪其從姑以釋之로되 而反復考尋에 終不言男子謂兄弟之子爲何也라 以《漢書》考之하면 二疏는 乃今世所謂叔姪이어늘 而傳以父子稱之하니 則是古人은 直謂之子니 雖漢人이라도 猶然也라 蓋古人淳質하여 不以爲嫌故로 如是稱之하여 自以爲安이어니와 降及後世하여는 則心有以爲不可不辨者라 於是에 假其所以自名於姑者而稱焉하니 雖非古制나 然亦得別嫌明微之意"라하니라 余按《馬史·田蚡傳》에 侍酒魏其할새 跪起如子姪이라하니 據此면 則男子謂兄弟之子爲姪은 自漢時已然矣라 此正可爲《程集》稱姪之證이어늘 而朱先生云然은 豈或偶未記此文耶아 但考《漢書》하면 姪作姓하니 豈《馬史》本亦作姓이어늘 而後來却因疑似而誤耶아 未可知也로라

주선생(朱先生, 주희(朱熹))이 〈남헌(南軒) 장식(張栻)에게 준 편지〉에 정자(程子) 문집의 '질(姪)'과 '유자(猶子)'의 설을 다음과 같이 논하였다.[123]

《이아(爾雅)》에 '여자가 형제의 자식을 일컬어 질(姪)이라 한다.' 하였는데, 그 주에 《춘추좌전》에 '조카가 고모를 따른다.〔姪其從姑〕'라고 한 말을 인용하여 해석하였지만 반복해서 살펴보아도 끝내 남자가 형제의 자식을 무엇이라고 하는지는 말하지 않았습니다. 《한서(漢書)》를 살펴보면, 이소(二疏, 소광(疏廣)과 소수(疏受))는 바로 오늘날의 이른바 숙질간(叔姪間)인데 전(傳)에는 부자(父子)라고 일컬었으니, 그렇다면 옛사람들은 조카를 곧

●●●●●●
123 주선생(朱先生)이……논하였다. : 이 글은 여러 일이 뒤엉켜 있어 알기가 쉽지 않다. 여기에 인용된 주자의 편지는 《주자대전(朱子大全)》 〈여장흠부논정집개자(與張欽夫論程集改字)〉인데, 명도(明道) 정호(程顥)와 이천(伊川) 정이(程頤)의 문집인 《이정문집(二程文集)》의 일부 글자를 교정하는 문제를 두고 논란한 내용이다. 현재 사고전서(四庫全書)에 전하는 판본은 13권, 부록 2권으로 구성되어 있는바, 이 책은 주자의 편집 관점을 따른 것이다. 원래 이 판본의 모본(母本)은 호안국(胡安國)의 집안에서 나왔고, 유공(劉珙)과 장식(張栻)이 장사(長沙)에서 판각한 것이었다. 이 판본은 원문에 대해 자못 개삭(改削)한 부분이 있었으니, 예컨대 〈역전서(易傳序)〉에는 연류(沿流)를 소류(泝流)로 고치고 제문에는 질(姪) 자를 유자(猶子)로 고쳤다. 유공이 판각한 이 본은 한결같이 호안국의 본을 따랐는바, 이에 대해 주자는 옳지 않다고 생각해서 유공과 장식에게 편지를 보내어 변론을 마지않았던 것이다. 그러나 두 사람은 주자의 의견을 따르지 않다가 뒤에 주자학이 절대화되자 후인들이 주자의 의견을 받아들였으므로, 이에 개정된 사고전서본이 나오게 된 것이다. 원래 주자가 거론한 것은 여러 가지인데, 농암이 거론한 것은 질과 유자에 국한되었는바, 주자가 장식에게 보낸 편지는 다음과 같다. "질(姪)이라 일컫는 것은 미안하고 유자(猶子)라고 칭하는 것도 법도에 맞지 않습니다. 예서(禮書)를 살펴보면 종조(從祖)·종부(從父)라는 명칭이 있으니, 또한 마땅히 종자(從子)·종손(從孫)이라는 명목이 있어야 할 것입니다. 이로써 칭호를 삼으면 다소 온당할 듯합니다. 저의 생각이 우연히 여기에 미쳤기에 인하여 가르침을 구하는 것이지 감히 다시 선생의 글을 고치자고 의논하는 것은 아닙니다.〔稱姪固未安 稱猶子亦不典 按禮有從祖從父之名 則亦當有從子從孫之目矣 以此爲稱 似稍穩當 慮偶及此 因以求教 非敢復議改先生之文也〕"

바로 '자(子)'라고 칭한 것이니, 한(漢)나라 사람들도 그렇게 칭했던 것입니다. 옛사람들은 순박하여 이것을 혐의하지 않았기 때문에 이와 같이 칭하면서 편안히 여겼지만, 후대로 내려와서는 마음속에 자기 아들과 조카를 구분하지 않으면 안 된다는 생각을 갖게 되었습니다. 이에 자신이 고모에게 일컬어지는 말을 빌려 칭하게 된 것이니, 이것은 비록 옛 제도가 아니나 혐의스러움을 분별하고 은미한 것을 밝히는 뜻이 있습니다."

내(농암)가 살펴보건대 《사기》의 〈전분전(田蚡傳)〉에 "관영(灌嬰)이 위기후(魏其侯) 두영(竇嬰)을 모시고 술을 마실 적에 무릎 꿇고 일어서기를 마치 자질(子姪)처럼 하였다."라고 하였으니, 이에 근거하면 남자가 형제의 자식을 일컬어 질(姪)이라고 하는 것은 한나라 때부터 이미 그러했던 것이다. 이것이 바로 정자의 문집에 질(姪)이라고 일컬은 근거가 될 만한데, 주선생이 위와 같이 말씀한 것은 어쩌면 혹 우연히 이 글을 기억하지 못하신 것인가? 다만 《한서》를 살펴보면 '질(姪)'이 '성(姓)'으로 되어 있으니, 어쩌면 《사기》에도 본래 '성(姓)'으로 되어 있던 것을 뒤에 글자가 비슷함으로 인해 잘못 표기한 것인가? 알 수 없다.[124]

• • • • • •

124 내가……없다 : 농암은 《사기》의 〈위기무안후열전(魏其武安侯列傳)〉에서 그 구체적인 용례를 발견해 제시하고 있는 바 "무안후 전분(田蚡)이 귀하게 되기 전에는 위기후 두영(竇嬰)의 집에 왕래하고 술자리에서 시중을 들면서 무릎 꿇고 일어서기를 마치 자질처럼 하였다.〔未貴 往來侍酒魏其 跪起如子姪〕"라고 보인다. 농암은 이처럼 '자질'이라는 말이 남자 형제의 아들을 지칭하는 말로 쓰였는데 주자가 찾아내지 못한 것이 이상하다고 하면서도 《한서》〈두전관한전(竇田灌韓傳)〉에는 '蚡爲諸曹郎 未貴 往來侍酒竇嬰所 跪起如子姓'으로 되어 있어 '姪'이 '姓'으로 바뀌어 있는바, 《사기》에 원래 '姓'으로 되어 있던 것을 후세에 혹시 글자가 비슷한 '姪'로 바뀌 썼을 수도 있다고 말한 것이다. '자성(子姓)'은 자손(子孫)이란 말과 같다.

70. '헐후歇後'라는 말의 뜻

해설 | 윗글에 이어 주자의 편지에 "유자(猶子)는 원래《예기》〈단궁 상(檀弓上)〉의 '상복의 규정은, 형제의 아들은 자기 아들과 같게 한다.〔喪服 兄弟之子猶子也〕'에서 나온 만큼, 유자만 떼어 쓰는 것은 헐후어(歇後語)와 다를 것이 없습니다."라고 한 내용을 들고, 헐후어의 내력을 밝혔다. 사실 헐후어란 말이 종종 보이지만 그 뜻을 정확히 알기 어려운데, 농암은 여러 사례들을 들어 자세히 설명하였다.

又按此書下文에 有曰"猶는 卽如也라하니 其義繫於上文하여 不可殊絕이 明矣라 若單稱之하면 卽與世俗歇後之語無異"라하니라 歇後之義를 人或未詳이라 余觀《野客叢書》하니 "洪駒父云 '世謂兄弟爲友于하고 謂子孫爲貽厥은 歇後語也'라 僕考諸史호니 自東漢以來로 多有此語하여 曰 '居貽厥之始'와 曰'友于之情愈厚'와 如言色斯、赫斯、則哲之類甚多"라하니라 又按《陸放翁老學菴筆記》에 "韓退之詩云 '夕貶潮陽路八千'이라하고 歐公云 '夷陵此去更三千'이라하니 謂八千里、三千里也라 或以爲歇後語"라하니 非也라《書》에 '弼成五服하여 至于五千'이라한대 註云 "五千里"라하고《論語》에 冉有曰"方六七十如五六十"이라한대 註亦云 '六七十里、五六十里也'라하니라 據此兩說하면 則歇後之義를 可知라 蓋

但云友于면 則不知所友者何人이요 但云貽厥이면 則不知所貽者何人이
요 但云赫斯면 則不知赫底爲何事요 但云則哲이면 則不知哲底爲何事
요 但云八千、三千이면 則不知八千、三千是何物이니 以其遺却實事正意
하여 而設爲虛語故로 謂之歇後也라 《禮記》의 猶子는 本謂喪服을 兄弟
之子與己子同也어늘 今無上文六字하고 而單稱猶子하면 則殆與貽厥、
友于之類無異故라 先生說如此矣시니라

또 이 편지를 살펴보니, "아래글에 '유자(猶子)의 유(猶)는 여(如)이다.' 하
였으니, 그 뜻이 위의 글에 매어 있어서 구(句)를 끊어서는 안 되는 것이
분명합니다. 만약 이것(猶子)만 말한다면 세속의 헐후(歇後)란 말과 다름
이 없을 것입니다."라고 하였는데, '헐후'의 뜻을 사람들이 혹 자세히 알지
못한다.

내(농암)가 《야객총서(野客叢書)》를 살펴보니, 홍구보(洪駒父)가 말하기를
"세상에서 형제를 일러 '우우(友于)'라 하고 자손을 일러 '이궐(貽厥)'이라고
하는데, 이것이 헐후의 말이다. 내(홍구보)가 여러 역사책을 살펴보니, 동
한(東漢) 이래로 이러한 말이 많이 쓰여서 '이궐(貽厥)'의 시초에 있었다〔居
貽厥之始〕, '우우(友于)'의 정이 더욱 두텁다〔友于之情愈厚〕라는 말과 '색
사(色斯)', '혁사(赫斯)', '즉철(則哲)'과 같은 말이 매우 많다."라고 하였다.[125]

• • • • • •
125 또……하였다 : 이 부분 역시 위 편지의 연속인 바, 내용은 '유자(猶子)'란 말의
출처에 대한 것으로 《예기》 〈단궁 상(檀弓上)〉의 "상복의 규정은, 형제의 아들
(조카)을 내 아들과 같게 한다.〔喪服 兄弟之子 猶子也〕"에서 나온 것이다. 이때 유
(猶)는 여(如)와 같은 뜻이다. 그러므로 '유자(猶子)'는 결코 독립하여 단칭(單稱)
할 수 없다. 만약 독립해서 쓴다면 그것은 헐후어(歇後語)와 같다는 것이다. 주자
의 말씀은 평소 임시로 빌려서 쓰는 헐후어로써 '유자'란 말을 쓴다면 괜찮지만
이것을 친속의 정해진 명칭으로 쓰면 안 된다는 것이다. 이에 대해 농암은 주자
가 말씀한 헐후어가 무엇인지 밝히고 있다. 헐후어는 말의 끝부분을 숨기고 말

또 육방옹(陸放翁, 육유(陸游))의 《노학암필기(老學菴筆記)》를 살펴보니, "한 퇴지의 시에 '저녁에 좌천되어 조양 가는 길이 팔천[夕貶潮陽路八千]'이라 하고, 구양공(歐陽公)의 시에 '이릉은 여기서 또 삼천이나 된다네[夷陵此去更三千]'라고 하였는데, 이는 팔천 리, 삼천 리를 이른 것이다. 혹자는 이것을 헐후의 말이라고 하는데, 잘못이다. 《서경》에 '오복(五服)의 제도를 도와 이루어 오천에 이르게 하고'라 하였는데 그 주에 '오천 리'라고 하였고, 《논어》에 염유(冉有)가 '사방 60~70이나 50~60이 되는 나라'라고 하였는데 그 주에도 '60~70리', '50~60리'라고 하였다."

이 두 설에 근거하면 '헐후'의 뜻을 알 수 있다. '우우(友于)'라고만 말하면 우애하는 대상이 누구인지 알 수 없고, '이궐(貽厥)'이라고만 말하면 물려주는 대상이 누구인지 알 수 없고, '혁사(赫斯)'라고만 말하면 혁연(赫然)한 것이 무슨 일인지 알 수 없고, '즉철(則哲)'이라고만 말하면 명철한 것이 무슨 일인지 알 수 없고, '팔천', '삼천'이라고만 하면 팔천, 삼천이 무엇인

• • • • • •

하지 않는 문장의 일부를 따서 그 문장 전체의 의미를 나타내는데, 이 경우 말 자체만으로는 원래의 의미를 유추할 수가 없다. 농암이 본문에서 예시한 헐후어의 출처를 살펴보면 다음과 같다.
'이궐(貽厥)'은 《서경》〈오자지가(五子之歌)〉의 '이궐자손(貽厥子孫)'에서 따온 것이고, '우우(友于)'는 《서경》〈군진(君陳)〉의 '우우형제(友于兄弟)'에서 따온 것이고, '색사(色斯)'는 《논어》〈향당(鄕黨)〉의 "새가 사람의 낯빛이 좋지 못한 것(새를 잡으려는 것)을 보면 높이 난 뒤에 내려앉는다.[色斯擧矣 翔而後集]"는 것에서 따온 것이고, '혁사(赫斯)'는 《시경》〈대아(大雅)〉 황의(皇矣)의 "왕이 얼굴을 붉히고 노하다.[王赫斯怒]"는 것에서 따온 것이고, '즉철(則哲)'은 《서경》〈고요모(臯陶謨)〉의 "사람을 잘 알면 명철하여 훌륭한 사람에게 벼슬을 맡긴다.[知人則哲 能官人]"는 것에서 따온 것이다.
이 가운데 '이궐의 시초에 있었다.[居貽厥之始初]'는 것은 《삼국지》〈위지(魏志)〉 문제기(文帝紀)의 배송지(裵松之)의 주에 인용한 손성(孫盛)의 평으로 "魏王旣追漢制 替其大禮 處莫重之哀而設饗宴之樂 居貽厥之始而墮王化之基"라고 보이며, '우우의 정이 더욱 두텁다[友于之情愈厚]'는 것은 그대로 보이는 곳이 없고 여러 책에 '友于之情愈篤'으로 표기되어 있는바, 뜻은 큰 차이가 없다.

지 알 수 없으니, 실제적인 일과 바른 뜻을 빼버리고 빈 말로 한 것이므로 이를 헐후라고 한 것이다. 《예기(禮記)》의 유자(猶子)는 본디 '상복의 규정은, 형제의 아들을 자기의 중자(衆子)와 같게 한다[喪服 兄弟之子 · 與己子同]'는 말인데, 지금 앞의 여섯 글자[喪服兄弟之子]가 없이 '유자'라고만 일컫는다면, '이궐', '우우'의 부류와 다름이 없을 것이다. 그래서 선생의 말씀이 이와 같은 것이다.

71. 《난진자嬾眞子》에 보이는
강절康節 소옹邵雍의 고사

해설 | 《난진자》에 보이는 강절 소옹의 고사를 소개한 글이다. 강절은 미천한 학자의 신분이었지만 당시 재상은 물론이요 천민들까지도 모두 존경하였는 바, 여기에서도 그 일면을 볼 수 있다.

馬永卿所著《嬾眞子》에 記康節事云 "洛中邵康節先生은 術數旣高하고 而心術亦自過人이라 所居에 有圭竇甕牖하니 圭竇者는 墻上鑿門하되 上銳下方하여 如圭之狀이요 甕牖者는 以敗甕口로 安於室之東西하고 用赤白紙糊之하여 象日月也니 其所居를 謂之安樂窩라 先生以春秋天色溫涼之時로 乘安車하고 駕黃牛하여 出游於諸公家하면 諸公者欲其來하여 各置安樂窩一所라 先生이 將至其家하면 無老少, 婦女, 良賤하고 咸迓於門하여 迎入窩하여 爭前問勞하고 且聽先生之言하며 凡其家婦姑、妯娌、婢妾이 有爭競하여 經時不能決者를 自陳於前이어든 先生이 逐一爲分別之하여 人人各得其歡心이라 於是에 酒殽競進하여 厭飫數日하고 餘游一家하여 月餘乃歸하니 非獨見其心術之妙요 亦可想見洛中士風之美라 聞之於司馬文仲惇" 云이라하니라 按此與他書所記로 大略皆同이나 而獨圭竇事及甕牖象日月, 安車駕黃牛는 他所未見故로 錄之하노라

마영경(馬永卿)이 지은 《난진자(嬾眞子)》[126]에 강절(康節) 소옹(邵雍)의 일을 다음과 같이 기록하였다.

"낙양의 소강절 선생은 역학(易學)에 대한 술법(術法)이 높고 마음씨도 남보다 크게 뛰어났다. 거처하는 곳에 '규두(圭竇)'와 '옹유(甕牖)'가 있었는데, 규두는 담장에 문을 뚫기를 위는 뾰족하고 아래는 네모지게 하여 규(圭)의 모양을 한 것이고, 옹유는 깨진 동이의 주둥이로 방의 동쪽과 서쪽 벽에 박아놓고 붉은색 종이와 흰색 종이를 발라 해와 달을 상징한 것이며, 그 거처를 안락와(安樂窩)라고 이름하였다. 선생은 봄과 가을에 날씨가 따뜻하거나 시원할 때 조그마한 안거(安車)를 타고 누런 소에 멍에를 메고서 제공(諸公, 여러 명망이 있는 사람들)의 집으로 놀러 나가면, 제공들은 선생이 오시기를 바라서 각각 안락와 한 곳을 마련해 두었다. 선생이 그 집에 이르면 늙은이와 젊은이, 부녀자와 양천(良賤)을 막론하고 모두 문 앞에서 마중을 나와 있다가 안락와로 맞아들여 앞다투어 안부를 여쭙고 선생의 말씀을 들었는데, 집안의 고부(姑婦)와 동서, 비첩(婢妾)들 사이에 오랫동안 다툼이 있어 시일이 지나도 해결되지 않은 일들을 선생 앞에서 스스로 진술하면 선생이 낱낱이 분별해주어 사람마다 기뻐하였다.

이에 술과 안주를 다투어 내와서 선생은 며칠 동안 배불리 먹고 다시 한집으로 가서 놀다가 달포 만에야 돌아갔으니, 비단 선생의 마음씨가 묘했음을 알 수 있을 뿐만 아니라, 낙양(洛陽) 선비들의 기풍이 아름다웠음을 상상해 볼 수 있다. 이 일은 사마문중 집(司馬文仲)에게서 들었다."

● ● ● ● ● ●

126 마영경(馬永卿)이······난진자(嬾眞子) : 마영경은 송나라 사람으로 자는 대년(大年)인데, 어떤 책에는 이름이 대년, 자가 영경으로 되어 있다. 영성 주부(永城主簿)를 지낼 적에 구법당(舊法黨)인 유안세(劉安世)가 박주(亳州)로 귀양 와서 영성에 우거하여 26년 동안 그에게 수학하였다. 유안세의 어록(語錄)을 수록하였으며 저서에 《난진자》가 있다.

살펴보건대 이는 다른 책에 기록된 것과 대략 모두 같으나 홀 모양의 구멍을 뚫은 일과 깨진 동이의 주둥이로 창문을 만들어 해와 달을 상징한 것과 안거를 타고 누런 소에 멍에를 메운 일은 다른 곳에는 볼 수 없기 때문에 기록하는 바이다.

72. 심약沈約의 시詩로 알려진
강엄江淹의 시

해설 | 배정유(裴廷裕)의 《동관주기》에 실린 '계수일천리(桂水日千里)'는 위오(韋澳)가 심약(沈約)의 시라고 하였으나 실제는 강엄(江淹)의 시임을 밝히고, 위오의 잘못이거나 배정유의 오기일 것이라고 하였다. 농암과 도곡의 해박한 지식과 넓은 섭렵에 절로 고개가 숙여진다.

唐裴廷裕의 《東觀奏記》에 宣宗賦詩하여 賜寅直學士蕭寘하고 令和한대 寘手狀謝曰 "陛下此詩는 雖'桂水日千里'하니 因之平生懷'라도 亦無以加也"라하다 明日에 召學士韋澳하여 問此兩句한대 澳奏曰 "宋太子家令沈約詩니 寘以睿藻淸新으로 可方沈約爾"니이다 上不悅하여 曰 "將人臣하여 比我得否"아하고 恩遇漸薄이라하니라 按上兩句는 乃江淹擬休上人《怨別詩》也어늘 今云沈約이라하니 豈韋澳誤對耶아 抑廷裕記之誤也아

당(唐)나라 배정유(裴廷裕)의 《동관주기(東觀奏記)》[127]에 다음과 같은 내용

......

127 배정유(裴廷裕)의 동관주기(東觀奏記) : 배정유는 당나라 사람으로 정유(庭裕)로도 표기하며, 자는 응여(膺餘)이다. 벼슬이 우보궐(右補闕)에 이르렀으며 문서를 민첩하게 처리하여 《선종실록(宣宗實錄)》을 편수하였다. 《동관주기》는 모두 3권으로, 당시 중국이 오랫동안 전란에 빠져 황제에 대한 일록(日錄)이 남아 있지

이 보인다.

"선종(宣宗)이 시를 지어 숙직하고 있던 학사(學士) 소치(蕭寘)에게 주고서
화답하게 하였는데, 소치가 손수 글을 올려 답하기를 '비록 「계수(桂水)가
날마다 천 리를 흘러가니, 평소의 회포를 이 물에 부치노라.[桂水日千里
因之平生懷]」라는 시구도 폐하의 이 시보다 더 좋을 수는 없습니다.' 하
였다. 그 다음날 선종이 학사 위오(韋澳)를 불러 이 두 구에 대해 묻자, 위
오가 아뢰기를 '송나라의 태자 가령(太子家令)인 심약(沈約)의 시인데, 소치
는 성상(聖上)의 시가 청신(淸新)하여 심약의 시에 비길 만하다고 여긴 것
입니다.' 하였다. 이에 선종이 기뻐하지 않고 '남의 신하를 나에게 비길
수 있단 말인가.' 하고는 은혜가 점차 박해졌다." 하였다.

내가 살펴보건대 위의 두 구는 바로 강엄(江淹)이 휴상인(休上人)인 탕혜
휴(湯惠休)의 〈원별시(怨別詩)〉를 모방하여 지은 것인데 지금 심약의 시라고
하였으니, 위오가 잘못 대답했거나 아니면 배정유가 잘못 기록한 것일 것
이다.

······
않았는데, 배정유가 보고 들은 것을 기록하여 선종 때의 사실을 자세히 구비하
여 뒤에 사마광(司馬光)의 《자치통감》에 많이 채택되었다.

180 · 조선후기 한문비평 1

73. 무고 받은 유규柳珪를 변호한
유중영柳仲郢과 유공권柳公權

해설 | 당나라 때 공경들 사이에서 가법이 훌륭하기로 이름난 유중영의 아들 유규(柳珪)가 간관(諫官)인 우습유(右拾遺)로 발탁되었는데, 유규가 평소 가정에서 부조(父祖)의 가르침을 잘 따르지 않았다는 억울한 무함을 받아 명령이 취소된 일을 소개하였다. 또한 유규를 변호한 유중영과 종조(從祖) 유공권이 자손을 위해 변명한 당시의 풍속을 언급하였다. 후대에는 자기 자손에 대해 조정에서 비난이 있을 경우, 그의 부형이나 조부는 피혐하여 일체 변호하지 못하였다.

《東觀奏記》에 藍田尉直弘文館柳珪를 擢爲右拾遺한대 給事中蕭傲, 鄭裔綽이 駁還하고 曰 "陛下高懸爵位는 本待賢良이어늘 旣命澆浮하시니 恐非懲勸이니이다 珪居家에 不稟於義方하니 奉國에 豈盡於忠節"이릿가한대 刑部尙書柳仲郢이 詣東上閣門하여 表稱 "子珪才器庸劣하여 不合塵垢諫垣이나 若誣以不孝하면 卽寃屈爲甚"이라고 太子少師柳公權이 又訟侵毁之枉이어늘 上令免珪官하고 且在家修省이라하니라 按柳氏家法이 冠當時어늘 而其子弟乃以不孝被劾하니 可謂不幸이라 然觀仲郢、公權俱露章訟寃하면 可見其誣枉이요 亦見古人爲子孫訟寃을 不以爲嫌也니라

《동관주기》에 다음과 같은 내용이 있다.

"남전위(藍田尉) 직홍문관(直弘文館) 유규(柳珪)가 우습유(右拾遺)로 발탁되자, 급사중(給事中) 소오(蕭傲)와 정예작(鄭裔綽)이 논박하여 조서(임명장)를 봉환(封還, 겉봉을 봉함하여 되돌려 보냄)하기를 '폐하께서 벼슬을 높이 내거신 것은 본래 현량(賢良)을 대우하기 위한 것이었는데 경박한 자를 임명하셨으니, 이는 유능한 자를 권면하고 무능한 자를 징계하는 방도가 아닐 듯합니다. 유규는 집 안에 있을 적에 부모의 올바른 가르침을 받들어 행하지 않았으니, 나라를 받듦에 어찌 충절을 다하겠습니까.' 하였다. 이에 그의 부친인 형부 상서(刑部尚書) 유중영(柳仲郢)이 동상합문(東上閤門)에 나아가서 표문(表文)을 올려 '저의 자식 유규는 재주와 기국이 용렬하여 간원(諫垣)의 벼슬에 합당하지 않습니다만, 만약 불효를 했다고 무함한다면 참으로 원통한 일입니다.' 하였고, 그의 종조(從祖)인 태자 소사(太子少師) 유공권(柳公權)도 그가 비방을 당하였다고 하소연하였다. 그러나 황제는 유규의 관직을 면직시키고 집 안에서 몸을 닦고 반성하게 하였다."

내가 살펴보건대 유씨의 가법(家法)이 당시에 으뜸이었는데[128] 그 아들이 마침내 불효로 논핵을 당하였으니, 이는 불행이라고 할 만하다. 그리고 유중영과 유공권이 모두 글을 올려 그의 억울함을 하소연하였다면 그가 무함을 받았음을 알 수 있고, 또한 옛사람은 자손을 위해 억울함을 하소연하는 것을 혐의하지 않았음을 알 수 있다.

• • • • • •
128 유씨의……으뜸이었는데 : 유씨는 유중영(柳仲郢)을 가리키며, 가법(家法)은 집 안 대대로 지켜오는 법도이다. 유중영은 유공작(柳公綽)의 아들로, 《소학》〈선행 (善行)〉에 "유공작은 공경들 사이에 가장 가법이 있기로 유명하였다. 유공작은 아우 유공권(柳公權)과 함께 가법을 지켜 우애하였으며, 유공작이 죽자, 유중영은 숙부인 유공권을 정성을 다해 받들었다." 하였으며, 〈가언(嘉言)〉에도 유중영의 아들인 유빈(柳玭)의 가훈(家訓)이 소개되어 있으므로 이렇게 말한 것이다.

74. 《패해稗海》의 여러 가지 오류

해설 | 소설류의 하나인 《패해(稗海)》를 보면서 발견하였던 잘못된 기록들을 거론하고, 북송시대의 인물이 나오는 《속박물지(續博物志)》의 저자가 당나라 이석(李石)이라고 되어 있는 것에 대해 알 수 없는 일이라고 하였다.
《속박물지》의 저자는 송나라 사람인데 동명이인이 있어서 당나라 사람으로 잘못 기록하게 되었는바, 이러한 오류는 사고전서와 이에 대한 총목제요(總目提要) 등이 나오면서 많이 수정되었다. 《패해》는 분량이 상당한 책으로, 농암이 인용한 《야객총서(野客叢書)》, 《노학암필기(老學菴筆記)》, 《난진자(懶眞子)》, 《동관주기(東觀奏記)》 등은 모두 이 《패해》에 실려 있다.

近從人借看《稗海》書호니 乃明人蒐集漢、唐、宋以來說家하여 爲一部書라 其中에 雖有神怪不經、詼調不根하여 近於《汲冢》、《齊東》者나 然其逸事異聞과 名言嘉話로 可以裨史乘之闕하고 備藝文之朶하며 而關名敎하고 助理致者 不翅多焉하니 亦足爲博雅之助矣라 但恨刊板不精하여 訛謬甚多하고 至於篇目하여도 亦極疎謬라 《石林燕語》는 卽宋葉夢得所撰이어늘 而目錄云程摸撰이라하니 初不知其故러니 細考本書호니 卷首題云 "葉夢得撰이요 子揀、捏、摸校"라하니 蓋三人은 卽夢得之子也어늘 編書者不察하고 乃誤認捏摸하여 爲人姓名호되 而妄以捏爲程也라 又《冷齋夜話》는 乃宋僧惠洪所撰이니 所謂洪覺範者 卽其人也어늘 而篇目闕之라 又《續博物志》篇目에 以爲唐隴西李石撰이라하나 而其中에 亦頗有宋事라 如云"相家說에 人臣得龍之一體하면 當至公相이라 曾公亮은 得龍

之脊하고 王安石은 得龍之睛"이라하고 又云 "祖宗眷異者에 如歐陽脩, 石
延年"云云이라하고 又云 "陳正敏所取者는 陳搏, 李瀆, 林逋, 魏野皆遯世
之士"云云이라하니 豈或後人勤入之故耶아 未可知也로라

내가 근래 어떤 사람에게서 《패해(稗海)》를 빌려 보았는데, 이 책은 바
로 명나라 사람이 한(漢), 당(唐), 송(宋) 이후의 소설을 수집하여 한 부(部)
의 책으로 엮은 것이었다. 그중에 비록 신괴(神怪)하여 이치에 맞지 않는
말과 근거 없는 농담이 있어서 《급총서(汲冢書)》[129], 제동야언(齊東野言)[130]
에 가까운 것도 있었지만, 처음 듣는 기이한 내용과 명언과 아름다운 이
야기로 역사책에 누락된 내용을 보충하고 예문(藝文)의 채집에 대비하며,
명교(名敎, 유교)에 관계되고 도리를 돕는 내용이 많을 뿐만이 아니었으니,
또한 충분히 지식을 넓힘에 도움이 될 만하였다.

다만 유감스러운 것은 판각이 정밀하지 못하여 오류가 매우 많고, 심
지어 편목(篇目)도 지극히 엉성하고 잘못되었다. 예컨대 《석림연어(石林燕
語)》는 송나라 섭몽득(葉夢得)이 지은 것인데 목록에는 정모(程摸)가 지었다
고 하였다. 처음에는 그 이유를 알지 못하였는데, 자세히 살펴보니 본서
의 책머리에 "섭몽득이 짓고 아들 섭간(葉揀), 섭정(葉挳), 섭모(葉摸)가 교
정하였다.〔葉夢得撰 子揀挳摸校〕"라고 하였다. 이 세 사람은 곧 섭몽득
의 아들인데, 책을 엮은 사람이 이것을 제대로 살피지 못하고, '정모(挳
摸)'를 사람의 이름으로 오인하여 함부로 '정(挳)'을 '정(程)'으로 바꾸어 놓

• • • • • • •

129 급총서(汲冢書) : 진(晉)나라 급군(汲郡) 사람 불준(不準)이 위 양왕(魏襄王)의
    묘(墓)를 도굴하면서 얻은 수레 수십 대 분량의 죽서(竹書)를 이른다. 선진(先秦)
    시대의 과두문자(蝌蚪文字)로 기록되어 있었는데 거의 유실되었으며, 신빙하기
    어려운 점이 많은 책이다. 《晉書 卷3 武帝紀》
130 제동야언(齊東野言) : 《맹자》〈만장 상(萬章上)〉에 나온 말로, 제(齊)나라 동쪽 변
    방의 야인(野人)들이 길거리에서 퍼뜨리는 근거 없는 말을 기록한 책들이다.

은 것이다. 또《냉재야화(冷齋夜話)》를 지은 사람은 바로 송나라의 승려 혜홍(惠洪)인데, 이른바 홍각범(洪覺範)이 바로 그 사람이다. 그러나 편목에는 그 이름이 빠져 있다.

그리고《속박물지(續博物志)》의 편목에는 당나라 농서(隴西)의 이석(李石)이 지었다고 하였는데,[131] 이 글 속에는 송나라의 일도 상당히 들어 있다. 예컨대 "관상가의 말에 '신하가 용의 지체(肢體) 하나를 얻으면 벼슬이 삼공(三公)이나 재상에 이른다. 증공량(曾公亮)[132]은 용의 척추를 얻었고, 왕안석(王安石)은 용의 눈동자를 얻었다.' 하였다." 하였고, 또 "역대 임금들이 남달리 총애한 자로 구양수(歐陽脩), 석연년(石延年)[133]과 같은 분들이 있다." 하였고, 또 "진정민(陳正敏)이 높이 평가한 분들은 진단(陳摶), 이독(李瀆), 임포(林逋), 위야(魏野)[134] 등으로 모두 세상을 피해 은둔한 선비들이다." 하였으니, 어쩌면 혹시 후세 사람이 다른 곳에서 베껴 넣었기 때문인가. 알 수 없다.

······

131 속박물지(續博物志)……하였는데 :《속박물지》는 송나라 이석(李石)이 지은 책인데, 진(晉)나라 이석으로 잘못 표기된 곳도 있다. 원래 진(晉)나라 장화(張華)가 《박물지(博物志)》를 지어 여러 가지 물명(物名)과 역사 사실을 해박하게 수록하였는데, 이석이 《속박물지》를 지어 《박물지》의 미비한 점을 보완하였다. 당나라 때에도 이석이라는 사람이 있었는바, 농암이 본 것 역시 잘못 표기된 것으로 보인다.

132 증공량(曾公亮) : 999~1078. 북송 신종(神宗) 때의 재상으로 자는 명중(明仲)이고 시호는 선정(宣靖)이다.

133 석연년(石延年) : 994~1041. 북송 진종(眞宗) 때의 명신으로 자는 만경(曼卿)이다.

134 진정민(陳正敏)……위야(魏野) : 진정민은 누구인지 확실하지 않으며, 네 사람은 모두 송나라 사람이다. 진단은 송나라 초기 사람으로 자가 도남(圖南)인데, 화산(華山)에서 수도(修道)하고 역학에 밝아 희이선생(希夷先生)으로 칭해졌다. 이독(李瀆)은 자가 장원(長源)으로 진종(眞宗) 때 사람이다. 임포(林逋)는 자가 군복(君復)으로 전당호(錢塘湖)의 고산(孤山)에 은거하여 고산처사로 알려진 인물이다. 위야는 자가 중선(仲先)으로 이독과 함께 은일(隱逸)로 추천되었으나 벼슬하지 않았다.

75. 《속박물지續博物志》의 작자

해설 | 윗글을 이어《속박물지》를 지은 사람은 당나라 사람인데 거기에 송 태
조(宋太祖)의 일이 기록되어 있음을 밝히고, "끝내 누가 지은 것인지 알 수 없
다." 하였다.

《續博物志》에 又云 "今上이 于前朝에 作鎭睢陽이러니 泊開國하여 號大
宋하고 又建都在大火之下"라하니 據此하면 則又似宋太祖時人이나 而王
安石、曾公亮은 又在其後하니 竟莫知何人所撰也로라

《속박물지》에 또 이르기를 "금상(今上)께서 전조(前朝) 때에 수양진(睢陽
鎭)을 맡았었는데, 개국함에 이르러 국호를 대송(大宋)이라 하고, 또 28수
(宿) 중의 하나인 대화(大火, 심성(心星))의 아래에 도읍을 세웠다." 하였으니,
이에 근거한다면 또 작자는 송 태조 때의 사람인 듯하다.[135] 그러나 왕안
석, 증공량이라는 말이 또 그 뒤에 있으니, 끝내 누가 지은 것인지 알 수
없다.

••••••
135 금상(今上)께서⋯⋯듯하다 : 금상은 지금의 임금이란 뜻이고, 전조(前朝)는 직전
의 왕조란 뜻이다. 대화(大火, 심성(心星))의 아래는 송(宋)나라의 분야에 해당하니,
송나라를 일으킨 태조(太祖) 조광윤(趙匡胤)이 후주(後周)에서 절도사로 있다가
개국하였는바, 일련의 상황이 송 태조의 일과 똑같으므로 말한 것이다.

76. '차막遮莫'이라는 말의 뜻

해설 | 당시(唐詩)에 보이는 '차막'의 원래 뜻은 '설령……하더라도'라는 의미인데 후인들이 금지하는 말로 잘못 사용하고 있음을 밝히고, 이 문제에 대해 최석정(崔錫鼎)과 주고받은 이야기를 소개하였다.

唐人詩에 用遮莫字하니 詳其語意하면 初非禁止之辭어늘 而後人이 多誤用之하니 《鶴林玉露》에 釋以儘教 是也라 嘗與崔汝和語此러니 汝和 謂 "此固然矣어니와 然如李白詩用此語는 似亦作禁止之辭矣"로라 余曰 "豈指遮莫枝根長百丈과 遮莫姻親連帝城二句而言耶아 吾意는 此正 是儘教之意라 蓋李之意는 以爲設令枝幹盤互하고 姻親貴盛이라도 終不 如交游之衆多와 己身之富貴云耳라 若作禁止辭하면 則此二句說不去 矣"라하니 汝和唯唯하니라

당나라 사람들의 시에 '차막(遮莫)'이라는 문자를 썼는데, 그 말뜻을 자세히 살펴보면 애당초 금지하는 말이 아닌데도 후세 사람들이 대부분 잘못 사용하고 있다. 차막의 뜻은 《학림옥로(鶴林玉露)》[136]에 '설령……하더

------

136 학림옥로(鶴林玉露) : 송나라 나대경(羅大經)이 지은 것으로 모두 16권이다. 시화(詩話), 어록(語錄), 소설(小說) 등 세 분야로 나뉘어 있고, 주자(朱子)와 장식(張

라도〔儘教〕'로 풀이한 것이 옳다.

일찍이 최여화(崔汝和)[137]와 이에 대해 이야기한 적이 있는데, 최여화가 이르기를 "이 말은 참으로 옳네. 하지만 예컨대 이백(李白)의 시에 이 말을 쓴 것은 금지하는 말로 쓴 것 같네."라고 하였다. 이에 내가 이르기를 "그 말은 아마도 '차막지근장백장(遮莫枝根長百丈)', '차막인친연제성(遮莫姻親連帝城)'의 두 구를 가리키는 듯한데, 나의 생각은 이것이 바로 '설령……하더라도'의 뜻이라는 것이네. 이백의 뜻은 '설령 가지와 줄기가 얽히고설키듯 하고(후손들이 마음을 합하여 서로 의탁하고), 설령 인척들이 많고 부귀하다 하더라도 교유하는 자가 많고 자기 자신이 부귀한 것만 못하다.'는 것이네. 만약 금지하는 말로 본다면 이 두 구는 말이 되지 않네."라고 하자, 여화도 나의 말이 맞다고 하였다.

••••••
枕) 등의 말씀도 많이 들어있다.

137 최여화(崔汝和) : 최석정(崔錫鼎, 1646~1715)으로, 여화는 자이다. 관향은 전주이고, 호는 명곡(明谷)·존와(存窩)이다. 지천(遲川) 최명길(崔鳴吉)의 손자이고 약천(藥泉) 남구만(南九萬)의 제자로 소론(少論)의 영수이며, 여덟 번 영의정이 되었다. 시호는 문정(文貞)이다.

77. 남곤南袞이 지은
김일손金馹孫의 만사挽詞

해설 | 남곤이 김일손의 만사에서 "송나라 원풍(元豐)과 희령(熙寧) 연간의 인물과 같다."라고 한 말에 대해 장유(張維)가 큰 잘못이라고 지적하였으나 농암은 이렇게 써도 무방하다고 한 다음, 남곤이 여러 명사(名士)가 등용된 경력(慶曆)과 원우(元祐) 연간을 들지 않고 원풍과 희령 연간을 말한 것은 운을 맞추기 위한 것이라고 부연 설명하였다.

장유가 남곤의 시를 비판한 이유는, 원풍과 희령 연간에 등용된 인물이 신법당(新法黨)의 왕안석(王安石) 등이어서 신진사류의 김일손과 부합하지 않는다고 주장한 것으로 보인다. 그러나 구법당(舊法黨)에는 여전히 구양수(歐陽脩), 사마광(司馬光) 등의 명사가 포진하고 있었으므로 남곤은 이들을 지목하여 말한 것으로 보아야 할 것이다.

南袞作濯纓挽에 有人物宋豐、熙之語한대《谿谷漫筆》에 以爲甚謬라하니 此說이 似太拘滯라 夫熙、豐之際에 在朝者固多安石之黨이나 然一時人物이 實多名賢이라 是以로 邵子《四賢吟》에 亦曰"有宋熙寧、元豐之間에 大爲一時之壯"이라하니 據此면 則謂之熙、豐人物이 亦何不可耶아 若熙、豐舊人之目은 乃一時相指目에 專指當路之人而言이니 恐不必用此爲嫌也라 然南詩不言慶曆, 元祐하고 而言豐熙는 亦出於趁韻爾니라

남곤(南袞)[138]이 지은 탁영(濯纓) 김일손(金馹孫)[139]의 만사(挽詞)에 "송나라 원풍(元豐)과 희령(熙寧) 연간의 인물과 같다.〔人物宋豐熙〕"[140]라는 말이 있는데, 장유(張維)의 《계곡만필(谿谷漫筆)》[141]에는 이것은 매우 잘못되었다고 하였다.

그러나 이 주장은 너무 융통성이 없는 듯하다. 희령과 원풍 연간에 조정에 있던 사람은 실로 대부분 왕안석(王安石)의 당인(黨人)이었다. 그러나 당대의 인물 중에는 실제로 명현(名賢)들이 많았다. 이 때문에 소자(邵子,

• • • • • •

138 남곤(南袞) : 1471~1527. 성종·중종 때의 문신으로 자는 사화(士華), 호는 지족당(知足堂)·지정(止亭), 관향은 의령(宜寧)이다. 문장을 잘하여 대제학이 되었으며 여러 요직을 맡았다. 1519년 훈구파(勳舊派)인 심정(沈貞) 등과 함께 기묘사화(己卯士禍)를 일으켜 조광조(趙光祖) 등 신진사류를 숙청하여 비판을 받고 삭탈관직을 당하였다.

139 탁영(濯纓) 김일손(金馹孫) : 1464~1498. 학자이자 문신으로, 자는 계운(季雲), 관향은 김해(金海)이며, 탁영은 그의 호이다. 점필재(佔畢齋) 김종직(金宗直)의 문인으로, 1498년 《성종실록》을 편찬할 때 스승인 김종직이 쓴 〈조의제문(弔義帝文)〉을 사초(史草)에 실은 것이 이극돈(李克墩)을 통해 연산군에게 알려져 처형되고 많은 사류(士類)들이 화를 입으니, 이것을 무오사화(戊午史禍)라 한다. 1506년 중종반정 이후 도승지(都承旨)에 추증되고, 문민(文愍)이란 시호가 내렸으며, 청도(淸道)의 자계서원(紫溪書院) 등에 배향되었다.

140 송나라……같다 : 원풍(元豐)과 희령(熙寧)은 모두 북송 신종(神宗)의 연호이다. 원풍은 1078~1085년까지이고 희령은 1068~1077년까지인바, 글자의 고저(高低)를 맞추기 위해 원풍을 앞에 놓았다. 이때에는 왕안석(王安石)의 신법당(新法黨)이 득세하고 사마광(司馬光) 등의 구법당(舊法黨)이 쫓겨나 있었으니, 이 만사에 원풍과 희령 연간의 인물과 같다는 것은 사마광의 구법당 인물처럼 훌륭하다는 말이다. 그러나 실제는 이때 왕안석이 중용되었으므로 장유가 《계곡만필》에서 잘못되었다고 비판한 것이다. 하지만 이때 김일손이 사화를 당하여 죽었으므로 오히려 사마광과 같은 인물이라고 한 남곤의 만사가 옳다고 생각된다.

141 장유(張維)의 계곡만필(谿谷漫筆) : 계곡 장유의 문집인 《계곡집》 잡저(雜著)에 들어있는 글인바, 농암의 이 《잡지(雜識)》처럼 문학 등에 관한 자신의 견해를 기록하였다.

소옹(邵雍))의 〈사현음(四賢吟)〉[142]에도 "송나라 희령 연간에 당대의 제일가는 인물이 되었네.[有宋熙寧之間 大爲一時之壯]"라고 한 것이다. 이에 근거하면 '희령과 원풍 연간의 인물'이라고 하여 안 될 것이 무엇인가. '희령과 원풍 연간의 옛사람[熙豐舊人]'이라고 지목한 것은 바로 당시 사람들이 서로 지목할 때 오로지 권력을 잡은 신법당을 가리켜서 말한 것이니, 굳이 이 때문에 혐의할 필요는 없을 듯하다. 그러나 남곤의 시에 경력(慶曆)과 원우(元祐) 연간[143]을 말하지 않고 원풍과 희령 연간을 말한 것은 운을 맞추기 위한 것일 뿐이다.

• • • • • •

142 소자(邵子)의 사현음(四賢吟) : 〈사현음〉은 북송의 네 현자를 읊은 시로, 네 현자는 부필(富弼)과 여공저(呂公著), 사마광(司馬光), 정호(程顥)이다. 여기에 "언국의 말은 부연설명을 잘하였고, 회숙의 말은 간략하면서도 합당하였다. 군실의 말은 여유로웠고, 백순의 말은 조리가 있고 통창하였다. 네 명의 현자는 낙양에서 우러르고 따르는 사람들이었다. 이 때문에 사람의 위에 있었으며 송나라 희령 연간에 당대의 제일가는 인물이 되었다.[彦國之言鋪陳 晦叔之言簡當 君實之言優游 伯淳之言條暢 四賢洛陽之望 是以在人之上 有宋熙寧之間 大爲一時之壯]" 하였다. 언국은 부필의 자이고, 회숙은 여공저의 자이고, 군실은 사마광의 자이고, 백순은 정호의 자인바, 이 네 사람은 구법당이다.

143 경력(慶曆)과 원우(元祐) 연간 : 경력은 북송 인종(仁宗)의 연호이고 원우는 철종(哲宗)의 연호로, 경력은 1041~1048까지이고 원우는 1086~1093까지이다. 경력 연간에는 명재상이 등용되어 조정에 인물이 많았고, 원우 초기에는 신법당이 물러나고 사마광 등이 다시 등용되었다.

78. 나날이 나빠지는
천지天地의 기후

해설 | '봄 한철에 좋은 날씨가 20일에 불과하다'라는 강인기(江隣幾)의 기록을 들어 기후가 날로 나빠짐을 말하였다.

《江隣幾雜志》에 "好事者 記一春好天氣가 不過二十日"이라하니 以近年觀之하면 九十日內에 得二十日好天氣亦絶難하니 可見天地氣候日益乖也니라

《강인기잡지(江隣幾雜志)》[144]에 "호사자가 '봄 한철에 좋은 날씨는 20일에 불과하다.'라고 기록하였다."고 하였는데, 근년을 가지고 살펴보면 90일 중에 스무날의 좋은 날씨를 얻는 것도 매우 어려우니, 천지의 기후가 나날이 나빠짐을 알 수 있다.

· · · · · ·
144 강인기잡지(江隣幾雜志) : 송나라 강휴복(江休復)이 지은 책으로, 인기는 그의 자이다. 박학하고 시를 잘하였으며, 벼슬이 형부 낭중(刑部郎中)에 이르렀다. 저서로 문집 등이 있었으나 모두 산일되고 《강인기잡지》만이 세상에 전한다.

79. 나쁜 붓에 대한
미불米芾의 비유

해설 | 붓이 좋아야 글씨를 잘 쓸 수 있다는 명필가 미불의 훌륭한 비유를 칭찬하였다.

米元章이 謂"筆不可意者는 如朽竹篙舟하고 曲筋哺物하니 世無佳筆이 久矣라 近時益甚하여 尋常作字에 極費人氣力"이라하니라 偶見元章此語하고 愛其善喻하여 記之하노라

미원장(米元章)[145]이 이르기를 "붓이 마음먹은 대로 움직이지 않는 것은 마치 썩은 대나무로 상앗대를 만들어 배를 움직이고 굽은 젓가락으로 음식물을 집어 먹는 것과 같다. 세상에 좋은 붓이 없어진 지 오래되었는데, 요사이는 더욱 심하여 평상시 글씨를 쓸 적에 사람의 기력을 극도로 소모시킨다." 하였다. 우연히 미원장의 이 말을 보고는 그의 훌륭한 비유를 좋아하여 기록해둔다.

••••••
145 미원장(米元章) : 미불(米芾, 1051~1107)로 원장은 자이고, 호는 해악외사(海嶽外史) 또는 녹문거사(鹿門居士)이다. 송나라 양양(襄陽) 사람이므로 세상에서는 미양양(米襄陽)이라고 칭하였다. 서화(書畫)에 뛰어나 저서로 《서사(書史)》, 《화사(畫史)》, 《연사(硯史)》 등이 있다.

80. 잣나무로 잘못 알고 있는
   동방의 해송海松

해설 | 우리나라에 많이 있는 잣나무는 오렵송(五鬣松)으로 해송(海松)이라고도 하는바, 중국에는 매우 희귀한 나무임을 말하고, 우리나라 사람들은 송백(松柏)을 소나무와 잣나무라고 잘못 알고 있음을 지적하였다. 백(柏)은 측백나무인데 중국에는 측백나무가 많고 잣나무가 드물다.

李賀有《五粒小松歌》하니 五粒는 卽五鬣이니 我東海松이 是也라 凡松은 每穗二鬣이로되 而惟海松五鬣이니 此種은 中原絶罕하고 惟華山產焉故로 稱華山松이라 五代時에 鄭遨隱居華山하고 服五鬣松이 卽此也라 我國則處處有之라《酉陽雜俎》云 "皮無鱗甲而結實多하니 新羅所種"이라하니 以此知天下에 惟我國多此松이니 其曰海松者는 蓋以此也라 此與凡松으로 雖形狀稍異나 要爲松之別種이라 故中原人通稱松이로되 而只以鬣數殊其稱耳라 東俗은 乃混稱柏子하여 不惟俚俗如此라 至於詩文하여도 亦承訛稱之하니 甚無謂也니라

이하(李賀)[146]의 시 가운데 〈오립소송가(五粒小松歌)〉가 있는데, '오립(五

• • • • • •

146 이하(李賀) : 790~816. 당나라 중기 이후의 천재 시인으로 당나라의 종실(宗室)

粒'은 곧 '오렵(五鬣)'이니, 우리 동방의 해송(海松, 잣나무)이 그것이다. 보통 소나무는 잎줄기마다 두 개의 잎이 달려 있는데 오직 해송만은 잎이 다섯 개이다. 이 수종(樹種)은 중국에는 매우 드물고 화산(華山)에서만 자라기 때문에 중국에서는 화산송(華山松)이라고 부른다. 오대(五代) 시대에 정오(鄭遨)[147]가 화산에 은거하면서 오렵송을 먹었다고 하는데, 그것이 바로 이것이니, 우리나라에는 곳곳에 있다.

《유양잡조(酉陽雜俎)》[148]에 "이 소나무는 껍질에 비늘이 없고 열매를 많이 맺으니, 신라(新羅)에서 심는다." 하였다. 이로써 천하에서 우리나라에만 이 소나무가 많음을 알 수 있으니, '해송(해동(海東)의 소나무)'이라고 이름한 것은 아마도 이 때문일 것이다. 이 소나무가 보통 소나무와 모습은 약간 다르지만 요컨대 소나무의 별종이기 때문에 중국 사람들은 통칭 소나무라고 한다. 다만 솔잎의 개수로 명칭을 달리할 뿐이다. 우리 동방의 풍속에는 측백나무와 혼동하여 불러서 세속에서는 물론이고 시문에도 오류를 그대로 답습하여 칭하고 있으니, 매우 온당치 못하다.

●●●●●●

이며, 자는 장길(長吉)이다. 7세 때 글을 잘 짓는다는 소문이 퍼졌으므로 한유(韓愈)와 황보식(皇甫湜)이 시험하려고 찾아갔다가 즉석에서 〈고헌과(高軒過)〉라는 시를 지어내는 것을 보고는 놀랐다는 고사가 전한다. 27세에 요절하였고, 저서로 《창곡집(昌谷集)》이 있다.

147 정오(鄭遨) : 866~939. 오대시대 진(晉)나라 사람으로 자는 운수(雲叟)이고 호는 소요선생(逍遙先生)인데, 당나라 말기 소실산(少室山)에 들어가 도사가 되었다.

148 유양잡조(酉陽雜俎) : 당나라 단성식(段成式)이 지은 책으로, 원집이 20권이고 속집이 10권이다. 책명을 '유양잡조'라 한 것은 양(梁) 원제(元帝)의 부(賦)에 "유양의 없어진 책을 찾는다〔訪酉陽之逸典〕"라고 한 말을 취한 것이다. '유양의 없어진 책'이란 소유산(小酉山)의 돌 구멍 가운데 보관되어 있던 진(秦)나라 사람의 책으로, 모두 천 권이 여기에 있었다 한다. 소유산은 호남성(湖南省) 원릉현(沅陵縣) 서북쪽에 있는데, 원래의 이름은 유양산(酉陽山)이다.

81. 《도연명집陶淵明集》에 달린
주석의 오류

해설 | 도연명이 아들에게 준 글을 잘못 해석하고는 50년을 30년으로 바꿔야 한다고 주장한 조천산(趙泉山)을 비판하였다.

淵明與子疏云 "吾年過五十하니 少而窮苦하여 每以家弊로 東西游走"라 하니 此蓋作疏時에 正五十歲餘耳라 其言此者는 承上文'壽夭永無外請' 之意하여 以見其年數未爲不足耳요 少而以下는 乃敍其出處困窮之故 니 非謂過五十而乃東西游走也라 趙泉山이 不識此하고 乃謂"淵明年過 五十時에 投閒十年矣니 尙何游宦之有五十이리오 當作三十"云하니 誤 矣라

도연명(陶淵明)¹⁴⁹이 아들에게 준 글에 "내 나이가 쉰이 넘었다. 나는 젊

••••••

149 도연명(陶淵明) : 365∼427. 남북조시대 동진(東晉)의 은사이며 시인으로, 자는 원량(元亮)이며 뒤에 도잠(陶潛)으로 개명하였는데, 일설에는 연명이 그의 자라 고도 한다. 장사환공(長沙桓公) 도간(陶侃)의 증손(曾孫)인데 유유(劉裕)가 진나 라를 찬탈하려 하자, 벼슬하지 않고 이름을 잠(潛)이라 고쳤다. 진나라 말기 팽 택 영(彭澤令)이 되었다가 벼슬을 버리고 돌아오면서 〈귀거래사〉를 지었는데, 많 은 선비들이 애송하였다.

었을 적에 곤궁하여 집안의 가난 때문에 늘 동쪽과 서쪽으로 돌아다녀야 했다."[150] 하였으니, 이는 이 글을 지을 때의 나이가 바로 쉰이 넘었던 것이다. 그가 이 말을 한 것은 윗글의 '장수와 요절은 영원히 어떻게 해볼 수 없다.[壽夭永無外請]'는 뜻을 이어받아 자신의 나이가 적지 않음을 나타낸 것이다. 그리고 '젊어서[少而]' 이하는 바로 출처가 곤궁하게 된 까닭을 서술한 것이니, 쉰이 넘어서도 동분서주했다는 말이 아니다. 그런데 조천산(趙泉山)[151]은 이것을 알지 못하고는 마침내 "도연명은 나이가 쉰을 넘겼을 때 10년 동안 벼슬하지 않았으니, 어떻게 50년 동안 돌아다니며 벼슬을 할 수 있겠는가. 마땅히 50년을 30년으로 써야한다." 하였으니, 이는 잘못 해석한 것이다.

<hr />

150 내 나이가……했다 : 이 내용은 《도연명집(陶淵明集)》 권7 〈여자엄등소(與子儼等疏)〉에 보인다.
151 조천산(趙泉山) : 누구인지 자세하지 않으나 《도연명집》에 주를 달았다.

82. 굴원屈原의 이름과 자字

해설 | 마영경(馬永卿)의 《난진자》에 "어릴 적의 이름과 자는 굴원(屈原)의 〈이소경〉에서 비롯되었으니, 정칙(正則)과 영균(靈均)이 바로 굴원의 어릴 적 이름이고 자이다."라고 한 말을 비판하고, 굴원의 이름이 평(平)이므로 그 뜻을 취하여 정칙이라 하고 자가 원(原)이므로 역시 그 뜻을 취하여 영균이라 하였음을 밝혔다.

宋馬永卿所撰《嬾眞子》에 謂小名、小字는 始於《離騷經》이라하니 蓋謂屈原字平이요 而正則, 靈均은 其小名、小字也라하니 此殊未然이라 朱子 《楚辭》註에 "名平이요 字原이라하니 正則, 靈均은 各釋其義하여 以爲美稱"이라 訓平爲正則은 其義固易見이요 而訓原爲均은 似本《詩》昀昀原隰之文이어늘 永卿不察하고 乃謂靈均爲小名하고 正則爲小字하니 誤矣라

송나라 마영경(馬永卿)이 지은 《난진자(嬾眞子)》에 "어릴 적의 이름과 자(字)는 굴원(屈原)의 〈이소경(離騷經)〉에서 비롯되었다." 하였으니, 이는 굴원은 자가 평(平)이고, 정칙(正則)과 영균(靈均)은 그의 어릴 적의 이름과 어릴 적의 자라는 것이니 이는 매우 옳지 않다. 주자(朱子)의 《초사(楚辭)》 주에 "이름은 평(平)이고 자는 원(原)이다." 하였으니, 정칙(正則)과 영균(靈均)은

각각 그 뜻을 풀이하여 아름다운 칭호로 삼은 것이다. 평(平)을 정칙(正則)으로 풀이한 것은 그 뜻이 실로 알기가 쉽고, 원(原)을 균(均)으로 풀이한 것은 《시경》〈소아(小雅) 신남산(信南山)〉의 '개간된 언덕과 습지[畇畇原隰]'라는 글을 근본으로 삼은 듯하다. 그런데 마영경은 이것을 살피지 못하고 마침내 영균은 굴원의 어릴 적의 이름이고 정칙은 어릴 적의 자라고 하였으니, 잘못이다.

83. 감천甘泉을 얻는 법

해설 | 우물을 파서 물을 얻는 두 가지 방법을 소개하고, 자신이 살고 있는 석실(石室)의 농암에 우물이 없어 계곡물을 길어다 마시는 괴로움을 토로한 다음, 이 방법을 시험해 보겠다고 다짐한 글이다. 그러나 본인은 이 내용이 농암의 이 책에서 가장 비합리적인 부분이라고 생각한다.

古法에 鑿井者 先貯盆水數十하여 置所鑿之地라가 夜視盆中하여 有大星異衆星者하면 必得甘泉이라하니 見宋方勺《泊宅編》이라 又近有愼懋者頗解地術하여 言 "欲鑿井인댄 當先覆數銅盆于地上하고 經夜視之하여 見其中露氣結聚多者어든 鑿之하면 必得泉"이라하니 此言亦有理라 余家農巖에 苦無泉하여 常汲溪水飮之하니 當以此兩法試之호리라

옛날 방법에 우물을 파려는 사람은 먼저 수십 개의 동이에 물을 가득 채워서 파려는 땅에 두었다가, 밤중에 동이 속을 살펴보아 이 가운데에서 뭇별과는 다른 큰 별이 보이는 동이가 있으면 그 자리에서 반드시 감천(甘泉)을 얻는다고 하니, 이것은 송나라 방작(方勺)의 《박택편(泊宅編)》[152]

•••••••
152 방작(方勺)의 박택편(泊宅編) : 방작은 송나라 사람으로 자는 인성(仁聲)이고 호는

에 보인다. 또 근래에 신무(愼懋)라는 자가 지리술(地理術)에 상당히 밝았는데, 그가 이르기를 "우물을 파려면 먼저 땅 위에 동(銅)으로 만든 동이 몇 개를 엎어 놓고 하룻밤을 지낸 뒤에 살펴보아서 그 안에 이슬이 많이 맺혀있는 동이가 있거든 그 자리를 파면 반드시 샘물을 얻는다." 하였으니, 이 말도 일리가 있다. 농암(農巖)에 있는 우리 집은 안타깝게도 샘물이 없어서 늘 시냇물을 길어다 마시고 있으니, 이 두 가지 방법을 시험해 보아야겠다.

● ● ● ● ● ●

박택옹(泊宅翁)이다. 《박택편》은 그의 저서로 소설류인데, 3권으로 되어 있다.

84. 유종원의 할수장割愁腸과
소식의 할수割愁

해설 | 소식의 시구 '근심을 끊어버리네.〔割愁〕'라는 말에 대한 육유(陸游)의 기록을 인용하고서, 이에 대한 자신의 의견을 개진한 글이다. 소식의 이 표현은 유종원의 시구 '근심스런 간장 끊어놓네.〔割愁腸〕'라는 말을 인용한 것으로 알려져 있는데, 할수장(割愁腸)과 할수(割愁)의 뜻이 달라 의문을 불러 일으킨다. 농암은 이에 대하여, 소식이 장망(張望)의 시구 '밀려오는 근심을 끊을 수 없네.〔愁來不可割〕'라는 말에서 뜻을 취하고서 다시 유종원의 말을 취해 번안(飜案)한 것일지도 모른다면서 만일 그렇지 않다면 '할수'란 말은 온당치 않다고 평하였다.

陸放翁《老學菴筆記》云 "柳子厚詩云 '海上尖山似劍鋩하니 秋來處處割愁腸'이라한대 東坡用之하여 云 '割愁還有劍鋩山'이라하니 或謂可言割愁腸이어니와 不可但言割愁라하니라 亡兄仲高云 '晉張望詩曰「愁來不可割」이라하니 此割愁二字出處也'"라하니라 余謂愁來不可割는 言愁之難制也요 割愁腸은 言愁極而斷腸也니 二意正相反이라 今東坡詩實本於子厚하면 則不當用張詩爲證이니 豈坡公實取張意로되 而用子厚語하여 爲翻案耶아 不然이면 則割愁之爲未安가 誠如或者之疑也리라

육방옹(陸放翁)의 《노학암필기》에 다음과 같은 내용이 보인다.

"유자후(柳子厚, 유종원)의 시에 '바닷가의 뾰족한 산 예리한 칼날과 같아 가을이 되니 곳곳에서 근심스런 간장 끊어놓네.〔海上尖山似劍鋩 秋來處處割愁腸〕' 하였는데, 동파(東坡) 소식(蘇軾)이 그 구절을 원용하기를 '근심을 끊어버리는 것은 칼날처럼 뾰족한 산이 있어서오.〔割愁還有劍鋩山〕'라고 하였다. 이에 혹자는 '근심스런 간장 끊어놓네.〔割愁腸〕'라고는 말할 수 있어도 '근심을 끊어버리네〔割愁〕'라고만 해서는 안 된다고 하였다. 작고한 형 중고(仲高, 육승지(陸升之))는 '진(晉)나라 장망(張望)의 시에 「밀려오는 근심을 끊어버릴 수 없네.〔愁來不可割〕」라고 하였으니, 이것이 「근심을 끊는다〔割愁〕」는 말의 출처이다.'라고 하셨다."

내 생각에 '밀려오는 근심을 끊을 수 없네'라는 것은 근심을 억제하기 어렵다는 말이고 '근심스런 간장 끊어놓네'라는 것은 근심이 지극하여 간장이 끊어진다는 말로, 두 가지 뜻이 정반대이다. 지금 동파의 시가 실로 유자후의 시를 근본으로 하였다면 장망의 시를 증거로 삼아서는 안 되니, 어쩌면 동파가 실로 장망의 뜻을 취하면서 유자후의 말을 사용하여 번안(飜案, 본래의 뜻을 뒤집음)한 것인가. 그렇지 않다면 '근심을 끊어버린다'라는 말의 온당치 않은 것이 참으로 혹자의 의심과 같을 것이다.

85. 두중미杜仲微의 한예漢隷와
이반룡李攀龍의 고체시古體詩

해설 | 털이 닳아 망가진 붓으로 한나라의 예서(隷書)를 흉내낸 두중미를 비판한 육유(陸游)의 글을 인용하여, 미수 허목(許穆)의 고전(古篆) 역시 그와 같다고 주장하고, 이반룡 등의 의고문파가 억지로 난삽한 말을 지어 고악부시(古樂府詩)를 흉내냄을 비판하였다.

서화(書畵)에 대한 평 역시 각자 취향에 따라 크게 다르다. 농암의 백부인 곡운(谷雲) 김수증(金壽增)은 팔분(八分)을 잘 썼으며, 지금까지도 그의 집안이 대대로 서법으로 유명한바, 고전의 대가로 알려진 미수(眉叟)에 대한 혹평은 당쟁과 연관시키기 보다는 개인적인 취향으로 보아야 할 것이다. 추사(秋史) 김정희(金正喜) 역시 당시 추앙하던 원교(圓嶠) 이광사(李匡師)의 글씨를 비판한바 있다.

《老學菴筆記》云 "漢隷歲久하여 風雨剝蝕故로 其字無復鋒鋩이어늘 近者杜仲微 乃故用禿筆作隷하고 自謂得漢刻遺法이라하니 豈其然乎"아하니라 余見近世許穆所爲古篆하니 正類此라 不獨篆隷爲然이요 詩亦有之라 古樂府鐃歌, 鼓吹之類는 句字多斷續하여 往往不可屬讀하니 此乃有脫缺而然耳어늘 李攀龍輩不察하고 乃强作佶屈語하여 以爲古體라하니 此正杜仲微之漢隷요 許穆之古篆也라

《노학암필기》에 다음과 같은 내용이 보인다.

"한(漢)나라의 예서(隸書)는 세월이 오래되어 비바람에 씻겨지고 침식되었기에 그 글자에 더 이상 봉망(鋒鋩, 뾰족한 모습)이 없게 되었다. 근래에 두중미(杜仲微)가 일부러 모지라진 붓을 사용하여 예서를 쓰고는 스스로 한나라 각자(刻字)의 유법(遺法)을 얻었다고 말하는데, 어찌 그렇겠는가."

내가 보건대 근세에 허목(許穆)[153]이 쓴 고전(古篆)도 이와 똑같으니, 유독 전서(篆書)와 예서만 그러한 것이 아니다. 시에도 그러한 것이 있다. 고악부(古樂府)의 요가(鐃歌), 고취(鼓吹) 따위는 구(句)와 자(字)가 끊어졌다 이어졌다 한 것이 많아 왕왕 이어 읽을 수가 없으니, 이는 바로 자구가 빠져서 그런 것이다. 그런데 이반룡(李攀龍)의 무리는 이 점을 살피지 못하고 억지로 난삽한 말을 만들어 고체(古體)라고 하였으니, 이는 바로 두중미의 한예(漢隸)이고 허목의 고전과 같은 것이다.

••••••
153 허목(許穆) : 1595~1682. 자는 화보(和甫), 호는 미수(眉叟), 본관은 양천(陽川)이다. 과거를 보지 않고 학문에만 전념하다가 기해예송(己亥禮訟) 때 기년복을 주장하는 서인에 반대하여 삼년복을 주장하는 상소를 올려 남인을 이끌었고, 갑인년의 제2차 예송 때 서인의 대공복(大功服)에 맞서 기년복을 주장하여 현종의 지지를 받아 남인이 집권하는데 공을 세워, 대사헌과 이조 참판을 거쳐 우의정에 올라 허적(許積)과 함께 남인의 영수가 되었다.

86. 운서韻書의 오류

해설 | 28수(宿)의 하나인 '취(觜)' 자에 대해 운서(韻書)에는 음이 '자'로 되어 있으나, 마영경의 기록에는 취가 맞다고 하였고, 또 그 기록에 28수의 '宿'의 음을 수(繡), '亢'의 음을 강(剛), '氐'의 음을 저(低)로 읽는 것이 모두 잘못되었다고 분별하였는데, 농암은 이 말이 모두 근거가 있는 것으로 보고 운서에 오류가 없지 못하다고 하였다. '수(宿)'는 유숙(留宿)의 경우에는 '숙'으로 읽고 별로 읽을 경우에는 '수'로 읽으나, 원래의 뜻은 28개의 별이 사방에 붙어 있음은 사람이 집에 유숙하고 있는 것과 같은 뜻이므로 '숙'으로 읽는 것이 옳다 한다.

余嘗游伽倻山할새 用寘韻하여 作五言長篇하니 中押觜字云 "髣髴雲漢曉에 列宿餘參觜"라하니라 後考韻書호니 參, 觜之觜는 乃在支(지)字韻하니 雖覺其誤나 而亦未能改也라 今見馬永卿所記호니 有云"二十八宿의 觜音訾는 非也라 西方白虎而觜參爲虎首故로 有觜之義"라하니라 此言有理하니 如此면 則余詩所押이 蓋不誤也라 此外에 辨宿之音繡와 亢之音剛과 氐之音低 皆誤者는 其言이 似皆有據하니 要之컨대 韻書不能無謬誤니라

내가 일찍이 가야산(伽倻山)을 유람할 적에 '치(寘)' 자 운을 사용하여 5언 장편(五言長篇)을 지었는데, 이 가운데 '취(觜)' 자로 압운(押韻)하여 "은하수 희미한 새벽, 뭇별 중 삼성(參星)과 취성(觜星)만 남아있네.〔髣髴雲漢 曉列宿餘參觜〕"라고 하였다. 뒤에 운서(韻書)를 살펴보니 '參觜'의 '자(觜)'는 바로 '지(支)' 자 운에 속해 있었다. 압운이 잘못되었음을 깨달았지만 또한 고칠 수가 없었다.

이제 마영경(馬永卿)의 기록을 보니 "28수(宿) 가운데 '觜'의 음을 자(訾)라고 하는 것은 잘못되었다. 서방(西方)의 별자리는 백호(白虎)인데,[154] 취성(觜星), 삼성(參星)이 호랑이의 머리에 해당한다. 그래서 '부리〔觜〕'라는 뜻이 있는 것이다." 하였으니, 이 말이 일리가 있다. 이와 같다면 나의 시에 치(寘) 자로 압운한 것은 잘못되지 않은 것이다. 그는 이 외에 '宿'의 음을 '수(繡)', '亢'의 음을 '강(剛)', '氐'의 음을 '저(低)'라고 하는 것은 모두 잘못되었다고 분별하였는데, 그 말이 모두 근거가 있는 듯하다. 요컨대 운서에 오류가 없을 수 없는 것이다.

●●●●●●

154 서방(西方)의……백호(白虎)인데 : 옛날 천문학에서 하늘의 동·서·남·북 사방에 각각 일곱 개의 별자리를 정하고 그 별자리 모양에 따라 용·거북·호랑이·새로 지목하고 여기에 오방(五方)의 색깔을 앞에 붙이고는 이를 '이십팔수(二十八宿)'라 하였다. 그리하여 각(角)·항(亢)·저(氐)·방(房)·심(心)·미(尾)·기(箕)를 동방의 창룡(蒼龍), 또는 청룡(靑龍)이라 하고, 두(斗)·우(牛)·여(女)·허(虛)·위(危)·실(室)·벽(壁)을 북방의 현무(玄武), 규(奎)·루(婁)·위(胃)·묘(昴)·필(畢)·자(觜)·삼(參)을 서방의 백호(白虎), 정(井)·귀(鬼)·유(柳)·성(星)·장(張)·익(翼)·진(軫)을 남방의 주작(朱雀)이라 하였는바, 현무는 거북의 등 위에 뱀이 서려 있는 모습이라 한다. 그리고 동쪽은 왼쪽, 서쪽은 오른쪽, 북쪽은 뒤쪽, 남쪽은 앞쪽이므로, 좌청룡(左靑龍)·우백호(右白虎)·후현무(後玄武)·전주작(前朱雀)이라 하여 풍수지리에도 적용하였다. 氐의 다른 음은 '지'이다.

87. 소철蘇轍이 기록한
여이간呂夷簡과 범중엄范仲淹의 화해

해설 | 소철은 《용천지》에서, 허국공(許國公) 여이간과 문정공(文正公) 범중엄이 화해한 일을 기록하고 자신이 이 일을 장방평(張方平)에게 듣고서 믿게 되었다고 하였다. 이에 주자 역시 《용천지》에 근거하여 두 사람의 화해를 믿었는데, 특히 소철의 기록이 여이간의 일파인 장방평의 말을 기록한 것이어서 믿을 만하다고 하였다.

그러나 농암은 이 화해가 범중엄의 일방적인 사과에 의한 것으로 기록된 것에 주목하고, 주자와 정반대로 오히려 장방평과 소철이 모두 여이간 쪽의 사람이므로 그들의 말을 근거로 삼을 수 없다고 말하였다.

蘇子由《龍川志》云 "范文正公이 篤於忠亮하여 雖喜功名이나 而不爲朋黨이라 早歲에 排呂許公勇於立事한대 其徒因之하여 矯厲過直하니 公亦不喜也라 自越州還朝하여 出鎭西事할새 恐許公不爲之地면 無以成功하여 乃爲書自咎하여 解讎而去라 其後以參知政事로 安撫陝西할새 許公旣老居鄭이러니 相遇於道라 文正身歷中書하여 知事之難하고 唯有悔過之語하니 於是에 許公欣然하여 相與語終日하다 許公問何爲亟去朝廷고 文正言欲經制西事耳로라 許公曰 經制西事는 莫如在朝廷之便이라하니 文正爲之愕然이라 故로 歐陽公爲文正神道碑에 言二公晩年歡然相得

은 由此故也어늘 後生不知하고 皆咎歐陽公이라 予見張公言之하고 乃信"
이라하니라 按朱子與周益公書에 論范, 呂解仇事하여 云 "龍川志之於此
하고 又以親聞張安道之言으로 爲左驗하니 張實呂黨이니 尤足取信無疑
也"라하니라 今詳此志所記하면 似專以范公爲深悔前日攻呂之過하여 而
與之解仇하니 子由蓋據張安道之語而記之故로 其言如此라 此正安道
爲呂左袒之意니 恐不足爲據어늘 朱子反以爲張實呂黨이니 尤足取信
無疑는 何也오 豈專指其'恐許公不爲之地하면 無以成功하여 乃爲書自
咎하여 解讎而去'一款而然耶아

소자유(蘇子由)의 《용천지(龍川志)》155에 다음과 같은 내용이 보인다.

"범 문정공(范文正公, 범중엄)은 충량(忠亮)에 독실하여 비록 공명(功名)을
좋아하였으나 붕당을 짓지는 않았다. 젊은 시절 여 허공(呂許公)이 사공(事
功)을 이루는 데 용감함을 배척하자156 그의 무리들이 이로 인해 지나치
게 엄격하니 문정공 또한 좋아하지 않았다. 그가 월주(越州)에서 조정으
로 돌아와 서쪽 지방을 진압하러 나가게 되었는데, 여 허공이 자신을 도

<hr>

• • • • • •

155 소자유(蘇子由)의 용천지(龍川志) : 소자유는 소철(蘇轍)로 자유는 자이며 호는
  영빈(穎濱)으로, 노천(老泉) 소순(蘇洵)의 아들이고 동파(東坡) 소식(蘇軾)의 아
  우이다. 삼부자가 문명이 높아 삼소(三蘇)로 알려졌고, 모두 당송팔대가문(唐宋
  八大家文)에 들었다. 《용천지》는 그의 저서로 원명은 《용천지략(龍川志略)》이다.

156 여 허공(呂許公)이……배척하자 : 여 허공은 북송 인종(仁宗) 때의 재상인 여이
  간(呂夷簡)으로, 자는 탄부(坦夫), 시호는 문정(文靖)이다. 허국공(許國公)에 봉
  해졌으므로 여 허공이라 한 것이다. 여이간은 초년에 범중엄과 의견 대립을 보이
  고 범중엄을 폄출시켜 사이가 좋지 못하였는바, 이에 대해 주자도 여이간을 부
  정적으로 보았다. 이 부분에 대해 한 번역본에는 "여허공을 배척하고 일을 이루
  는 데 용감하였지만(排呂許公 勇於立事)"으로 풀이하였다. 이는 앞에 범문정이 공
  명을 좋아하였다는 말과 연결시켜 해석한 것으로 보이나, 문리상 중간에서 구를
  끊는 것은 옳지 않다고 생각하여 한 구로 연결하였다.

와주지 않으면[不爲之地]157 공을 이룰 수 없을 것이라고 염려하여, 자신을 자책하는 편지를 써서 여 허공과 원한을 풀고 갔다. 그 뒤에 참지정사(參知政事)로 섬서(陝西)를 안무(按撫)하러 갈 적에, 여 허공은 치사(致仕)하고 정주(鄭州)에 살고 있었는데 길에서 서로 만났다. 범 문정공은 자신이 중서성(中書省)의 벼슬을 지내어 조정에서 일하기 어렵다는 것을 알았기에 오직 자신의 허물을 뉘우치는 말만 하였다. 이에 여 허공이 흔쾌하여 날이 저물도록 함께 이야기하였다. 여 허공이 묻기를 '어찌하여 급히 조정을 떠나십니까?' 하자, 범 문정공이 대답하기를 '서쪽 변방의 일을 처리하고자 해서입니다.' 하였다. 여 허공이 '서쪽 변방의 일을 다스리는 것은 조정에 있는 것보다 더 편리함이 없습니다.' 하자, 범 문정공은 이 말

••••••

157 자신을……않으면[不爲之地] : 원문의 '불위지지[不爲之地]'는 상대방을 위하여 설 자리를 마련해 주는 것으로, 곧 상대방을 위하여 대책을 세우거나 주선해줌을 이른다. 《자치통감》권 226 당기(唐紀)에는 "황제(德宗)가 법을 엄격하게 적용하니, 백관들이 크게 두려워하였다. 산릉(山陵)이 가깝다 하여 사람들이 가축을 도살하는 것을 엄금하였는데, 곽자의(郭子儀)의 하인이 몰래 양(羊)을 잡아 수레에 싣고 도성 안으로 들어오자, 우금오장군(右金吾將軍) 배서(裴諝)가 이 사실을 황제에게 아뢰었다. 혹자가 배서에게 이르기를 '곽공은 사직(국가)에 큰 공로가 있는데, 그대는 홀로 그를 위해 주선해주지 않는가?' 하니, 곽서는 대답하기를 '이는 바로 내가 곽공을 위해 주선해 주는 것이다. 황제가 새로 즉위하여 「여러 신하 중에 곽공에게 따르는 자가 많다.」고 의심하시므로 내가 일부러 하찮은 잘못을 드러내어 곽공의 위엄과 권세가 두려워할 것이 못됨을 밝히려는 것이다. 이와 같이 하여 위로 천자를 높이고 아래로 대신을 안심시키면 좋지 않은가.[上用法嚴 百官震悚 以山陵近 禁人屠宰 郭子儀之隷人 潛殺羊 載以入城 右金吾將軍裴諝奏之 或謂諝曰 郭公有社稷大功 君獨不爲之地乎 諝曰 此乃吾所以爲之地也 郭公勳高望重 上新卽位 以爲群臣附之者衆 吾故發其小過 以明郭公威權不足畏也 如此 上尊天子 下安大臣 不亦可乎]' 하였다."라고 보인다. 소식(蘇軾)의 《동파전집(東坡全集)》권 42 〈손무론(孫武論)〉에는 "전쟁에는 일정한 형체가 없어서 형체인 진법(陣法)을 미리 만들어놓고 승리는 정해진 곳이 없어서 다방면으로 승리할 수 있는 자리(대책)를 만들어 놓는다. 이 때문에 그 말이 자주 변하여 똑같지 않은 것이다.[夫兵無常形而逆爲之形 勝無常處而多爲之地 是以其說屢變而不同]"라고 보인다.

을 듣고 몹시 놀랐다. 그러므로 구양공(歐陽公)이 범 문정공의 신도비문을 지으면서 '두 분이 만년에는 기뻐하여 서로 마음이 맞았다.'라고 하였으니, 바로 이 때문이었다. 그런데 후생(後生)들은 이러한 사실을 알지 못하고 모두 구양공을 비판한다. 나는 장공(張公)이 말하는 것을 듣고 비로소 믿게 되었다."

내가 살펴보건대, 주자(朱子)가 주익공(周益公, 주필대(周必大))에게 준 편지에 범 문정공과 여 허공이 원한을 푼 일에 대해 논하시기를 "《용천지》는 이에 대해 또다시 장안도(張安道, 장방평(張方平))의 말을 직접 들은 것을 증거로 삼았다. 장안도는 실로 여 허공의 당이었으므로 충분히 믿을 만하여 의심의 여지가 없다." 하였다.

지금 이 《용천지》에 기록된 것을 상고해 보면 오로지 범 문정공이 지난날 여 허공을 공격한 잘못을 깊이 뉘우치고서 그와 원한을 푼 것으로 여긴 듯하니, 소자유는 아마도 장안도의 말을 근거로 기록하였기 때문에 그 말이 이와 같을 것이다. 이는 바로 장안도가 여 허공을 좌단(左祖, 지지)한 뜻이니, 근거로 삼을 수 없을 듯하다. 그런데도 주자가 도리어 "장안도는 실로 여 허공의 당이므로 충분히 믿을 만하여 의심의 여지가 없다."라고 한 것은 어째서인가? 어쩌면 문정공은 여 허공이 자신을 도와주지 않으면 공을 이룰 수 없음을 걱정하여 이에 편지를 써서 자신을 탓하여 원한을 풀고 간 한 대목만을 오로지 가리켜 이렇게 말씀한 것인가.

88. 출처가 분명한
고사故事의 사용

해설 | 자신이 일찍이 민유중(閔維重)의 만시에 '목가(木稼)'라는 시어를 사용하
려 하였으나 편 안에 이미 '목' 자가 있어 부득이 뜻이 같은 '수가(樹稼)'로 쓰
고 근거가 없어 찜찜하였는데, 《동헌필록(東軒筆錄)》에서 이 표현을 발견하고
서 자신이 만시에 쓴 것이 옳았음을 알게 되었다고 하였다. 이어서 옛날 동파
소식은 문장을 지을 적에 고사를 쓰게 되면 반드시 자제와 문생들로 하여금
그 출처를 상고하게 하였음을 말하였다.

余嘗作驪陽挽詩에 用樹稼字하니 蓋篇內別有木字故로 以樹代木也라
以義言之하면 此固無害어니와 而尙疑其無稽러니 後見《東軒筆錄》하니
云 "唐天寶中에 冰稼而寧王死故로 當時諺曰 冬凌樹稼達官怕"라하니
據此면 則作樹稼正是라 昔에 蘇子瞻作文使事에는 必使子弟門生으로 考
其出處하니 蓋必如此而後에 慊於心故耳니라

내가 일찍이 여양부원군(驪陽府院君) 민유중(閔維重)[158]의 만시(挽詩)를 지

• • • • • •
158 여양부원군(驪陽府院君) 민유중(閔維重) : 1630~1687. 자는 지숙(持叔), 호는
둔촌(屯村), 본관은 여흥(驪興)으로, 숙종의 비 인현왕후(仁顯王后)의 아버지가

을 적에 '수가(樹稼, 상고대)'라는 글자를 썼으니, 이는 편(篇) 안에 따로 '목(木)' 자가 있기 때문에 '수(樹)' 자로 '목(木)' 자를 대신한 것이다. 의미로 말하면 이것은 진실로 문제될 것이 없으나 여전히 출처가 없는 말이라고 의심하였다. 뒤에 《동헌필록(東軒筆錄)》[159]을 보니 "당(唐)나라 천보(天寶) 연간에 빙가(冰稼)가 피었는데 영왕(寧王)이 죽었다. 그래서 당시 속언에 '얼음이 초목에 맺혀 수가가 피면 높은 벼슬아치가 두려워한다.〔冬凌樹稼達官怕〕'라고 했다." 하였으니, 이에 근거하면 '수가(樹稼)'라고 쓰는 것이 옳은 것이다.

옛날 소자첨(蘇子瞻, 소식)은 글을 지을 적에 고사를 사용하려면 반드시 자제와 문생들로 하여금 그 출처를 상고하게 하였으니, 이는 반드시 그렇게 한 뒤에야 마음에 흡족했기 때문일 것이다.

••••••

되어 여양부원군에 봉해졌으며, 송시열(宋時烈)과 송준길(宋浚吉)의 문인이다. 노론(老論)의 중진으로 경서에 밝아 명망이 높았으며, 시호는 문정(文貞)이다.

159 동헌필록(東軒筆錄) : 송나라 위태(魏泰)가 지은 것으로, 모두 15권으로 되어 있는 소설류(小說類)이다. 위태는 신법당(新法黨)인 증포(曾布)의 처남이므로 이 책에는 신법당을 지지하고 구법당(舊法黨)을 억제하는 내용이 많이 실려있다.

89. 정강靖康의 변란에
절의를 지킨 인물

해설 | 예전에 청풍에 있을 적에 집안사람에게 '송나라 정강의 변란에 순절한 사람이 적은 이유'를 묻는 질문을 받았었는데, '당시 조정에서 소인을 등용하고 군자를 배척하였으며 또 변경(汴京, 당시 도성)이 곧바로 함락되어 두 황제가 북쪽으로 잡혀갔기 때문에 충신과 의사들이 먼 지방에 있어 국란에 달려갈 수 없었기 때문일 것'이라고 답하였으나 확실한 근거를 찾지 못하였다가, 뒤에 장채(張采)의 〈명신속록서〉를 보고서 그 의론이 자신이 했던 말과 부합함을 확인하게 되었다고 밝힌 글이다.

여기에서 우리가 알아야 할 것이 있다. 옛날 학자들은 근거 없는 말씀을 하지 않았다. 본인이 사사했던 선생님들도 부득이 자신의 억견으로 대답했을 경우, 뒤에 책에서 발견하면 다시 보여주고 확인시켜 주셨다.

往年在淸風할새 與宗人金楷甫로 縱言이라가 及於古今節義之多少라 金君謂"宋時에 以禮義培養士大夫로되 而靖康之變에 殉義者獨一李侍郎이니 何其少也"오 余答謂"此不難知也라 自王安石以來로 斥逐衆正하고 引用羣小하여 至于紹聖, 崇寧之間하여 章, 蔡之徒相繼用事하여 凡當世之賢人君子非遭竄逐이면 則奉祠在外하여 無一人在朝요 而其充塞要津하고 布列外藩者는 只是京, 黼, 童, 梁之私人이라 以此輩而當變故하

니 負國賣君하여 甘心屈膝은 固其所也니 尙何望其效死殉義리오 且其時
汴京受圍하여 未數月에 而二帝北行하고 高宗南渡故로 雖有忠臣義士
나 身在遠外하여 未及起而赴難耳라 不然이면 則其卓卓效節이 夫豈一二
人而止哉리오 今不察此하고 而槩謂之無人은 非篤論也"라하니 金君深以
爲然하다 今日에 偶見張采《名臣續錄序》하니 已論及此하여 其意正與余
前日所云者로 相符라 獨恨金君在遠하여 不得出此序共讀耳로라

  왕년에 내가 청풍(淸風)에 있을 적에 종인(宗人, 집안 사람) 김해(金楷) 보
(甫)[160]와 이런저런 이야기를 하다가 화제가 고금에 절의(節義)를 지킨 사
람이 많고 적음에 미쳤다. 김군이 이르기를 "송나라 때에는 예의로 사대
부를 배양했지만 정강(靖康)의 변란[161]에 의리를 위해 목숨을 바친 사람은
이 시랑(李侍郞)[162] 한 사람뿐이었습니다. 어찌하여 그리도 적었단 말입니
까?" 하므로, 내가 다음과 같이 대답하였다.
  "그것은 알기 어려운 일이 아니네. 왕안석(王安石)[163] 이래로 여러 정직한

● ● ● ● ● ●

160 김해(金楷) 보(甫) : 숙종 때 학자로 자는 정칙(正則), 호는 부훤당(負暄堂), 관향은
   안동이니, 농암과 같은 집안이다. '보'는 상대방에 대한 칭호로 남자에게는 보, 여
   자에게는 씨를 붙였는바, 지금의 '씨'와 같은 것이고, '김해보'가 이름은 아니다.

161 정강(靖康)의 변란 : 정강은 북송 흠종의 연호로, 정강 원년(1126)에 금군(金軍)
   의 침공으로 북송의 수도인 변경(汴京)이 함락되고 휘종의 뒤를 이어 흠종이 금
   나라로 잡혀 간 사변을 가리킨다. 이후 고종이 남경에서 즉위하니, 바로 남송(南
   宋)이다.

162 이 시랑(李侍郞) : 이약수(李若水, 1093~1127)를 가리킨 것으로, 자는 청경(淸
   卿)이며, 원래의 이름은 약빙(若冰)이다. 정강(靖康) 2년(1127) 정월에 흠종이 금
   군(金軍)의 진영에 구금되었을 때 이약수가 호종(扈從)하였는데, 금군이 흠종을
   협박하여 옷을 갈아입으라고 하자, 금나라 사람들을 크게 꾸짖다가 결국 참혹하
   게 죽임을 당하였다. 시호가 충민(忠愍)인바, 저서로 《충민집》이 있다.

163 왕안석(王安石) : 1021~1086. 북송의 정치가이자 학자로 자는 개보(介甫), 호는
   반산(半山)이며 형국공(荊國公)에 봉해졌다. 신종(神宗)에게 신임을 받고 재상으

인사는 내쫓고 소인배들을 등용하여 소성(紹聖), 숭녕(崇寧) 연간에 이르러는 장돈(章惇), 채경(蔡京)의 무리가 서로 이어 권력을 잡았네.[164] 그리하여 당대의 현인, 군자는 내쫓기지 않으면 지방에서 사당을 받드는 낮은 직책에 있어 조정에는 한 사람도 없었고, 요직을 채우거나 외번(外藩, 지방장관)에 포진된 자들은 단지 채경(蔡京), 왕보(王黼), 동관(童貫), 양사성(梁師成)의 사인(私人)들 뿐이었네. 이런 무리들에게 변란을 담당하게 하였으니, 나라를 저버리고 임금을 팔아먹어 적에게 무릎 꿇는 것을 달갑게 여김은 실로 당연한 일이었네. 어찌 의리를 위해 목숨을 바치기를 기대하겠는가. 그리고 당시에 변경(汴京)이 포위된 지 몇 달이 못되어 휘종(徽宗)과 흠종(欽宗) 두 황제가 북쪽으로 끌려가고 고종(高宗)이 남쪽으로 강을 건너갔네. 그러므로 비록 충신과 의사(義士)가 있더라도 몸이 먼 지방에 있어서 제때에 일어나 변란에 달려갈 수가 없었던 것이네. 그렇지 않다면 우뚝이 충절을 바친 자가 어찌 한두 사람에 그쳤겠는가. 지금 이 점을 살피지 않고 사람이 없었다고 말한다면 이는 독실한 논의가 아니네."

이에 김군이 깊이 수긍하였다.

오늘 우연히 장채(張采)의 〈명신속록서(名臣續錄序)〉[165]를 보니 그가 이미

• • • • • •

로 기용되어 신법(新法)을 단행하면서 이에 반대하는 구법당(舊法黨)과 갈등을 빚은 인물이다.

164 소성(紹聖)……잡았네 : 소성은 철종(哲宗)의 연호로 1094~1097까지이며, 숭녕(崇寧)은 휘종(徽宗)의 연호로 1102~1106년까지인데, 이때 왕안석의 뒤를 이은 신법당이 다시 득세하여 소인인 장돈(章惇)·채경(蔡京) 등이 정권을 잡고 전횡하다가 정강(靖康)의 변란을 초래하였다.

165 장채(張采)의 명신속록서(名臣續錄序) : 장채는 명나라 사람으로 자는 수선(受先)이다. 의종(毅宗)의 숭정(崇禎) 연간에 진사가 되고 복왕(福王) 때 예부원외랑(禮部員外郎)이 되었으며, 저서로 《지외당집(知畏堂集)》이 있다. 〈명신속록서〉는 《명신속록》에 대한 서문으로 보이나 자세하지 않다. 주자가 일찍이 《명신언행록(名臣言行錄)》을 지었는바, 팔조명신언행록(八朝名臣言行錄)이라고도 칭하는데

이에 대해 논하였는데, 그 뜻이 바로 내가 지난날 말한 것과 완전히 부합하였다. 다만 김군이 먼 곳에 있어 이 서문을 꺼내어 함께 읽지 못하는 것이 한스러울 뿐이다.

⋯⋯⋯

장채가 평열(評閱)하였다. 전집 10권, 후집 14권으로 되어 있고, 속집 8권과 별집 26권, 외집 17권은 이유무(李幼武)가 보충하였는데, 이 속집을 가리킨 것으로 보이나 확실하지 않다.

90. 도연명陶淵明이
벼슬을 버리고 떠난 이유

해설 | 도연명이 팽택 영(彭澤令)을 내놓고 고향으로 돌아간 일을 논하여, 세속에서는 도연명이 군의 독우(督郵)에게 허리를 굽히기 싫어해서 벼슬을 버린 것으로 알고 있으나 실제는 뒤에 송나라를 개국한 유유(劉裕)가 장차 진(晉)나라의 국통을 빼앗으려는 형세가 있으므로 독우의 일을 핑계 삼아 떠나간 것으로, 이는 공자(孔子)가 번육(膰肉)이 오지 않는 것을 구실삼아 노나라를 떠나간 것과 같은 것이리라. 다만 이것이 도연명의 마음을 제대로 파악한 것인지는 알 수 없다고 여겼는데, 뒤에 왕위(王禕)의 〈여산기(廬山記)〉를 보고서 도연명에 대한 왕위와 자신의 생각이 서로 일치함을 발견하였다 하고, 후세 사람들이 스스로 독창적인 견해라고 생각하는 것은 대체로 옛사람이 이미 설파한 것이라고 하였다.

余嘗有《歸去淵序》에 論陶淵明棄彭澤事하여 以爲"淵明은 非索隱行怪之流라 其仕本爲貧이니 豈不肯屈於一督郵하여 而棄而去之를 若是其邁邁乎아 蓋當是時하여 寄奴移鼎之勢已成이라 故託此而去之하니 正如孔子以膰肉不至而去魯也"라하니라 余之爲此論은 蓋亦出於一時臆見이니 而第不知果得淵明之心否耳러니 後讀王禕《廬山記》하니 云"靖節爲彭澤令하여 不肯束帶見督郵하여 遂解官歸라 是歲에 劉裕殺劉仲文하

고 將移晉祚하니 陶義不事二姓故로 託爲之辭以去하여 若將以微罪行
耳라 夫豈以一督郵로 爲此悻悻乎"하여 正與余前論脗合하고 而其引
孔子事尤相符라 余旣自喜其所見不甚謬하고 而又知古今人意思不相
遠如此라 凡後人所自以爲獨見創論者 未始不經前人道破也니라

　내 일찍이 〈귀거연서(歸去淵序)〉[166]를 지어, 도연명(陶淵明)이 팽택 영(彭澤
令)을 내놓고 떠나간 일을 논하기를 "도연명은 궁벽한 것을 찾고 괴이한
일을 행한 사람이 아니다. 그가 벼슬한 것은 본디 가난 때문이었으니, 어
찌 일개 독우(督郵)에게 허리를 굽히고 싶지 않아서 그처럼 급하게 벼슬
을 버리고 떠났겠는가. 당시에 기노(寄奴)[167]가 나라를 차지할 형세가 이미
이루어졌기 때문에 이것을 구실로 삼아 떠난 것이니, 이는 바로 공자가
제사 고기를 보내오지 않았다는 이유로 노(魯)나라를 떠나신 것[168]과 같
은 것이다."라고 했었다. 나의 이러한 의론은 한 때의 억견에서 나온 것이
니, 다만 도연명의 마음을 제대로 파악했는지는 알 수 없었다.

· · · · · ·
166　귀거연서(歸去淵序) : 《농암집》 권21 서(序)에 실려 있는바, 정식 명칭은 '송이백
　　상귀귀거연서(送李伯祥歸歸去淵序, 귀거연으로 돌아가는 이백상을 전송한 서)'
　　이다. 이백상은 이징명(李徵明)으로 백상은 그의 자이고 본관은 전의(全義)이며,
　　우암 송시열의 문인으로 농암보다 세 살 위이다. 귀거연은 지평현(砥平縣) 동쪽
　　20리 지점에 있는 못으로 처음에는 부연(釜淵)이라고 했다 한다.
167　기노(寄奴) : 남조(南朝) 진(晉)나라로부터 선양(禪讓) 형식을 빌려 송(宋)나라를
　　개국한 유유(劉裕)의 어릴 적 자(字)로, 묘호는 고조(高祖)이고 시호는 무제(武
　　帝)이다.
168　공자가……것 : 《맹자》 〈고자 하(告子下)〉에 "맹자가 말씀하셨다. '공자가 노(魯)
　　나라의 사구(司寇)가 되셨는데, 그 말씀이 쓰이지 않고 이어서 제사 지낸 고기가
　　이르지 않자 면류관을 벗고 떠나셨다. 이에 대해 공자를 알지 못하는 자들은 고
　　기 때문에 떠났다 하고, 공자를 아는 자들은 무례(無禮)하기 때문에 떠났다 하
　　였다. 그러나 공자는 사소한 죄를 구실로 삼아 떠남으로써 구차히 떠나지 않고
　　자 하신 것이니, 군자가 하는 바를 뭇사람들은 알지 못한다.'"라고 보인다.

뒤에 왕위(王褘)의 〈여산기(廬山記)〉[169]를 읽어 보니 "정절(靖節, 도연명)은 팽택 영이 되어 관복을 갖추고 독우를 만나고 싶지 않아서 마침내 벼슬자리를 내놓고 고향으로 돌아갔다. 이해에 유유(劉裕)가 유중문(劉仲文)을 죽이고[170] 장차 진(晉)나라의 국통을 빼앗으려 하니, 도연명은 의리상 두 성씨를 섬길 수가 없었다. 그래서 이를 구실 삼아 떠나가서 마치 공자가 사소한 잘못을 구실삼아 떠나려고 하셨던 것처럼 한 것이니, 어찌 일개 독우 때문에 그처럼 발끈하여 벼슬을 그만두었겠는가."라고 하였다. 내가 예전에 논한 것과 완전히 부합하는 내용이고, 공자의 일을 끌어댄 것은 더더욱 부합하였다.

나는 내 소견이 그다지 잘못되지 않았다는 사실이 기뻤고, 또 옛날 사람이나 지금 사람이나 사람의 생각이 이처럼 크게 다르지 않다는 것을 알게 되었다. 후세 사람들이 독창적인 견해와 논의라고 여기는 것에는 이전 사람들이 일찍이 설파하지 않은 것이 별로 없다.

• • • • • •

169　왕위(王褘)의 여산기(廬山記) : 왕위는 명나라 초기의 문인이다. 강 교수의 고증에 의하면 그의 문집인 《왕문충집(王文忠集)》 권9에 〈자건창주환 경행여산하기(自建昌州還經行廬山下記)〉가 있는데, 이것이 농암이 말한 〈여산기〉이다. 강 교수는 농암이 본 〈여산기〉를 《왕문충집》이 아닌 앞에서 말한 《명산승개기(名山勝概記)》일 것으로 추측하였다.

170　이해에……죽이고 : 도연명이 〈귀거래사(歸去來辭)〉를 읊고 팽택 영(彭澤令)을 그만둔 해는 동진의 안제(安帝) 의희(義熙) 원년(405)이다. 유중문(劉仲文)은 은중문(殷仲文)의 오기로 보인다. 은중문은 유유(劉裕)와 함께 활약하였으나 2년 후인 의희 3년(407) 초에 모반(謀反)했다는 무함을 받고 삼족이 멸하였다.

91. 글자는 같으나 쓰임이 달라진 '동洞' 자

해설 | 중국에서 일컫는 '동(洞)'은 암굴이나 석굴처럼 구멍이 있어 사람이 거처할 수 있는 곳을 말하는데, 우리나라에서는 서울의 마을까지도 모두 '동'이라고 칭하는 오류를 범하고 있음을 지적하였다. 그러나 같은 물건을 지방에 따라 다르게 칭하는 일은 중국에서도 예부터 있었던 것이므로 각 지방의 익숙한 명칭에 따르면 될 뿐이라고 결론하였다.

中國所稱洞은 皆指巖窟, 石穴中空可居者耳어늘 我國則不然하여 凡山谷深邃處를 輒以洞名之라 考韻書하면 洞은 空也라하니 兩山之間에 有谷焉이면 是亦有空義하니 稱洞亦無不可어니와 而至於京城坊里之名하여도 亦以洞稱은 則尤無謂하니 不知何自而有此訛也라 然이나 周人之玉과 宋人之鼠를 同以璞名하니 則方俗所習에 同名而異實者는 自古而然이요 非獨此一事也니 亦各隨其稱而已라 讀《名山記》라가 偶書하노라

중국에서 칭하는 '동(洞)'이란 모두 암굴이나 석혈(石穴) 가운데에 구멍이 있어 사람이 거처할 수 있는 곳을 가리킬 뿐이다. 그런데 우리나라는 그렇지 않아서 모든 산골짜기의 깊은 곳을 번번이 '동'이라고 이름한다. 운서(韻書)를 살펴보면 "동(洞)은 '비었다(空)'는 말이다." 하였다. 두 산 가

운데 골짜기가 있으면 이 또한 비어 있음의 뜻이 있으니, '동'이라고 칭하는 것이 안 될 것도 없지만, 경성(京城)의 방리(坊里)의 이름까지도 '동'이라고 칭하는 것은 더욱 온당치 못하니, 언제부터 이런 잘못이 있게 되었는지 모르겠다.

그러나 주(周)나라 사람들은 옥을, 송(宋)나라 사람들은 쥐를 박(璞)으로 이름하였으니[171], 그렇다면 지방 풍속의 익숙한 바에 이름은 같지만 실상은 다른 경우가 예부터 그러하였고 이 한 가지만 그런 것이 아니니, 이 또한 각기 그 명칭에 따르면 될 뿐이다. 《명산기(名山記)》를 읽다가 우연히 기록한다.

• • • • • •

171 주(周)나라……이름하였으니 : 박(璞)은 박옥(璞玉)으로 곱게 다듬지 않은 옥을 이르는데, 말린 쥐 또는 죽은 쥐를 가리키기도 한다. 《후한서》〈응소전(應劭傳)〉에 "정(鄭)나라 사람이 말린 쥐를 박이라 하는 것을 비난한다.〔非鄭人以乾鼠爲璞〕"라고 보인다. 그러나 《윤문자(尹文子)》〈대도(大道)〉에는 "정나라 사람은 옥을 아직 다스리지 않은 것을 박이라 하고, 주나라 사람은 쥐를 아직 말리지 않은 것을 박이라 한다.〔鄭人謂玉未理者爲璞 周人謂鼠未腊者爲璞〕"라고 하여 이와 정반대이다. 다만 어떤 글에도 모두 정나라로 표기 되었는바, '송(宋)나라'라고 한 것은 오기(誤記)로 보인다.

92. 본의와 달라진 '암巖' 자의 쓰임

해설 | 바위에 구멍이 있는 것을 '암(巖)'이라고 칭하는 중국 사람들의 오류를 지적하고, 이는 우리나라에서 마을을 '동(洞)'이라고 칭하는 것과 다를 것이 없는데, '암'의 오류는 원래 남부 지방 풍속에서 칭하던 것이 중국에서 통칭하는 이름이 된 듯하다고 추측하였다.

又中國人이 稱石之有穴者曰巖이라하니 如永州之朝陽巖과 始興之玲瓏巖과 永福之方廣巖과 桂林之伏波諸巖이 皆是也라 不然이면 則雖千仞之巨石이라도 不以巖稱이라 考韻書하면 巖은 峰也라하니 石之有穴이 何取於峰義완대 而必以是稱之也오 其爲可笑가 殆與我國坊里之稱洞으로 無以異也라 意此本南方謠俗所稱이러니 而遂爲中國通稱之名也리라

또 중국 사람들은 바위에 구멍이 있는 것을 '암(巖)'이라고 하니, 예컨대 영주(永州)의 조양암(朝陽巖), 시흥(始興)의 영롱암(玲瓏巖), 영복(永福)의 방광암(方廣巖), 계림(桂林)의 복파암(伏波巖) 등이 모두 그러하다.[172] 그렇지 않으

••••••
172 바위에⋯⋯그러하다 : 여러 기록을 보면 《명일통지(明一統志)》에 "조양암은 부(府)의 성 서쪽 소강가에 있다. 조양암에는 동굴이 있는데 시냇물이 그 가운데

면 아무리 천 길의 거대한 바위라 하더라도 '암'이라고 하지 않는다. 운서(韻書)를 살펴보면 "암(巖)은 '봉우리[峰]'이다." 하였으니, 구멍이 있는 바위가 어찌하여 봉우리[峰]라는 뜻을 취할 수 있었기에 군이 이렇게 칭하는가? 우리나라에서 방리(坊里)를 '동(洞)'으로 칭하는 것과 거의 다름 없음이 가소롭다. 내 생각에 이는 본디 남방의 풍속에서 일컫던 말인데, 마침내 중국에서 통칭하는 이름이 된 것이리라.

••••••

에서 솟아나와 상강으로 흘러 들어간다.〔朝陽巖在府城西瀟江之滸 巖有洞 澗自中出 流入湘江〕" 하였고,《광동통지(廣東統志)》에는 "영롱암은 성의 남쪽 10리 지점에 있는데, 일명 기산(機山)이라고 한다. 평지에 돌기해 있는데, 높이는 수십 길[丈]이고 넓이는 수십 무(畝)이다. 산세가 감돌아 있어 암동이 매우 많다.〔玲瓏巖在城南十里 一名機山 平地突起 高可數十丈 廣約數十畝 山勢盤鬱 巖洞甚多〕" 하였고,《명일통지》에는 "방광암은 영복현 동북쪽에 있다. 방광암의 높이는 천 길이나 되며 깨끗한 물이 흘러나오는 동굴이 있다.〔方廣巖在永福縣東北 巖高千仞 有玉泉洞〕" 하였고,《방여승람(方輿勝覽)》에는 "복파암은 이강(灕江)가에 있는데 우뚝 돌기하여 천 길이 되며, 아래에는 동굴이 있어 20명이 앉을 좌탑(坐榻)이 들어갈 만하여 훤히 뚫려 있다.〔伏波巖在灕江濱 突然而起 且千丈下有洞 可容二十榻 穿鑿通透〕" 하였다. 이 네 암(巖, 동굴)은 모두 중국의 남부 지방에 있으므로 농암이 남방의 풍속에서 칭하던 것이 북방까지 통용된 것으로 본 것이다.

93. 거취가 바르지 못했던
황보숭皇甫嵩과 주준朱儁

해설 | 후한(後漢) 말기에 지혜와 용맹으로 황건적(黃巾賊)을 토벌하여 큰 공을
세우고 높은 명성이 있었던 황보숭과 주준이 뒤에는 모두 거취를 잘못 결정
하여 군자들에게 비난받았던 사실을 말하고, 가소롭다고 개탄하였다.

옛날부터 개관사정(蓋棺事定)이라 하였다. 사람이 죽어서 관 뚜껑을 덮은 뒤
에야 그 사람이 생전에 한 일이 제대로 평가된다는 말이다.

皇甫嵩屯扶風하여 與蓋勳으로 謀討董卓이러니 而以城門校尉就徵하고
朱儁在河南하여 與陶謙으로 謀討李傕이러니 而以太僕就徵이라 二人이
初皆以討黃巾著名하고 其智勇亦相埒이러니 而末路皆迷於去就하여 爲
君子所譏하여 事正相類하니 可笑라

황보숭(皇甫嵩)[173]은 군대를 부풍(扶風)에 주둔하여 개훈(蓋勳)과 함께 동

••••••
173 황보숭(皇甫嵩) : 후한의 조나(朝那) 사람으로 자는 의진(義眞)이다. 젊어서부터
    시서(詩書)를 좋아하고 궁술과 말타기를 잘하였다. 영제(靈帝) 때 뽑혀 의랑(議
    郞)이 되고, 북지태수(北地太守)로 옮겼으며, 황건적(黃巾賊)을 토벌하여 괴리후
    (槐里侯)에 봉해졌으나 역신(逆臣) 동탁(董卓)이 정권을 잡았을 적에 회유를 받
    아들여 사람들에게 비난을 받았다. 동탁이 피살된 뒤에 정서장군(征西將軍)에

탁(董卓)[174]을 토벌할 것을 모의하였는데 동탁이 성문교위(城門校尉)로 부르자 나아갔고, 주준(朱儁)[175]은 하남(河南)에 있으면서 도겸(陶謙)과 함께 이각(李傕)을 토벌할 것을 모의하였는데 이각이 태복(太僕)으로 부르자 나아갔다. 이 두 사람은 처음에 모두 황건적(黃巾賊)을 토벌한 일로 유명하였고 지혜와 용맹도 서로 필적하였는데, 말로에는 모두 거취(去就)를 잘못 정하여 군자에게 비난을 받게 되었다. 두 사람의 일이 서로 비슷하니, 가소롭다.

임명되었고, 만년에 태상(太常) 등을 지냈다.

174 동탁(董卓) : 후한 말기의 무장으로 자는 중영(仲穎)이다. 영제가 죽자 하진(何進)의 부름을 받고 군대를 이끌고 도성인 낙양(洛陽)으로 들어와 환관들을 죽이고 스스로 상국(相國)이 되어 하태후(何太后)를 시해하고 헌제(獻帝)를 옹립한 다음 장안(長安)으로 천도하고 자신이 황제가 되려고 하였으나, 사도(司徒) 왕윤(王允)의 계책으로 여포(呂布)에게 척살(刺殺) 당하였다. 그러나 잔당인 이각(李傕)과 곽사(郭汜)가 다시 반란을 일으켜 한동안 나라를 혼란에 빠뜨렸다. 《後漢書 卷102 董卓列傳》

175 주준(朱儁) : 후한의 상우(上虞) 사람으로 자는 공위(公偉)이다. 평소 의리를 좋아하고 재물을 하찮게 여겨 명망이 높았으며, 우중랑장(右中郞將)이 되어 황보숭과 함께 황건적을 토벌하고 서향후(西鄕侯)에 봉해졌다. 그러나 동탁의 잔당인 이각(李傕)의 회유에 넘어가 결국 실패하였다.

94. 하서河西 삼명三明의 인물평

해설 | 후한 말기 하서 삼명의 인물을 논한 글이다. 하서는 황하의 서쪽으로 양주(涼州) 지역을 가르키는바, 《후한서》〈단경전(段熲傳)〉에 "처음에 단경은 황보위명(皇甫威明), 장연명(張然明)과 함께 이름이 알려지고 현달하여 경사(京師)에서 양주 삼명(涼州三明)으로 일컬어졌다."라고 한 데서 유래하였다. 위명은 황보규의 자이고 연명은 장환의 자이고 단경은 자가 기명(紀明)이므로 이들을 삼명이라고 칭한 것이다. 그러나 황보규는 끝까지 지절(志節)을 지켰고, 장환은 한때 환관들의 속임수에 속았으나 곧바로 이를 깨닫고 봉후(封侯)를 사양하였으며, 단경은 환관에게 아부하고 재물을 바쳐 높은 지위에 올랐는바, 농암은 이들의 인품을 세 등급으로 평하였다.

河西三明에 惟皇甫規志節偉然하여 最賢이요 張奐은 倉卒見紿하여 枉害忠良하여 雖不能無罪나 然能力辭侯爵하고 又爲陳, 竇하여 上章伸理하니 亦善補過者라 惟段熲은 阿附黃門하여 輸貨得官하고 卒亦以是喪身하니 其最下乎인저

하서(河西)의 삼명(三明)[176] 중에 황보규(皇甫規)가 지절(志節)이 뛰어나 가장 어질었고, 장환(張奐)은 창졸간에 속임을 당하여 충량(忠良)을 해쳐서 비록 죄가 없다고 할 수는 없지만 후작(侯爵)을 강력히 사양하였고 또 진번(陳蕃)과 두무(竇武)를 위해 글을 올려 억울함을 해명해 주었으니, 또한 허물을 잘 보전(補塡)한 자이다. 오직 단경(段熲)만은 환관에게 아부하여 재물을 바쳐 벼슬을 얻었고 끝내는 또한 이 때문에 몸을 망쳤으니, 아마도 가장 낮은 자일 것이다.

• • • • • •

176 하서(河西)의 삼명(三明) : 삼명은 자(字)에 '명(明)' 자가 있는 후한 말기의 세 사람을 말하는데, 자가 기명(紀明)인 단경(段熲), 자가 위명(威明)인 황보규(皇甫規), 자가 연명(然明)인 장환(張奐)을 가리킨다. 이들 세 사람은 모두 무용이 뛰어나고 위명(威名)이 있어 '하서 삼명'으로 불리었으나 세 사람의 성취는 각기 달랐다. 황보규는 당고(黨錮)의 화에 자신도 처벌을 받겠다고 자백하여 서주(西州)의 호걸로 알려졌다. 반면에 장환은 당고의 화에 환관들에게 속아 두무(竇武)를 살해하는데 일조하였으나 뒤에 이것을 알고 뉘우쳤으며, 단경은 환관들에게 아부하였는바, 자세한 내용은 다음과 같다. 영제(靈帝) 건녕(乾寧) 원년(168) 두무(竇武)와 진번(陳蕃)이 발호하는 환관들을 제거하려다가 도리어 환관들에게 죽임을 당하였는데, 이때 장환이 호흉노중랑장(護匈奴中郎將)으로 부름을 받고 도성인 낙양에 왔는바, 환관들이 궁중에서 내란을 일으켰으나 장환은 상황을 잘 알지 못하였다. 이에 환관인 조절(曹節) 등은 장환을 속여 황제의 명이라며 오영(五營)의 병사를 거느리고 두무를 반역죄로 몰아 토벌하게 하였다. 그 후 장환은 이 공로로 승진하고 후(侯)에 봉해졌으나 조절 등에게 속은 것을 알고 끝까지 사양하였다. 또한 억울하게 죽은 두무와 진번을 변호하고 당고에 연루된 사람들을 석방할 것을 청하였다. 한편 단경은 환관들에게 아부하여 돈을 바치고 삼공(三公)의 지위를 샀으므로 가장 낮다고 한 것이다.

95. 원소袁紹의 부하로 있던
저수沮授와 전풍田豐

해설 | 후한 말기 가장 강성했던 군벌(軍閥)인 원소에게 명사가 많았음을 말하고, 이 가운데 저수와 전풍이 가장 유능하였으며 특히 저수는 지략이 뛰어난 일세의 호걸이었으나 애석하게도 덕량이 부족한 원소에게 의탁하였으므로 실패한 것이라고 평하였다.

袁本初는 部下名士甚多로되 惟沮授, 田豐最賢이요 而授智計尤勝하니 如授者는 可謂一時之傑이어늘 而惜託身非其所耳라

원본초(袁本初)[177]의 부하 중에는 명사가 매우 많았으나 오직 저수(沮授)와 전풍(田豐)이 가장 어질었는데, 저수는 지모와 계략이 더더욱 뛰어났다. 저수와 같은 이는 당대의 인걸이라고 할 만한데, 다만 의탁할 만한 사람이 아닌 자에게 몸을 의탁한 것이 애석할 뿐이다.

••••••
177 원본초(袁本初) : 후한 말기의 군벌(軍閥)인 원소(袁紹)로, 본초는 자이다. 사세
    오공(四世五公)의 귀족 출신으로 명사들과 교유하기를 좋아하여 명성이 있었으
    나, 남을 시기하고 의심하여 결국 실패하였다.

96. 멸족에 이른
한漢의 유연劉淵·유총劉聰과
후조後趙의 석호石虎

해설 | 오호십육국(五胡十六國) 시대에 흉노족으로 진(晉)나라가 혼란한 틈을 타고 일어난 유연과 그의 아들 유총의 자손들이 모두 근준(靳準)에게 멸족당한 사실과, 후조(後趙) 석호의 손자 38명이 염민(冉閔)에게 멸족당한 사실을 말하고, 이는 하늘이 직접 이들을 처벌할 수 없어 사람의 손을 빌린 것이라고 단정하였다.

이들 두 나라는 황제를 참칭하고 중국을 어지럽힌 데다가 부도덕한 짓을 자행하였으므로 농암이 이렇게 말한 것이다.

靳準이 殺淵, 聰子孫할새 劉氏男女를 無少長히 皆斬하고 冉閔이 殺石虎
三十八孫하여 盡滅石氏하여 其事正相類하니 皆天假手也라

근준(靳準)이 유연(劉淵)과 유총(劉聰)의 자손을 죽일 적에 유씨의 남녀노소를 막론하고 모두 참수하여 죽였고,[178] 염민(冉閔)이 석호(石虎)의

••••••
178 근준(靳準)이……죽였고 : 근준과 유연(劉淵)은 모두 흉노족으로, 근준은 유연의 부하였다. 유연은 진나라가 혼란하자, 한나라의 외손이라며 국호를 한(漢)이

38명의 손자를 죽여 석씨를 완전히 멸족시켰다.[179] 그 일이 참으로 똑같으니, 이는 모두 하늘이 이들의 손을 빌린 것이다.

••••••

라 하였다. 유연이 죽고 유화(劉和)가 즉위하였으나 유총(劉聰)이 살해하고 뒤이어 즉위하였는데, 국세가 더욱 강성하여 진나라를 공격, 회제(懷帝)와 민제(愍帝)를 차례로 살해하니, 진나라는 남쪽으로 천도하여 동진(東晉)이 되었다. 유총이 죽고 유찬(劉粲)이 즉위하였으나 황음무도하여 유총의 황후인 근씨(靳氏) 등과 상중에 궁중에서 음탕한 짓을 자행하였다. 근준은 황후 근씨의 아버지였다. 유찬이 주색에 빠져 군국의 대사를 모두 근준에게 맡기자, 근준은 군대를 동원하여 유찬을 죽이고 즉위하였으나 밖에 나가 있던 유요(劉曜)와 석륵(石勒)에게 패하여 죽었다. 유요가 즉위하여 국호를 전조(前趙)라 하였으나 석륵에게 패망하고 만다.

179 염민(冉閔)이……멸족시켰다 : 염민은 자가 영증(永曾)으로 후조(後趙)의 왕인 석호(石虎)의 양자이며, 석호는 석륵(石勒)의 조카이다. 석륵은 갈족(羯族) 출신으로 원래는 유연의 부하였으나 뒤에 후조(後趙)를 세우고 황제를 참칭하였다. 석륵이 죽고 태자 석홍(石弘)이 즉위하였으나 시기심이 많자, 신변의 위협을 느낀 석호가 그를 살해하고 황제가 되었다. 석호가 죽고 석세(石世)가 즉위하였으나 형인 석준(石遵)에게 또다시 살해당한다. 염민은 원래 석준의 부하였다. 석준이 석세를 몰아내려고 할 적에 성공하면 염민을 태자로 삼겠다고 약속하였으나 이를 실천하지 않고 도리어 제거하려 하자, 염민이 계략으로 석준을 폐위하고 석호의 서자 석감(石鑒)을 옹립하였다. 석감도 여러 차례 염민을 제거하려 하였으나 번번이 실패하고 염민에게 죽임을 당하였다. 염민은 석씨의 뿌리를 뽑기 위해 석호의 손자 38명을 모두 죽이고 황제가 된 다음 국호를 위(魏)라 하였으나 곧바로 전연(前燕)의 모용각(慕容恪)에게 멸망당하였다.

97. 위현韋賢과 방덕공龐德公의
   자식 교육

해설 | 《한서》의 "바구니에 가득찬 황금을 자식에게 물려주는 것이 자식에게 경전 하나를 가르치는 것만 못하다."라는 말을 비판하고, 후한 말기 은사인 방덕공이 벼슬하지 않고 농사지으며 유표에게 "남들은 모두 위태로운 것을 물려주지만 나만은 편안한 것을 물려준다."라고 한 말을 칭찬하였다.

韋賢云 "遺子黃金滿籯이 不如敎子一經"이라하니 世以爲名言이라 然이나 敎之以榮名은 與遺之以富厚로 相去幾何오 龐公之對劉表曰 "人皆遺之以危어늘 我獨遺之以安이니 雖所遺不同이나 未爲無所遺"라하니 此言이 更高賢數著이니라

위현(韋賢)이 "바구니에 가득찬 황금을 자식에게 물려주는 것이 자식에게 경전 하나를 가르치는 것만 못하다."라고 하니,[180] 세상에서 이를 명

180 위현(韋賢)이……하니 : 위현은 전한(前漢) 때의 추(鄒) 땅 사람으로 자는 장유(長孺)인데 욕심이 적고 때때로 노시(魯詩)를 익혀 추로(鄒魯)의 대유(大儒)로 이름났다. 대장군 곽광(霍光)과 함께 선제(宣帝)를 옹립, 승상(丞相)이 되었고 부양후(扶陽侯)에 봉해졌으며, 네 아들을 잘 가르쳐 모두 현달(顯達)하였다. 그러나 위의 내용은 위현이 직접 말한 것이 아니고, 위현의 여러 아들들이 부친을

언이라고 한다. 그러나 자식에게 영화와 명성을 가르치는 것이 부유함을 물려주는 것과 그 차이가 얼마나 되겠는가. 방공(龐公)이 유표(劉表)에게 대답하기를 "남들은 모두 자손들에게 위태로운 것을 물려주지만 나만은 편안한 것을 물려주니, 비록 물려주는 것이 똑같지 않지만 물려주는 것이 없는 것은 아니다." 하였으니,[181] 이 말이 위현의 말보다 몇 등급 높다.

••••••

　　따라 경학을 배워 출세하였으므로 당시 그가 사는 고장에서 이 말을 한 것을 역사가가 그의 열전에 써넣은 것이다. 이 내용은《명심보감(明心寶鑑)》〈훈자편(訓子篇)〉에도 보이는바,《한서》를 출전으로 표기하고 있다.《漢書 卷73 韋賢傳》

181　방공(龐公)이……하였으니 : 방공은 후한 말기 은사인 방덕공(龐德公)이다. 유표(劉表)는 한나라 종실(宗室)로 이때 형주자사(荊州刺史)로 있었는데, 그의 관내인 양양(襄陽)에 방공이 은거하였으므로 찾아가 출사할 것을 권한 것이다. 이 내용은《후한서》〈방공열전〉에 보이는바, 주자의《소학》〈선행(善行)〉에도 똑같이 실려 있다.

98. 귀유광歸有光의 〈하씨선영비명何氏先塋碑銘〉에 보이는 주석의 오류

해설 | 귀유광의 《진천집(震川集)》에 실려 있는 〈하씨선영비명〉의 잘못된 주석을 지적한 글이다. 강 교수에 의하면, 《진천집》은 상숙본(常熟本)이 있고 곤산본(崑山本)이 있는데 판본이 서로 다르다 한다. 이 주석은 귀유광의 증손인 귀장(歸莊)이 집안에 보관되어 있던 본과 상숙본, 곤산본을 대조 교감하고 예전에 누락됐던 작품들을 보충하여 전집으로 만든 것이다. 이 비의 명문은 주석이 없이는 알기 어려운바, 농암은 이 가운데 잘못된 부분을 지적·비판하였다. 글을 꼼꼼히 본 선현들의 자세에 다시 한 번 경의를 표한다.

歸震川集의 《何氏先塋碑銘》에 "晉興恩澤이 著自廬江하여 文穆贊密이라 懿哉孝子여 實維昆季 皆有名德"이라한대 註云 "何求와 求弟點·胤을 世稱何氏三高하고 而點又有孝隱士之目하니 所謂懿哉孝子여 實維昆季 皆有名德也"라하니라 按碑文에 "已言何是晉孝子琦之後"라하니 銘言孝子는 正亦是琦니 何得爲點이리오 想註者之意는 以點兄弟有名稱故로 附會於昆季名德之文이나 然詳此所謂昆季는 正以琦是充之從兄으로 承上文穆說來故로 云耳요 非指點兄弟也니라【以下辛巳所錄】

귀진천(歸震川)[182]의 문집에 실려 있는 〈하씨선영비명(何氏先塋碑銘)〉[183]에

• • • • • •

182 귀진천(歸震川) : 귀유광(歸有光, 1506~1571)으로 진천은 호이고 자는 희보(熙
甫)이다. 가정(嘉靖) 44년(1565) 60세 때 진사시에 급제하였는데 그때까지 뛰어
난 학문으로 고향의 사숙(私塾)에서 많은 제자들을 길러냈으며 벼슬이 남경태
복시 승(南京太僕寺丞)에 이르렀다. 그의 문장은 흉중에서 우러나오는 진지한 감
성이 독자의 심금을 울린다는 평을 받았으며, 당·송의 문장을 배워 평이하나 유
려하고 명확한 문장을 구사하였다.

183 하씨선영비명(何氏先塋碑銘) : 명나라 때 진사에 급제한 하규(何煃)의 선영에 대한
비명으로, 첫 부분은 "남릉의 하진사 규는 진나라의 효자 기(琦)의 후손이다.[南陵
何進士煃 晉孝子琦之後也]"로 시작된다. 이 비명은 문장이 길며 역대 하씨들의 행적
을 열거하고 있어 이해하기가 매우 어렵다. 독자들의 이해를 위해 명문과 귀장(歸
莊)의 주해를 함께 붙인다.
大吉之姓, 歸有胡何, 厥原維一.
何於四宗, 特世多顯, 封侯外戚.
氾鄉蜀郫. 愼濟陽宛, 族以運撥.
成陽陽夏, 穎昌遂之, 逾貴而溢.
繼東海郯, 廬江相望, 雅道郁郁.
晉興恩澤, 著自廬江, 文穆贊密.
懿哉孝子, 實維昆季, 皆有名德.
戾於宣城, 厥縣陽谷, 子孫世苗.
迢迢千載, 奚前之邃, 而後之塞.
纍纍者墳, 山高水深, 厥藏孔謐.
想其生時, 黃髮兒齒, 熙然古質.
蘊積之久, 是生黃門, 逢時濬發.
松柏丸丸, 石虎馬羊, 青葱崛岶.
凡爾後世, 有孝有忠, 敬視斯述.
註
〔按 : 「大吉」字疑誤. 據羅泌《路史》 : "歸, 有, 胡, 何四姓, 皆虞舜後. 此文連擧四姓, 必
引用《路史》, 則當云「大舜之後」, 或「有嬀之後」. 何氏自前漢何武, 以司空封氾鄕侯. 蜀
郫人. 後漢何進, 以外戚封愼侯. 進弟苗, 封濟陽侯. 皆宛人. 武爲新莽所殺. 進謀誅宦
官, 不克而死. 漢亦隨以亡, 所謂「族以運撥」也. 三國何夔仕魏, 封成陽亭侯. 晉何曾,
陽夏人. 以三公封穎昌侯. 陽夏之何, 至曾而顯, 故云「穎昌遂之」. 曾日食萬錢, 累世奢
侈過度, 所謂「逾貴而溢」也. 何無忌, 東海郯人. 何充, 廬江灊人, 而宋何尙之及何點兄
弟, 亦皆灊人, 所謂「廬江相望, 雅道郁郁」也. 何準之女, 爲晉穆帝后, 而何充以尙書令
輔幼主, 諡文穆, 所謂「晉興恩澤, 著自廬江, 文穆贊密」也. 何求, 求弟點, 胤, 世稱「何
氏三高」, 而點又有孝隱士之目, 所謂「懿哉孝子, 實惟昆季, 皆有名德」也. 宋神宗時, 何

"진나라 초기에 은택이 내려져 여강에서 명성이 드러났고 문목공(文穆公)184이 어린 군주를 보필하였네. 훌륭하다, 효자여! 참으로 형제들이 모두 명성과 덕망이 있었네.〔晉興恩澤 著自廬江 文穆贊密 懿哉孝子 實維昆季 皆有名德〕" 하였는데, 그 주에 "하구(何求)와 하구의 아우 하점(何點)·하윤(何胤)을 세상에서 하씨삼고(何氏三高)라고 칭하고, 하점은 또 효성스러운 은사(隱士)라는 지목이 있었으니, '훌륭하다, 효자여! 참으로 형제들이 모두 명성과 덕망이 있었네.'라는 말은 이 글을 가리킨 것이다." 하였다.

내가 살펴보건대 비문에 이미 "하씨는 진(晉)나라의 효자 하기(何琦)의 후손이다."라고 하였으니, 명(銘)에 말한 '효자'는 바로 이 하기이다. 어찌 하점이 될 수 있겠는가. 생각해보건대 주를 낸 사람의 뜻은 하점의 형제가 명망이 있었기 때문에 형제들이 모두 명성과 덕망이 있었다는 글에 부회(附會)한 것이다. 그러나 여기에서 말한 형제는 자세히 살펴보면 바로 하기가 하충(何充)의 종형으로 윗글의 '문목(文穆)'을 이어 말하였기 때문에 이렇게 말한 것일 뿐이요 하점 형제를 가리킨 것이 아니다. - 이하는 신사년(1701, 숙종 27)에 기록한 것이다. -

••••••

正臣, 以刑部侍郎知宣州,「宣城」疑指此.「陽谷」未詳. 莊識.〕

184 문목공(文穆公) : 동진(東晉)의 재상인 하충(何充)의 시호이다. 자는 차도(次道)로 성제(成帝) 때에 이부 상서(吏部尙書)가 되었으며, 영화(永和) 초년에 재상이 되어 어린 군주를 잘 보필하였다.《晉書 卷77》이에 대한 것은 앞의 "이 책에 대하여"에서 간략히 말한 바 있다.

99. 소식蘇軾의 글로 알려진
황정견黃庭堅의 〈장익로 제금찬張益老諸琴贊〉

해설 | 일찍이 《동파집》에 실려 있는 금명(琴銘)을 읽고 문체가 다름을 의심하였는데, 뒤에 이 금명이 황정견의 《산곡집(山谷集)》에도 실려 있음을 발견하고 이것이 소식의 문집에 잘못 실린 것임을 알게 되었음을 밝힌 글이다. 금명은 거문고에 대한 명문인데, 여기에서 농암이 금찬(琴贊)으로 바꾸어 쓴 듯하다. 금명은 모두 12개의 거문고에 대한 글로, 곧 진릉고동(震陵孤桐), 향림팔절(香林八節), 호종(號鍾) 등을 이른다.

嘗讀坡集의 《張益老諸琴贊》하고 頗疑其不類하여 意謂此老故變格出奇하여 作此沈著瑰巧語耳러니 後讀《山谷集》호니 亦載此文이라 又見其答張益老書하니 云 "欲徧爲諸琴品藻稱述"이라하니 此尤爲明證이니 乃知坡集誤也로라

내가 일찍이 《동파집(東坡集)》의 〈장익로 제금찬(張益老諸琴贊)〉[185]을 읽고

••••••

185 장익로 제금찬(張益老諸琴贊) : 강 교수에 의하면 장익로는 황정견의 고향 친구라 하며, '제금찬'은 여러 거문고에 대한 찬으로 소식의 문집에 실려 있는 〈십이금명(十二琴銘)〉을 말한다. 이 가운데 첫 번째 나오는 '진릉고동(震陵孤桐)'에 장익로의 이름이 나온다 하였다.

는 이 글이 동파의 문장과 유사하지 않음을 몹시 이상하게 여겨, '이 노인이 일부러 격식을 변화시키고 기이한 글을 써내어서 이처럼 침중(沈重)하고 정교한 글을 지은 것일 뿐이다.'라고 생각하였다. 그런데 뒤에 《산곡집(山谷集)》을 읽어보니 여기에도 이 글이 실려 있었다. 또 산곡(황정견)이 장익로에게 답한 글을 보니, 이 글에 "여러 거문고들에 대해 두루 품평하고 싶었다."라고 하였으니, 이것이 더욱 분명한 증거이다. 그제서야 《동파집》에 잘못 실린 것임을 알게 되었다.

100. 소식의 시에 달린 잘못된 주석

해설 | 소식이 차운한 시에 잘못된 주석이 있음을 지적한 글이다. 이 주석은 송나라의 왕십붕(王十朋)이 소식의 시를 분류하고 여러 사람의 주해를 모아 엮은 《동파시집주》인데, 이 내용은 조기(趙夔)의 주해를 그대로 따른 것이라 한다.

東坡次韻滕元發, 許仲途, 秦少游詩에 "二公詩格老彌新이어늘 醉後狂吟許野人이라 坐看靑丘呑澤芥하고 自慚潢潦薦溪蘋이라 兩邦旌纛光相照어늘 十畝鋤犂手自親이라 何似秦郎妙天下하여 明年獻頌請東巡"이라한대 註에 "兩邦旌纛는 意者滕元發, 許仲途皆爲太守乎인저 然破題에 指之爲許野人하니 未省"이라하니라 按許는 卽許與之義니 謂二公能詩而却許野人醉後狂吟也라 二公은 指滕, 許요 而野人則坡自稱耳니 何干仲途리오 然則兩邦之爲元發, 仲途信矣라 註乃緣一許字하여 有此疑難하니 可笑라 偶閱坡集이라가 書之하노라【或疑二公은 指元發, 少游요 而野人은 指仲途라하니 則第七句秦郎이 不應另出이요 且少游乃東坡後輩어늘 豈應稱老耶아 ○以下는 癸未所錄이라】

동파(소식)가 〈등원발(滕元發),[186] 허중도(許仲途),[187] 진소유(秦少游)[188]〉의
시에 차운한 시에

두 분의 시격은 늙을수록 더욱 참신한데	二公詩格老彌新
취하여 미친 듯 읊조리는 야인을 허여하네	醉後狂吟許野人
푸른 언덕이 연못의 작은 것 삼키는 것[189] 보니	坐看靑丘吞澤芥
흙탕물의 시내에서 마름 올리는 것 부끄럽네	自慚潢潦薦溪蘋
두 고을의 깃발이 밝게 서로 비추는데	兩邦旌纛光相照
나는 열 이랑 밭에서 호미질 손수하고 있구나	十畝鋤犁手自親
진랑의 문장 솜씨 천하에 으뜸이니	何似秦郞妙天下
내년에 〈동순송〉을 올림이 어떠한가[190]	明年獻頌請東巡

하였는데, 그 주(註)에 "두 고을의 깃발이라 한 것을 보면 아마도 등원

••••••

186 등원발(滕元發) : 동양(東陽) 사람으로 본래의 이름은 보(甫)이고, 자는 달도(達
道)이며, 호는 명수(名帥)이다. 범중엄(范仲淹)의 외손(外孫)으로 어려서부터 문
장에 능했고, 개봉부윤(開封府尹)을 지냈다. 송나라 신종(神宗)에게 신임을 받았
으나, 부당(婦黨, 처가의 집안) 이봉(李逢)의 역모(逆謀)에 좌천되었다.

187 허중도(許仲途) : 소식의 문집에 보이지만, 누구인지 자세하지 않다.

188 진소유(秦少游) : 북송 때의 문인인 진관(秦觀, 1049~1100)으로, 소유는 자이
며 호는 회해거사(淮海居士)이다. 소식(蘇軾)의 문인으로 황정견(黃庭堅)·조보
지(晁補之)·장뇌(張耒)와 함께 '소문사학사(蘇門四學士)'로 일컬어졌다. 저서로
《회해집》이 있다.

189 푸른……것 : 푸른 언덕이 못과 초목을 포용하고 있음을 가지고 상대방이 넓은
도량으로 변변찮은 자신을 포용함을 빗댄 것이다.

190 진랑(秦郞)의……어떠한가 : 진소유(秦少游)가 머지않아 천자에게 문장을 인정
받아 크게 영달할 것이라는 말이다. 후한(後漢) 안제(安帝) 때에 마융(馬融)이
〈동순송(東巡頌)〉을 올리자 안제가 그 문장을 가상하게 여기고 그를 불러 낭중
(郞中)을 제수하였다. 《後漢書 卷60上 馬融列傳》

발과 허중도가 모두 태수였던 듯하다. 그러나 파제(破題, 제목설명)에 그를 가리켜 '허 야인(許野人)'이라고 하였으니, 알 수 없다." 하였다. 내가 살펴 보건대, '허(許)'는 곧 허여한다는 뜻으로, 두 분이 시를 잘하는데도 야인 이 취하여 분방하게 시 읊조리는 것을 허여해 준다는 말이다. 두 분은 등원발과 허중도를 가리키고 야인은 동파가 자신을 지칭한 것이니, 어찌 허중도와 관계 되겠는가. 그렇다면 두 고을은 등원발과 허중도임이 분명 하다. 그런데 주석에는 '허(許)' 자 하나 때문에 이처럼 의심과 논란이 있 게 되었으니, 가소롭다. 우연히 《동파집》을 보다가 쓴다. – 혹자는 두 공은 등원발과 진소유를 가리키고 야인은 허중도를 가리킨 것이 아닌가 하고 의심하는데, 만약 그렇다면 제7구에 '진랑'이 별도로 나올 리가 없고 또 진소유는 동파의 후배인데 어찌 늙었다 고 할 리가 있겠는가. ○ 이하는 계미년(1703, 숙종 29)에 기록한 것이다. –

101. '정情'과 '청晴'을 통용한 유몽득劉夢得의 〈죽지사竹枝詞〉

해설 | 유몽득의 〈죽지사〉에 '유정(有情)', '무정(無情)'이란 말이 보이는데, 여기의 '정'은 청(晴)의 뜻이 있음을 밝히고, 이는 〈독곡가(讀曲歌)〉의 유풍이라며 〈독곡가〉의 '비(碑)'는 비(非), '리(籬)'는 리(離)로 읽음을 말하고, 그 사례로 장뇌(張耒)의 《명도잡지》를 들었다.

劉夢得의《竹枝詞》에 "東邊日出西邊雨하니 道是無情【晴下同】還有情"이라하니 人多未曉其意라 余謂此卽古詩《讀曲》之遺니 蓋情與晴同音故로 以東邊日、西邊雨로 喩男女之際에 似無情而又似有情也라 正如《讀曲》에 "石闕生口中하고 含碑【悲也】不得語"와 "風吹黃蘗藩하여 惡作苦籬【離也】聲"之類也라 余雖解得如此나 而人未深信이러니 後見張文潛《明道雜志》하니 "韓持國이 每酒後에 好謳柳三變一曲하니 其一句云 '多情到了多病'이라한대 有老婢每聽之하고 輒云 '大官體中은 每與人別이라 我는 天將雨하면 輒體中不佳어늘 而貴人은 多晴致病耶'"아하니 此蓋認情爲晴故로 其語如此也니 正可爲前詩之證이라【東坡《代人贈別》詩에 "蓮子擘開須見臆하고 楸枰著盡更無期라 破衫却有重逢處하니 一飯何曾忘却時"도 亦此類也라】

유몽득(劉夢得)의 〈죽지사(竹枝詞)〉[191]에 "동쪽에서는 햇볕이 나고 서쪽에서는 비가 내리니, 날 흐린가 하였더니 다시 개었네.〔東邊日出西邊雨 道是無情還有情〕" - '정(情)'은 청(晴)이니 아래도 같다. - 하였는데, 사람들은 대부분 그 뜻을 알지 못한다. 나의 생각에 이는 고시 〈독곡가(讀曲歌)〉의 유풍인 듯하다. '정(情)'은 청(晴)과 음이 같기 때문에 '동쪽에서는 햇볕이 나고 서쪽에서는 비가 내린다'는 말을 가지고 남녀 사이에 무정한 듯하면서도 유정한 듯함을 비유한 것이다. 이는 〈독곡가〉의 "단단한 돌문이 입안에 생기니, 슬픔을 머금어 말을 못하네.〔石闕生口中 含碑不得語〕" - '비(碑)'는 비(悲)이다. - 와 〈석성악(石城樂)〉의 "바람이 황벽나무 울타리에 불어, 괴롭게 이별의 소리 내누나.〔風吹黃蘗藩 惡作苦籬聲〕" - '리(籬)'는 리(離)이다. - 등과 똑같은 종류일 것이다. 내가 비록 이와 같이 풀이하였지만 사람들은 그다지 믿지 않았다.

뒤에 장문잠(張文潛)의 《명도잡지(明道雜志)》[192]를 보니, "한지국(韓持國)[193]

••••••

191 유몽득(劉夢得)의 죽지사(竹枝詞) : 유몽득은 당나라 중기의 시인 유우석(劉禹錫)으로, 몽득은 자이다. 순종(順宗)이 즉위하자 권력을 잡은 왕숙문(王叔文)에게 붙어 유종원(柳宗元)과 함께 등용되었으나, 순종이 중풍으로 물러나고 헌종(憲宗)이 즉위하자 외직으로 쫓겨나 〈죽지사〉 등의 사부를 지어 불편한 심정을 토로하였다. 저서로 《유빈객문집(劉賓客文集)》이 있다.

192 장문잠(張文潛)의 명도잡지(明道雜志) : 장문잠은 송나라의 문인 장뇌(張耒)로 문잠은 자이다. 시문에 뛰어났으며, 구법당(舊法黨)으로 몰려 곤궁하였으나 지절(志節)이 뛰어났다. 동파(東坡)의 문인으로 소문사학사(蘇門四學士) 가운데 한 사람이다. 《명도잡지》는 그의 저서로 당시의 잡사(雜事)를 비롯해 보고 들은 조야(朝野)의 문인과 소식(蘇軾), 사마광(司馬光), 왕안석(王安石), 황정견(黃庭堅) 등 문학가들에 대한 내용이 많다.

193 한지국(韓持國) : 북송의 명신 한유(韓維)로, 지국은 자이고, 호는 남양(南陽)이다. 인종(仁宗) 때에 구양수(歐陽脩)의 천거로 지태상례원(知太常禮院)이 되었고, 한림학사(翰林學士) 등의 관직을 지냈다. 왕안석(王安石)의 신법(新法)을 반대하다가 원우당인(元祐黨人)으로 몰려 균주(均州)에 위리안치 되었다가 죽었다. 저서로 《남양집》이 있다.

은 술을 마신 뒤에 매번 유삼변(柳三變)¹⁹⁴이 지은 한 곡을 읊조리기 좋아하였는데, 이 가운데 한 구에 '날씨가 맑은 까닭에 병이 많음에 이르렀네.〔多情到了多病〕' 하였다. 늙은 계집종이 이 구절을 들을 때마다 '높은 분의 몸 속은 언제나 보통 사람들과 다르구나. 나는 비가 오려하면 몸이 좋지 않은데 귀인은 날이 맑으면 병이 나시는가?' 하였다."라고 하였다. 이는 '정(情)'을 '맑다〔晴〕'로 알아들었기 때문에 그의 말이 이와 같았던 것이니, 앞서 말한 시의 증거가 될 만하다. ― 동파의 〈대인증별(代人贈別)〉¹⁹⁵ 시에 "연밥 벌어지면 반드시 속을 보아야 하리. 바둑 한 판 다 두고 나니 다시 만날 기약 없네. 헤어져도 다시 만날 날이 있으니 밥 먹을 때마다 어찌 잊을 수가 있으랴.〔蓮子擘開須見臆 楸枰著盡更無期 破衫却有重逢處 一飯何曾忘却時〕" 한 것도 또한 이러한 종류이다. ―

• • • • • •

194 유삼변(柳三變) : 송나라의 문인 유영(柳永)으로, 삼변은 그의 처음 이름이고 자는 기경(耆卿)이며, 벼슬이 둔전원외랑(屯田員外郎)이었으므로 유둔전(柳屯田)으로 불리었다.

195 동파의 대인증별(代人贈別) : 원래 제목은 〈석상 대인증별(席上代人贈別)〉로, 인용한 시는 총 3수 가운데 두 번째 작품이다. 송나라 왕십붕(王十朋)의 《동파시집주(東坡詩集註)》에 '수견억(須見臆)'의 억(臆)은 억(薏, 연밥알맹이), '갱무기(更無期)'의 기(期)는 기(棋, 바둑돌), '중봉처(重逢處)'의 봉(逢)은 봉(縫, 꿰매다), '망각시(忘却時)'의 시(時)는 시(匙, 숟가락)의 의미가 숨어있다고 주하였는바, 이 주에 의거하면 "연밥 벌어지면 반드시 속을 보아야 하리. 바둑 한 판 다 두고 나니 다시 만날 기약 없네. 헤어져도 다시 만날 날이 있으니 밥 먹을 때마다 어찌 잊을 수가 있으랴.〔蓮子擘開須見薏 楸枰著盡更無棋 破衫却有重縫處 一飯何曾忘却匙〕" 라는 의미의 시가 된다.

102. 늙음을 탄식한 소옹邵雍의 시

해설 | 강절 소옹이 66세에 지은 시를 읽고 소감을 피력한 글이다. 학문과 도덕이 높은 강절은 노년에도 백척간두에서 진일보하려는 의지가 있었음을 밝히고, 농암 자신은 강절보다 젊어 진보할 희망이 없지 않으나 그동안 축적한 공부가 없으니, 열 배의 노력을 계속하지 않으면 안 된다고 다짐하였다.

康節六十六歲詩云 "使吾却十歲면 亦可少集事어늘 奈何天地間에 日無再中理"오하니 蓋歎之深也라 以康節之學으로 於天下事에 旣已無所不通이어늘 而其言如此하니 豈所謂百尺竿頭進步者耶아 自思今年尙不及康節十三歲하니 亦不無進步之地矣로되 但前此全無工夫하니 苟非十倍努力이면 又何望少集事耶아 此却瞿然可深省也라 偶看《擊壤集》이라가 書此하노라

소강절(邵康節)이 66세에 지은 시에

내가 만일 십 년만 뒤로 물릴 수 있다면	使吾却十歲
조금은 일을 이룰 수 있을 터인데	亦可少集事
어찌하여 천지간에	奈何天地間

해가 하루에 두 번 뜨는 이치가 없는가	日無再中理

하였으니, 이는 늙음을 깊이 탄식한 것이다.

소강절의 학문은 천하의 일에 대해 이미 통달하지 못한 것이 없었다. 그런데도 그 말씀이 이와 같았으니, 아마도 이른바 백척간두에서 진일보한다는 것이 아니겠는가.

스스로 생각해 보건대 나는 올해 아직도 소강절의 당시 나이보다 13세나 젊으니 진보할 여지가 없지 않으나 다만 이전에 공부한 것이 전혀 없으니, 만일 열 배 더 노력하지 않는다면 어찌 조금이라도 일을 이루기를 바라겠는가. 이것은 두려워 깊이 반성할 만한 점이다. 우연히 《격양집(擊壤集)》[196]을 보다가 이것을 쓰노라.

------

196 격양집(擊壤集) : 강절(康節) 소옹(邵雍, 1011~1077)의 시집으로, 이 내용은 권 15에 보인다.

103. 황정견黃庭堅의 〈유백화주 이씨원游百花洲李氏園〉 시에 대한 주석의 오류

해설 | 황정견의 〈유백화주〉 시에 '삼공(三公)'이란 말이 보이는바, 이는 특정한 사람을 가리킨 것이 아니고 삼공의 높은 지위를 말한 것인데, 사용(史容)의 주에 이 백화주와 관련이 있는 세 재상을 든 것에 대해 그 잘못을 지적하였다.

山谷《游百花洲李氏園》詩에 "三公未白髮이요 十輩乘朱輪이라 只取人看好하니 何益百年身이리오 但願長今日하여 淸樽對故人"이라하니 此蓋設言黑頭作相하고 家世煒赫이라도 只敎人好看이요 而要無益於吾身云爾라 註者乃以三公으로 爲寇萊公, 范文正, 謝希深하니 此只見百花洲에 有三公舊蹟하고 而附會如此하여 大失作者本意하니 可笑라

황산곡(黃山谷)의 〈유백화주 이씨원(游百花洲李氏園)〉[197] 시에

. . . . . .

197 유백화주 이씨원(游百花洲李氏園) : 백화주는 등주(鄧州)의 남쪽 물가에 있는 유원지이다. 이 시는 황정견의 《산곡외집 시주(山谷外集詩注)》 권3에 실려 있는 〈병인 십사수 효위소주(丙寅十四首效韋蘇州)〉 시인데, 여기에 다음과 같은 서(序)가 붙어있다. "2월 병인에 이원 언심(李原彦深), 사암 공정(謝喦公靜)을 데리고 백화주를 찾아가 놀려 하였는데, 놀러온 사람들이 차지하고 있었다.…말을 이씨의 정

백발이 되기 전에 삼공에 오르고	三公未白髮
한 집안에 열 사람이 붉은 수레 탄다 해도	十輩乘朱輪
이것은 다만 남들 보기에 좋을 뿐이니	只取人看好
백 년 인생에 무슨 유익함이 있겠는가	何益百年身
다만 바라는 것은 오늘이 영원히 이어져	但願長今日
맑은 술동이 끼고 벗 마주하는 것이라오	淸樽對故人

하였는데, 이는 가설하여 말한 것으로, 검은 머리에 정승이 되고 가문
이 대대로 혁혁하더라도 이것은 단지 남들이 보기에 좋은 것일 뿐이요,
요컨대 자기 몸에는 유익함이 없다고 말한 것이다. 그런데 주를 낸 자가
마침내 '삼공(三公)'을 구 내공(寇萊公, 구준(寇準)), 범 문정(范文正), 사희심(謝希深)
이라고 하였으니, 이는 백화주(百花洲)에 이 세 공의 옛 자취[198]가 있는 것만
을 보고 이처럼 부회하여 작자의 본의를 크게 잃었으니, 가소롭다.

●●●●●●
원에 매어두고 걸어서 광제사(廣濟寺)에 이르러 구충민 내국공(寇忠愍萊國公)의
사당에 배알하였다."

198 세 공의 옛 자취 : 위 서에서 보이는 구충민(寇忠愍)은 구준(寇準)으로 충민은
그의 시호이고 내국공(萊國公)에 봉해졌으므로 구래공(寇萊公)이라 하였는바,
여기에 그의 사당이 있다. 범문정(范文正)은 범중엄(范仲淹)으로 문정은 그의 시
호인데, 백화주는 원래 범중엄이 등주 자사로 있을 때 조성하였고 등국공(鄧國
公)에 봉해진 장사손(張士孫)과 이곳에서 시를 창수하였다. 사희심(謝希深)은 사
강(謝絳)으로 이곳 등주의 자사로 있으면서 선정을 베풀어 죽은 뒤에 백화주에
사당을 세웠다. 그리하여 옛 자취라 한 것이다.

104. 형거실邢居實의 〈추회秋懷〉 시에 화답한 황정견黃庭堅

해설 | 황정견의 시에 명도(明道) 정호(程顥)의 죽음을 슬퍼하여 눈물 흘린 내용을 들고, 이에 대하여 명도의 덕성이 혼후(渾厚)하여 이천(伊川) 정이(程頤)의 엄격한 성품과 달랐기에 그랬던 것인가라고 의문을 표하였다.

정호와 정이와 소식은 원래 구법당(舊法黨)이었으나 뒤에 정이는 낙당(洛黨), 소식은 촉당(蜀黨)으로 갈리어 제자들 사이에 반목이 심하였다. 황정견은 소식의 문인이었는데도 정이의 형인 정호의 죽음에 애도하였으니, 이는 쉽게 납득할 수 없는 일이므로 농암이 이렇게 말한 것이다. 그러나 처음에는 반목이 그리 심하지 않았고, 정호는 성품이 원만하여 남들과 다투는 일이 적었기 때문이라 한다.

山谷《和邢敦夫秋懷》詩에 "西風壯夫淚는 多爲程顥滴"이라하니 蓋惜之也라 山谷은 蘇門人이로되 而其語如此하니 豈當時公論을 固不可掩耶아 抑明道德性寬大하여 與伊川方嚴氣象不同故로 雖蘇黨이나 亦無崖異耶아

황산곡이 형돈부(邢敦夫)[199]의 〈추회(秋懷)〉 시에 화답한 시에 "가을 서풍에 장부가 눈물 떨구니, 정호를 위하여 많은 눈물 흘리네.〔西風壯夫淚多爲程顥滴〕"라고 하였으니, 이는 명도(明道, 정호)의 죽음을 애석하게 여긴 것이다. 황산곡은 소식(蘇軾)의 문인이지만 그의 말이 이와 같았으니, 어쩌면 당시의 공론을 실로 덮어버릴 수 없었던 것이 아니겠는가? 아니면 정명도(程明道)의 덕성이 관대하여 정이천(程伊川)의 방정하고 엄숙한 기상과는 달랐기 때문에 비록 소식의 당파라 해도 모나게 대하지 않았던 것인가?

---

199 형돈부(邢敦夫) : 형거실(邢居實)로 돈부는 자이다. 사마광(司馬光) 등을 종사(宗師)로 삼고 황정견(黃庭堅) 등과 종유하여 아버지 형서(邢恕)와 달리 명망이 있었다.

105. 황정견이 지은 사마광의 만시挽詩

해설 | 황정견이 지은 사마광의 만시(挽詩)에 대한 임연(任淵)의 주의 오류를 완곡하게 지적하였다.

山谷의《司馬溫公挽》에 "毀譽蓋棺了하니 于今名實尊"이라한대 註에 言人死則毀譽亦隨而泯이어늘 獨公은 死後其名尤重이라하니라 按此謂人之毀譽至死乃大定이라 故로 公死而名實益尊重也니 註說은 恐未是라

황산곡의 〈사마온공(司馬溫公)의 만시(挽詩)〉[200]에 "훼방과 칭찬은 관 뚜껑을 덮어야 끝나는 법. 오늘날 명성과 실제가 높네.[毀譽蓋棺了 于今名實尊]" 하였는데, 주[201]에 "사람이 죽으면 칭찬과 헐뜯음이 따라서 사라

......

200 사마온공(司馬溫公)의 만시(挽詩) : 북송 철종(哲宗) 때의 명재상 사마광(司馬光)의 죽음을 애도한 시이다. 사마광은 자가 군실(君實), 호가 우수(迂叟)이며 속수향(涑水鄕) 사람이므로 속수선생이라고 칭하였고, 온국공(溫國公)에 봉해졌으므로 온공, 또는 사마온공으로 칭해졌다. 정치와 문학에도 밝았으며, 황명을 받고《자치통감(資治通鑑)》을 편찬하였다.

201 주 : 임연(任淵, 1127~1279)의 주석으로, 임연은 남송(南宋) 때의 학자이며 자는 자연(子淵)이다.《산곡내집시주(山谷內集詩注)》,《후산시주(後山詩注)》,《정화록(精華錄)》등을 저술하였다.

지는데, 유독 공만은 죽은 뒤에 그 명성이 더욱 높아졌다는 말이다." 하였다.

내가 살펴보건대, 이는 사람에 대한 훼방과 칭찬은 죽은 뒤에야 완전히 정해지기 때문에 공이 죽은 뒤에 명성과 실제가 더욱 높아졌다는 것이니, 주석의 설은 옳지 않은 듯하다.

106. 군자君子의 당黨과 소인小人의 당

해설 | 《주자어류》를 인용하여 북송 신종(神宗) 때에 왕안석의 신법을 사용함으로써 파생된 신법당과 구법당의 대립이 북송이 망하여 남도(南渡)한 뒤에도 계속되었음을 들고, 농암 당시 제기되었던 '사색당파(四色黨派)'를 조정(調停)해야 한다'는 설을 비판하였다.

주자(朱子)는 구법당을 군자, 신법당을 소인으로 분류하였는바, 농암 역시 노론을 군자, 그 나머지를 소인의 집단으로 보아 이렇게 주장한 것이다. 조선조의 사색당파는 모두 유현(儒賢)을 조종으로 삼고 주자의 성리학을 높이고 있어 어떤 당파를 소인이라고 단정지을 수 없다. 그러나 농암의 입장에서 보면 남인이 집권하고 있을 때에 스승인 우암 송시열과 부친인 김수항(金壽恒)이 사사(賜死)되는 화를 당하였으므로 그들과 화해하고 조정한다는 것은 생각조차 할 수 없는 일이었을 것이다.

《朱子語類》에 "高宗初立時에 猶未知辨別元祐、熙、豐之黨이라 故用汪、黃하여 不成人才하고 汪、黃은 又小人中之最下者라 及趙丞相居位하여 方稍能辨別하고 亦緣孟皇后居中하여 力與高宗說得透了하며 高宗又喜看蘇、黃輩文字라 故로 一朝覺悟하고 而自惡(오)之하여 而君子小人之黨始明"이라하니라 余見近世主調停之論者 每謂"我國朋黨이 已歷累世하

여 殆近百餘年하니 非如前代一時分黨之比라 聞見積習하여 難遽變改하
니 在今에 雖不無邪正之分이나 黜陟用舍를 不宜偏著一邊"이라하니 曾不
知熙、豊、元祐之黨이 汔于南渡토록 猶未已하여 朱子之論이 未嘗不以辨
別爲是하니 觀此條所論하면 可見矣라 蓋曰無邪正則已어니와 苟其有邪
正이면 則豈得以源委之遠이라하여 而不別其薰蕕冰炭乎아

《주자어류(朱子語類)》에 다음과 같은 내용이 보인다.

"고종(高宗)이 즉위한 초기에는 아직 원우(元祐)와 희령(熙寧), 원풍(元豊)
연간의 당(黨)202을 구별할 줄을 몰랐다. 그러므로 왕백언(汪伯彦), 황잠선
(黃潛善)을 기용하여 인재를 이루지 못하였고, 왕백언, 황잠선은 또 소인
중에서도 가장 낮은 자들이다. 그러다가 조 승상(趙丞相, 조정(趙鼎))이 재상
의 자리에 오르고 나서 비로소 차츰 구별할 줄을 알았고 또한 맹황후(孟
皇后)가 궁중에 있으면서 강력히 고종을 설득하였으며, 고종이 또 소동파
(蘇東坡)와 황정견(黃庭堅)의 문자를 즐겨 보았다. 이 때문에 하루아침에 깨
달아 스스로 그들을 미워해서 군자와 소인의 당이 비로소 분명해졌다."

내가 보건대, 근세에 조정론(調停論)을 주장하는 자들은 매번 "우리나
라의 붕당이 이미 몇 세대를 지나와서 거의 백여 년이 되었으니, 예전에
일시적으로 분당(分黨)한 것에 비할 바가 아니다. 오랫동안 익숙히 보고

••••••
202 원우(元祐)와……당(黨) : 원우는 철종(哲宗)의 연호로 1086~1093년까지이며,
    희령(熙寧)과 원풍(元豊)은 신종(神宗)의 연호로 희령은 1068~1077년, 원풍은
    1078~1085년까지이다. 신종이 희령 2년(1069) 왕안석(王安石)을 등용하여 신
    법(新法)을 시행하고, 이에 반대하는 구양수·사마광·소식 등 구법당을 축출하
    였다. 이에 신법당과 구법당으로 갈리어 당파 싸움이 오랫동안 계속되었기 때문
    에 이렇게 말한 것이다. 그 후 철종이 즉위하여 선인태후(宣仁太后)가 수렴청정
    을 하게 되자, 신법을 폐지하고 구법당을 등용하였다. 당시 구법당의 사람들을
    군자, 신법당의 사람들을 소인이라 하였다.

들어서 갑자기 고치기 어려우니, 지금 비록 간사하고 바른 차이가 없지 않으나 출척(黜陟)과 용사(用捨)를 어느 한 쪽으로 치우치게 해서는 안 된다."라고 한다. 이는 희령, 원풍과 원우 연간의 붕당이 금(金)나라에 쫓겨 남쪽으로 강을 건너간 뒤에도 끝나지 않아서 주자의 의논이 일찍이 그들을 변별하는 것을 옳게 여기지 않은 적이 없었음을 알지 못한 것이니, 이 조항에서 논한 것을 보면 알 수 있다. 간사하고 바른 차이가 없다고 한다면 모르지만, 만약 간사하고 바른 차이가 있다면 어찌 그 유래가 깊다고 하여 훈유(薰蕕)와 빙탄(冰炭)[203]을 가리지 않을 수 있겠는가.

203 훈유(薰蕕)와 빙탄(冰炭) : 훈은 향기가 나는 풀이고 유는 악취가 나는 풀이며, 빙은 얼음이고 탄은 숯으로, 군자와 소인처럼 성질이 크게 달라 도저히 합쳐질 수 없는 경우를 이른다.

107. 구법당과 신법당의 대립

해설 | 이 역시《주자어류》를 통해 송나라의 당쟁이 남도한 뒤에도 이어졌음을 밝히고, 조정론을 주장했던 장준(張浚)의 잘못을 지적한 글이다.

조선조의 당쟁은 숙종(肅宗) 15년(1689) 남인이 희빈(禧嬪) 장씨(張氏)의 소생인 세자를 책봉하는 문제로 서인을 몰아내고 재집권한 데서 격화되었고, 경종 1년(1721) 왕통 문제로 소론이 노론을 숙청한 신임사화(辛壬士禍)에서 극에 이르렀다 할 것이다.

又《語類》에 "因說胡珵德輝所著文字라가 問'德輝何如人'고 曰'先友也니 晉陵人으로 曾從龜山游라 趙忠簡公當國하여 與張峴巨山으로 同爲史官이러니 及趙公去位에 張魏公獨相하여 以爲元祐未必全是요 熙‧豐未必全非라하여 遂擢何掄仲, 李似表二人하여 爲史官하니 胡, 張所修史를 皆標出欲改之어늘 胡, 張遂求去하다. 及忠簡再入相하여 遂去何‧李하고 用胡, 張爲史官하여 書奏上'"이라하니 據此하면 亦見二黨之爭이 至南渡猶未已니라

또《주자어류》에 다음과 같은 내용이 보인다.

"호정 덕휘(胡珵德輝)²⁰⁴의 문장을 논함을 인하여 '덕휘는 어떤 분입니까?' 하고 묻자, 다음과 같이 대답하였다. '선친의 친구이다. 진릉(晉陵) 사람으로 일찍이 양 구산(楊龜山, 양시(楊時))을 종유하였는데, 조 충간공(趙忠簡公, 조정(趙鼎))이 국정을 담당하자 거산(居山) 장얼(張嶪)과 함께 사관이 되었다. 조공이 벼슬을 떠나가자 장 위공(張魏公, 장준(張浚))이 홀로 정승이 되었는데, 장 위공은 원우(元祐) 연간의 당인(黨人)이라고 반드시 모두 옳지는 않으며, 희령(熙寧)·원풍(元豐) 연간의 당인이라고 반드시 모두 그르지는 않다고 생각하여,²⁰⁵ 마침내 신법당(新法黨)인 하윤중(何掄仲)과 이사표(李似表) 두 사람을 발탁하여 사관으로 삼았다. 이들이 사관이 되자 호정과 장얼이 편수한 사서(史書)를 모두 조사하여 고치려고 하니, 호정과 장얼은 결국 벼슬을 버리고 떠나갔다. 조 충간공이 다시 재상으로 들어와 마침내 하윤중과 이사표를 쫓아내고 호정과 장얼을 기용하여 사관으로 삼고는 사서를 써서 임금에게 아뢰었다.'"

이것을 근거해보면, 두 당의 다툼이 고종이 남쪽으로 강을 건너온 뒤에도 끝나지 않았음을 알 수 있다.

······

204 호정 덕휘(胡珵德輝) : 송나라 사람 호정으로 덕휘는 자이다. 구산(龜山) 양시(楊時)와 유안세(劉安世)에게 수학하였으며, 진회(秦檜)가 금나라와 화의(和議)를 주장할 때 주자의 아버지인 주송(朱松)과 함께 이에 반대하는 상소문을 올렸다. 저서로 《창오집(蒼梧集)》이 있으며, 《송원학안(宋元學案)》에 보인다.

205 원우(元祐)……생각하여 : 원우는 북송 철종(哲宗)의 연호이고, 희령과 원풍은 신종(神宗)의 연호이다. 신종이 희령 2년(1069) 왕안석을 등용하여 신법(新法)을 시행하다가 죽고, 원우 1년(1086) 어린 철종이 즉위하여 선인태후(宣仁太后)가 수렴청정하였는데, 신법을 폐지하고 구법당(舊法黨)의 사마광(司馬光) 등을 등용하였으니, 원우 연간의 당인은 사마광 등의 구법당을 가리키고 희령·원풍 연간의 당인은 왕안석의 신법당을 가리킨다. 그 후 다시 신법당인 장돈(章惇)·채경(蔡京) 등이 등용되어 송나라를 멸망의 길로 빠뜨렸다.

108. 한유韓愈와 구양수歐陽脩 비지문碑誌文의 특징

해설 | 한유와 구양수의 비문에 대해 평가한 글이다. 두 분은 모두 비문으로 유명하다. 앞에서 말한 바와 같이 모곤(茅坤)은 《당송팔대가문초》에서 한유의 비지문은 기굴 험흘(奇崛險詰)이 많다 하여 구양수의 비지가 더 나은 것으로 평하였다. 그러나 농암은 《서경》과 《춘추좌전》의 서사법(敍事法)을 배운 한유의 금석문(金石文)이야말로 천고의 제일이라고 높이 평가한 바 있다.

韓碑는 多直敍하고 歐碑는 多錯綜하니 韓體謹嚴호되 其奇在於句字陶鑄하고 歐語雅馴호되 其奇在於篇章變化하니라

한공(韓公)의 비문은 직설적인 서술이 많고 구양공(歐陽公)의 비문은 착종하여 서술한 것이 많다. 한공은 문체가 근엄한데 그 기이함이 자구를 도야함에 있고, 구양공은 언어가 고아한데 그 기이함이 편장(篇章)의 변화에 있다.

109. 한유의 격식과
       구양수의 격조

해설 | 한유와 구양수의 산문 전체에 대해 비평한 글이다. 비록 열두 자에 그치지만 두 분 문장의 특징을 잘 표현하였다.

韓은 格正而力大하고 歐는 調逸而機圓이라

한공은 격식이 바르고 역량이 크며, 구양공은 격조가 빼어나고 천기(天機)가 원숙(圓熟)하다.

110. 한유와 구양수
문장의 내력

해설 | 한유와 구양수 필법의 근본이 되는 책을 밝힌 글이다. 두 분이 근본으로 삼고 요지를 터득한 책이 달랐기 때문에 글의 특징도 다른 것이다.

韓本《尙書》、《左氏》之法하고 歐得《風》、《騷》, 太史之旨하니라

한공은 《상서》, 《춘추좌전》의 문장에 근본하였고, 구양공은 《시경》의 〈국풍(國風)〉,《초사(楚辭)》의 〈이소경(離騷經)〉, 태사공(사마천) 《사기》의 요지를 터득하였다.

111. 한유와 구양수를 닮은 왕안석

해설 | 왕안석의 비문에 대해 평한 글로, 체제는 구양수에 가깝고 말(문장)은 한유와 유사하다 하였다.

王碑는 體多近歐하고 語時類韓이라

왕안석(王安石)의 비문은, 체재는 대부분 구양공에 가깝고 언어(문장)는 때때로 한공과 비슷하다.

112. 고문을 거짓으로 베낀
명나라의 의고문擬古文

해설 | 이 역시 명나라의 의고문파에 대해 비판한 글이다. 명나라의 왕세정과
이반룡의 무리는 모두 고문을 표절하였으니, 문장의 가짜라고 질책하였다.

天下事須先辨眞贗, 虛實而後에 可論工拙, 精粗니 文章亦然이라 如大
明王, 李輩는 力爲古文하여 蹈藉唐, 宋하니 驟視之하면 非不高奇로되 而
徐而繹之하면 皆假竊形似之言耳니 此乃文之贗者也니라

천하의 일은 모름지기 먼저 진(眞)·위(僞)와 허(虛)·실(實)을 가린 뒤에
공(工)·졸(拙)과 정(精)·추(粗)를 논할 수 있으니, 문장 또한 그러하다. 예
컨대 명나라의 왕세정(王世貞), 이반룡(李攀龍) 등은 힘써 고문(古文)을 지으
려 하여 당(唐), 송(宋)의 문장을 깔고 뭉개었으니, 언뜻 보면 고상하고 걸
출하지 않은 것이 아니다. 그러나 찬찬히 뜯어보면 모두 표절하여 형체만
비슷한 글일 뿐이니, 이는 바로 문장의 가짜인 것이다.

113. 고인古人의 구절을 베끼지 않은 한유

해설 | 한유의 문장은 남이 써먹은 진부한 말을 되도록 쓰지 않았음을 밝히고, 명나라의 이반룡과 왕세정은 오로지 고인의 글귀만을 취하여 편마다 중복하여 썼으므로 보이는 것마다 진부하다고 비판하였다.

退之爲文에 務去陳言하니 陳言은 非專指俗下庸常語也요 凡經古人所已道者도 皆是라 如《左》、《國》, 班、馬之文은 雖則瑰奇나 一或襲用이면 皆陳言耳라 今讀韓集하면 累百篇에 無一語襲用古人成句하니 如《平淮西碑》는 專法《尙書》로되 而無一《尙書》中語하고 《董晉行狀》은 規模《左傳》이로되 而無一《左傳》中語하고 《張中丞傳後敍》는 酷類馬史로되 而無一馬史中語하니 眞卓識也라 明文에 如李于鱗는 專取古人句字하여 屬綴成文하니 其陋甚矣라 元美亦嘗議此病이로되 而觀其自爲하면 亦不免此하여 碑誌敍事에 類皆襲用馬, 班句語하여 篇篇複出하여 入眼皆陳이라 凡退之之所務去를 方且極力爲之하고 而自謂高出唐, 宋은 何也오

한퇴지(韓退之, 한유)는 문장을 지을 적에 되도록 진부한 말을 제거하였는데, 진부한 말이란 오로지 세속의 평범한 말만을 가리킨 것이 아니요, 무릇 옛사람이 이미 말한 것도 모두 이에 해당한다. 예컨대 《춘추좌전》

과 《국어(國語)》, 반고(班固)의 《한서》와 사마천(司馬遷)의 《사기》는 문장이 비록 아름답고 기이하지만 한 번이라도 혹 그대로 답습하여 사용한다면 모두 진부한 말이 될 뿐이다. 지금 한퇴지의 문집을 읽어보면 문집에 실린 수백 편 가운데 한 마디도 옛사람의 성구(成句)를 그대로 답습하여 쓴 것이 없다. 예컨대 〈평회서비(平淮西碑)〉는 오로지 《상서》를 본받았으나 《상서》의 말이 한 마디도 없고, 동진(董晉)의 행장(行狀)[206]은 《춘추좌전》을 모범으로 삼았으나 《춘추좌전》의 말이 한 마디도 없고, 〈장중승전 후서(張中丞傳後序)〉는 사마천의 《사기》와 매우 비슷하지만 《사기》의 말이 한 마디도 없으니, 참으로 뛰어난 식견이다.

명나라의 문장가 중에 이우린(李于鱗, 이반룡) 같은 사람은 오로지 옛사람의 성구(成句)를 취하여 엮어서 문장을 지었으니, 참으로 비루하다. 원미(元美, 왕세정)도 일찍이 이러한 병통을 비판하였으나 자신이 지은 글을 보면 그 또한 이러한 병통을 면치 못하였다. 그리하여 비문에 일을 서술한 것이 모두 《사기》와 《한서》의 어구를 그대로 답습해서 편마다 중복되어 나와서 눈에 보이는 것마다 모두 진부하다. 한퇴지가 힘써 제거한 것을 자신은 있는 힘을 다해 그대로 지으면서 스스로 당, 송의 문장보다 훨씬 높다고 말한 것은 어째서인가.

• • • • • •

206 동진(董晉)의 행장(行狀) : 동진은 당나라의 재상으로 자는 혼성(混成)이다. 한유는 29세 때인 정원(貞元) 12년(796)에 변주 절도사(汴州節度使) 동진의 부름을 받고 가서 관찰추관(觀察推官)이 되었다. 동진의 행장은 원래 제목이 〈증태부 동공 행장(贈太傅董公行狀)〉으로 《당송팔대가문초》 권16에 실려 있다.

114. 구법당의 기대를 모은
형거실邢居實

해설 | 형거실의 문장과 인품이 높음을 말하고, 그를 기대하고 인정하는 마음을 표현했던 황정견의 시를 소개하였다. 앞에서도 보이지만 형거실은 신법당의 소인으로 알려진 형서(邢恕)의 아들이었으나 당시 명현들을 사사하고 종유하였는데, 일찍 요절하였다.

邢敦夫는 不獨文譽高一時요 其人物도 亦大爲諸公所重이라 魯直嘗有
十絕하여 歷述元祐諸公事하니 其一云 "魯中狂士邢尙書 本意扶日上天
衢라 敦夫若在鐫此老런들 不令平地生崎嶇"라하니 其期許之意를 可知
矣니라【以下는 甲申所錄이라】

형돈부(邢敦夫)[207]는 비단 문장을 잘 한다는 명성이 당대에 높았을 뿐
만 아니라, 그 인물도 제공(諸公)들에게 매우 소중하게 여겨졌다. 황노직
(黃魯直, 황정견)이 일찍이 절구 10수를 지어 원우(元祐) 연간의 제공들의 일

••••••
207 형돈부(邢敦夫) : 형거실(邢居實)로 돈부는 자이다. 사마광(司馬光) 등을 종사
(宗師)로 삼고 황정견 등과 종유하여 아버지인 형서(邢恕)와 달리 명망이 있었는
데, 19세의 젊은 나이로 형서보다 먼저 죽었다.

을 두루 서술하였는데, 그 중 한 수에 이르기를

노 지방의 광사(狂士)인 형 상서[208]는	魯中狂士邢尙書
본래 해를 붙들어 하늘에 올리려 하였네[209]	本意扶日上天衢
돈부가 만약 살아 이 노인을 말렸다면	敦夫若在鐫此老
평지에 험한 산이 생기게 하지 않았으리[210]	不令平地生崎嶇

하였으니, 그에 대해 기대하고 허여한 뜻을 알 수 있다. ─ 이하는 갑신년
(1704, 숙종 30)에 기록한 것이다. ─

• • • • • •

208 노……상서(尙書) : 형 상서는 이부 상서(吏部尙書)를 지낸 형서(邢恕)로, 광사
(狂士) 역시 형서를 가리킨 것이다. 형서는 자가 화숙(和叔)인데 처음에는 명도
(明道) 정호(程顥)를 사사하여 명성이 있었으나 뒤에는 신법당인 채확(蔡確)에
게 아부하여 배사(背師)한 소인으로 알려져 《송사(宋史)》의 간신전(奸臣傳)에 등
재된 인물이다.

209 본래……하였네 : 신종(神宗)이 병들었을 때에 형서가 선인태후(宣仁太后)의 조
카 공회(公儈)와 공기(公紀)를 종용하여 연안군왕(延安郡王)을 태자로 옹립하려
했던 일을 말한다. 이 계획이 수포로 돌아가자 그는 도리어 선인태후를 무고하여
당고(黨錮)의 화를 일으켰는데, 뒤에 이로 인해 파직되었다. 《宋史 卷471 邢恕傳》
연안군왕은 뒤에 철종(哲宗)이 되었다.

210 돈부가……않았으리 : 형거실이 만일 일찍 죽지 않고 형서를 만류했더라면 형서
가 채확에게 아부하여 평지풍파를 일으키지 않았을 것이란 말이다.

115. 노년에도 시력이 좋았던 소식蘇軾과 육유陸游

해설 | 소식과 육유의 시 중에 자신의 시력이 좋음을 읊은 내용을 소개하고, 농암 자신도 시력이 쇠하지 않아 잔글씨의 서책을 보고 있음을 말하였다.

子瞻詩에 "山人若問今何似오하면 猶向燈前作細字"라하고 放翁詩에 "自知賦得窮儒分하여 五十燈前見細書"라하니라 余今年五十四에 衰疾已甚하여 老形皆具로되 獨眼力不減少日하여 燈下尙能讀細字書하니 於二公所云에 自謂近之라 放翁詩尤覺有味로라

소자첨(蘇子瞻, 소식)의 시에 "산중의 사람이 지금 어떻게 지내느냐고 물으면, 여전히 등불 앞에서 잔글씨를 쓴다고 전하라.〔山人若問今何似 猶向燈前作細字〕" 하였고, 육방옹(陸放翁, 육유)의 시에는 "본래 곤궁한 선비의 분수 타고난 줄 아니, 오십의 나이에도 등불 앞에서 잔글씨 보네.〔自知賦得窮儒分 五十燈前見細書〕" 하였다. 나는 올해 쉰네 살로 쇠병(衰病)이 매우 심하여 늙은이의 모습을 모두 갖추었으나 유독 시력만은 젊었을 때보다 덜하지 않아 등불 아래에서 여전히 책의 잔글씨를 읽을 수 있으니, 두 분이 말씀한 바에 스스로 가깝다고 생각한다. 육방옹의 시가 더욱 재미있음을 깨닫겠다.

116. 경절警切을 갖춘
남이성南二星의 시

해설 | 남이성이 유배 갔을 때 이질(姨姪)인 정유악이 과음하지 말라고 당부한 편지의 뒤에 사운시(四韻詩)를 써서 보낸 일을 말하고, 이 시의 내용이 경절함을 칭찬하였다.

南尙書二星이 謫白川時에 鄭維岳貽書하여 言"吾叔今年運氣不佳하니 願勿過飮"이라하니 蓋鄭卽公族姪이요 而解談命故로 以此勸之也라 公不答書하고 只於牘背에 題四韻詩以還之하니 其一聯云 "萬事懶從詹尹卜하니 一生長恨楚臣醒"이라하니 警切可喜라 甲申三月卄三日에 聞諸李養叔이로라

상서(尙書, 판서) 남이성(南二星)²¹¹이 배천(白川)으로 유배 갔을 적에 정유악(鄭維岳)²¹²이 편지를 보내어 말하기를 "숙부님은 올해 운수가 좋지 않

211 남이성(南二星) : 1625~1683. 자는 중휘(仲輝), 호는 의졸(宜拙), 관향은 의령(宜寧)이다. 현감 남식(南烒)의 아들이고 약천(藥泉) 남구만(南九萬)의 숙부이다. 시문에 능하고 벼슬이 예조판서에 이르렀으며, 시호는 장간(章簡)이다.

212 정유악(鄭維岳) : 1632~?. 자는 길보(吉甫), 호는 구계(癯溪), 본관은 온양(溫陽)이다. 남곤(南袞)과 을사사화를 일으킨 정순붕(鄭順朋)의 현손이고, 봉림대군

268 · 조선후기 한문비평 1

으니 과음하지 마시기 바랍니다." 하였다. 정유악은 공의 족질이고 운명
을 점칠 줄 알았기 때문에 이렇게 당부한 것이었다. 공은 답장을 보내지
않고 그가 보낸 척독(尺牘)의 뒷면에 사운시(四韻詩)를 써서 돌려보냈는데,
한 연구(聯句)에 "세상만사 첨윤(詹尹)²¹³의 점괘 따르기 싫으니, 초나라 신
하의 깨어있음²¹⁴을 평생 한하노라.〔萬事懶從詹尹卜 一生長恨楚臣醒〕"
하였으니, 경절(警切)하여 좋아할 만하다. 갑신년 3월 23일에 이양숙(李養
叔)²¹⁵에게서 이 말을 들었노라.

<hr />

　　(鳳林大君)을 따라 청나라에 갔다가 32세의 젊은 나이로 죽임을 당한 정뇌경(鄭
　　雷卿)의 아들이다. 별시 문과에 급제하고 벼슬이 도승지에 이르렀다. 정유악의
　　조모인 서씨(徐氏) 부인과 남이성의 모친인 서씨 부인은 자매간이어서 남이성은
　　정뇌경과 이종(姨從)간이므로 정유악은 남이성의 조카뻘이 되는 것이다. 이의현
　　(李宜顯)의 《도곡집(陶谷集)》〈운양만록(雲陽漫錄)〉에 "정유악은 서인(西人)으로
　　서 갑인년(1674, 현종 15) 이후 남인(南人)에게 붙어서 아첨하였다."라고 비판한
　　내용이 보인다.

213　첨윤(詹尹) : 전국시대 초나라 태복(太卜)인 정첨윤(鄭詹尹)으로 굴원(屈原)이 자
　　신의 운명을 알아보기 위해 찾아갔다고 한다. 《초사(楚辭)》〈복거(卜居)〉에 "마음
　　이 어수선하여 종잡을 수 없기에 태복 정첨윤을 찾아갔다.〔心煩慮煩 不知所從 乃
　　往見太卜鄭詹尹〕"라고 하였다.

214　초나라 신하의 깨어있음 : 초나라 신하는 굴원(屈原)을 가리킨다. 굴원이 충간(忠
　　諫)을 하다가 상강(湘江)가로 쫓겨나 지은 〈어부사(漁父辭)〉에 "세상 사람들은 모두
　　취하였는데 나만 홀로 깨어있네.〔衆人皆醉我獨醒〕"라고 하였으므로 말한 것이다.

215　이양숙(李養叔) : 이이명(李頤命, 1658~1722)으로 양숙은 자이고, 호는 소재(疎
　　齋)이며 관향은 전주이다. 영의정 경여(敬輿)의 손자이고 대사헌 이민적(李敏迪)
　　의 아들로 신임사화에 농암의 형 김창집(金昌集)과 함께 화를 당한 노론사대신
　　(老論四大臣)의 한 사람이며, 농암보다 7세가 적은데 친하게 지냈다.

117. 범준范浚의 〈심잠心箴〉

해설 | 남송의 학자 범준의 〈심잠〉을 주자가 자주 칭찬하였음을 듣고, 그 인품에 대해 자세히 알지 못하다가 근래에 《송시초(宋詩鈔)》를 빌려와 그의 시와 간략한 내력을 알게 되었는바, 이를 근거로 그를 범상치 않은 인물이라고 높이 평가하였다.

范蘭溪《心箴》을 朱子亟稱之하고 取載於《孟子集註》하니 每讀之에 恨不詳其人物出處로라 近從玉堂하여 借得《宋詩鈔》하여 觀之하니 范詩亦在其中이라 篇首에 略敍其本末하여 云 "浚은 字茂明이니 婺之蘭江人이라 紹興中에 擧賢良方正하고 昆弟多居膴仕러니 竟以秦檜當國이라하여 抗節不起하여 隱於香溪하니 因稱香溪先生이라 著書明道에 多本於經學"이라하니 據此하면 則其人品이 固不凡矣니라

범난계(范蘭溪)의 〈심잠(心箴)〉을 주자가 자주 칭찬하고 《맹자집주(孟子集註)》에 실었는데,[216] 나는 그 글을 읽을 적마다 늘 그 인물과 출처를 상세

......

216 범난계(范蘭溪)의……실었는데 : 범난계는 범준(范浚)을 가리킨 것으로 그가 난강(蘭江)의 향계(香溪)에 살았으므로 이렇게 칭한 것으로 보인다. 〈심잠(心箴)〉은

히 밝히지 않은 것이 한스러웠다. 근래에 옥당(玉堂, 홍문관)에서 《송시초(宋詩鈔)》를 빌려 보았는데, 범난계의 시도 이 안에 들어 있었다. 편 머리에 그의 본말을 대략 서술하기를 "범준(范浚)은 자가 무명(茂明)이니, 무주(婺州) 난강(蘭江) 사람이다. 소흥(紹興) 연간에 현량방정(賢良方正)으로 천거되었고 형제들이 대부분 고관을 지냈는데, 뒤에 진회(秦檜)[217]가 국정을 담당했다는 이유로 출사하지 않고 꼿꼿한 절개를 지켜 벼슬에 나아가지 않고 향계(香溪)에 은거하니, 이로 인해 향계선생(香溪先生)이라고 불렸다. 글을 지어 도를 밝힐 적에 대체로 경학을 근본으로 하였다." 하였으니, 이를 근거로 보면 그의 인품이 실로 범상하지 않다.

<hr/>

마음을 경계한 글로, 《맹자》〈고자 상(告子上)〉의 15장인 종기대체장(從其大體章) 장하주(章下註)에 보인다.

217 진회(秦檜): 남송(南宋) 고종(高宗) 때의 간신으로 금나라에 의지하여 권력을 잡을 욕심으로 주화(主和)를 내세워 주전파(主戰派)인 악비(岳飛)를 모함해 죽이고 19년 동안 대신의 지위에 있으면서 충신과 명장들을 거의 다 살해하였다.

118. 범준의 〈독양자운전讀揚子雲傳〉

해설 | 범준이 《한서》의 〈양웅전(揚雄傳)〉을 읽고 그를 비판하여 지은 시를 소
개하고, 왕안석(王安石)과 증공(曾鞏)이 양웅을 두둔한 일을 들어 두 사람의 소
견이 범준에게 크게 미치지 못함을 논하였다.

范集에 有《讀揚子雲傳》詩하니 云 "蠅聲紫色欺昏童하니 義士遠引如冥
鴻이라 胡爲顚眩尙執戟하여 美新屈首稱臣雄고 岷山沃野蹲鴟大하니 拓
落不歸良已過라 近危竟似井眉瓶이요 虛作反騷嗤楚些라 詭情懷祿遭
嘲評하여 但用筆墨垂聲名"이라하니라 朱子以前에 譏斥揚雄이 未有如此
詩之痛切者하니 其視王·曾諸人左袒子雲하여 護掩臣莽之罪하면 所見이
遠矣니라

범준의 문집에 〈독양자운전(讀揚子雲傳)〉이라는 시[218]가 있으니, 그 시는

• • • • • •
218 〈독양자운전(讀揚子雲傳)〉이라는 시 : 《한서》의 〈양웅전(揚雄傳)〉을 읽고 지은 시
이다. 자운은 전한(前漢) 말기 학자 양웅의 자이다. 양웅은 촉(蜀) 지방 출신으
로 촉 지방에는 토란이 잘 자라 흉년을 견딜 수 있었다. 양웅은 학자로서 높은
명성이 있었으나 당시 한나라의 국통을 빼앗아 신(新)나라를 세운 왕망(王莽)에
게 아부하여 창을 잡은 낭관(郞官)이 되고 〈극진미신론(劇秦美新論)〉이라는 글
을 지어 왕망의 신나라를 찬양하여 후세의 비난을 면치 못하였으며, 주자(朱子)
의 명을 받고 조사연(趙師淵)이 지은 《자치통감강목(資治通鑑綱目)》에도 "왕망의

다음과 같다.

쉬파리 소리와 자줏빛으로 어리석은 아이 기만하니[219]

蠅聲紫色欺昏童

의로운 선비가 높이 나는 기러기처럼 멀리 떠나갔네

義士遠引如冥鴻

어이하여 혼몽해서 창 잡고 낭관(郎官) 벼슬 지내며

胡爲顚眩尙執戟

머리 숙여 신(新)나라를 높이고 신 웅이라고 칭했는가

美新屈首稱臣雄

민산의 기름진 들에 토란이 크게 자랐으니

岷山沃野蹲鴟大

불우해도 돌아가지 않음은 참으로 잘못이었네

拓落不歸良已過

* * * * * *

대부 양웅이 죽었다.〔莽大夫揚雄死〕"라고 써서 비판하였다.

219 쉬파리……기만하니 : 쉬파리 소리는 쉬파리가 날아다니는 소리로, 《시경》〈제풍(齊風) 계명(鷄鳴)〉에 "닭이 이에 울었으니, 조정에 조회하러 온 신하 가득하겠지. 그런데 닭 울음소리가 아니고 쉬파리가 날아다니는 소리였네.〔雞旣鳴矣 朝旣盈矣 匪雞則鳴 蒼蠅之聲〕"라고 보인다. 자줏빛 역시 사이비(似而非)를 가리키는 바, 《맹자》〈진심 하(盡心下)〉에 "비슷하면서 아닌 것(사이비)을 미워하노니……자줏빛을 미워함은 붉은색을 어지럽히기 때문이요, 향원을 미워함은 덕을 어지럽히기 때문이다.〔惡似而非者……惡紫 恐其亂朱也 惡鄕原 恐其亂德也〕"라고 한 공자의 말씀이 보이는데, 이 두 가지는 전한(前漢) 말기 외척(外戚)으로 황실의 쇠약한 틈을 타 공손하고 예절 바른 체하여 정권을 찬탈한 왕망(王莽)을 비유하였다. 왕망은 대사마(大司馬)로 있을 적에 주(周)나라의 주공(周公)으로 자처하고 신(新)나라를 세운 뒤에는 주공의 《주례(周禮)》를 모방하여 주나라 제도를 흉내내다가 큰 혼란에 빠지고 결국 후한(後漢)을 일으킨 광무제(光武帝) 유수(劉秀)에게 죽임을 당하였다. 어리석은 아이는 유자(孺子) 유영(劉嬰)을 가리킨다. 평제(平帝)가 9세의 어린 나이로 즉위하였으나 왕망이 시해하고 2세의 나이 어린 유영을 황태자로 옹립하였으나 또다시 폐위하였다.

위험에 가까움은 우물가의 두레박과 같은데[220]　　　近危竟似井眉瓶

부질없이 〈반이소(反離騷)〉를 지어 굴원(屈原)을 비웃었네[221]

　　　　　　　　　　　　　　　　　　　　虗作反騷嗤楚些

양심 속이고 녹봉에 연연하여 남의 조롱받고　　　詭情懷祿遭嘲評

다만 문필로써 명성을 남겼을 뿐이네　　　　　但用筆墨垂聲名

　주자 이전에는 양웅(揚雄)을 비판한 것이 이 시처럼 통렬한 것이 없었으
니, 왕안석(王安石)과 증공(曾鞏) 등 여러 사람이 양자운을 두둔하여 그가
왕망(王莽)의 신하 노릇한 죄를 비호해 준 것에 비하면 소견이 크게 뛰어
나다.

· · · · · ·

220 위험에……같은데 : 양웅의 〈주잠(酒箴)〉을 인용한 것으로 여기에 "자네(술)는
　　마치 두레박과 같다. 두레박이 있는 곳을 보면 우물가에 있는데, 높이 매달려 있
　　으면서 깊은 물을 앞에 두고 있어 항상 위험을 가까이 하도다.〔子猶瓶矣 觀瓶之居
　　居井之眉 處高臨深 動常近危〕"라고 하였다.

221 반이소(反離騷)를……비웃었네 : 전국시대 말기 초(楚)나라의 충신 굴원이 《이
　　소경(離騷經)》을 지어 자신의 불우한 심정을 서술하고 참언(讒言)을 따르는 왕
　　을 경계하였으나, 왕이 듣지 않자 상강(湘江)에 투신하여 죽었는데, 양웅이 이것
　　을 비판하여 〈반이소〉라는 글을 지어 굴원을 반박하였다.

119. 구양수 〈길주학기吉州學記〉의 두 가지 판본

해설 | 구양수의 문집에 실린 〈길주학기(吉州學記)〉는 두 판본이 있는데, 뒤에 수정하여 만든 석각본(石刻本)은 그 자구와 단락의 선후가 바뀌었다고 말한 다음, 이 기문은 구양수가 문장을 술작함에 있어 구차하지 않았던 하나의 증거라고 제시하였다.

옛날 분들은 문장을 지을 적에 수정을 거듭하였다. 동파 소식의 〈적벽부(赤壁賦)〉 역시 수정한 글이 상자에 가득하였다 한다. 비문을 보아도 비문에 실제 새겨져 있는 글과 문집에 실려 있는 것이 다른 경우를 자주 발견하는바, 이 역시 뒤에 저자가 직접 수정을 하였거나 문집을 발간할 때 친구나 문인 중에 글을 잘 아는 분이 다시 수정하였기 때문인 것으로 알려져 있다. 독자들의 참고를 위해 《구양문충공집(歐陽文忠公集)》에 실려 있는 〈길주학기〉의 두 판본을 뒤에 수록하였다.

歐集에 《吉州學記》有二本하니 不但句字多所增損이요 章段先後도 亦頗 移易이라 一是石本이요 一是昇平時印本이니 而石本은 載《居士集》하고 印本은 載外集이라 石本은 字數頗減하고 文尤簡暢하니 當是後來修改者 라 世言歐公作文에 雖尺牘이라도 亦多追後修改라하니 其不苟於述作이 如此하니 此記亦其一證이라 試將二本하여 比對稱量하면 亦可窺其詳略

去取之意와 料簡刮摩之功이라 周益公序에 "據舊鑑新이면 因悟爲文之
法者"는 正謂是耳니라【以下는 乙酉所錄이라】

구양공(歐陽公)의 문집에 실린 〈길주학기(吉州學記)〉는 두 가지 판본이 있
으니, 비단 자구(字句)에 가감이 많을뿐만 아니라 단락과 장(章)의 선후도
자못 바뀌었다. 하나는 석각본(石刻本)이고 하나는 송나라가 태평할 적에
인쇄한 본이니, 석각본은 《육일거사집(六一居士集)》에 실려 있고, 인쇄본은
그 외집(外集)에 실려 있다. 석각본은 글자 수가 상당히 줄었고 문장이 더
욱 간결하고 통창하니, 당연히 뒤에 개수(改修)한 것이다. 세상에서는 '구
양공은 글을 지을 적에 비록 척독(간찰)이라 할지라도 대부분 뒤에 개수
했다.'라고 말한다. 그가 글을 지음에 구차하지 않음이 이와 같았으니, 이
기문이 또한 하나의 증거이다.

두 개의 판본을 대비(對比)하여 살펴보면, 자세하고 간략하며 자구를
취사선택한 의도와 자세히 헤아리고 윤색한 노력을 엿볼 수 있다. 주익공
(周益公, 주필대(周必大))이 쓴 그의 문집 서(序)에 "옛 글과 새 글을 비교해보
면 글을 짓는 법을 깨닫게 된다."라고 한 것은 바로 이를 두고 한 말이다.
– 이하는 을유년(1705, 숙종 31)에 기록한 것이다. –

《文忠集》卷63 外集13 記〈吉州學記〉

慶曆三年, 天子開天章閣, 召政事之臣八人, 賜之坐, 問治天下其要有幾, 施於今者宜何先, 使書於紙以對. 八人者皆振恐失措, 俯伏頓首, 言此事大, 非愚臣所能及, 惟陛下幸詔臣等, 於是退而具述爲條列. 明年正月, 始詔州郡吏以賞罰勸農桑. 三月, 又詔天下皆立學. 惟三代仁政之本, 始於井田而成於學校. 《記》曰:「國有學, 遂有序, 黨有庠, 家有塾」其極盛之時大備之制也. 凡學, 本於人性, 磨揉遷革, 使趨於善, 至於風俗成而頌聲興. 蓋其功法施之, 各有次第, 其教於人者勤, 而入於人者漸, 勤則不倦, 漸則遲久而深. 夫以不倦之意待遲久而成功者, 三王之用心也. 故其爲法必久而後至太平, 而爲國皆至六七百年而未已, 此其效也. 三代學制甚詳, 而後世罕克以舉, 舉或不知, 而本末不備, 又欲以速, 不待其成而怠, 故學之道常廢而僅存. 惟天子明聖, 深原三代致治之本, 要在富而教之. 故先之農桑, 而繼以學校, 將以衣食饑寒之民而皆知孝慈禮讓. 是以詔書再下, 吏民感悅, 奔走執事者以後爲羞.

其年十月, 吉州之學成. 州卽先夫子廟爲學舍於城西而未備, 今知州事殿中丞李侯寬之至也, 謀與州人遷而大之, 事方上請而詔下, 學遂以成, 李侯治吉, 敏而有方, 其作學也, 吉之士率其私錢一百五十萬以助. 用人之力, 積二萬一千工, 而人不以爲勞; 其良材堅甓之用, 凡二十二萬三千五百, 而人不以爲多. 學有堂筵齋講, 有藏書之閣, 有賓客之位, 有遊息之亭, 嚴嚴翼翼, 壯偉閎耀, 而人不以爲侈. 既成, 而來學者常三百餘人.

子世家於吉, 濫官於朝廷, 進不能讚明天子之盛美, 退不能與諸生揖讓乎其中. 惟幸吉之學教者, 知學本於勤漸遲久而不倦以治, 毋廢慢天子之詔. 使予他日因得歸榮故鄉而謁於學門, 將見吉之士皆道德明秀, 可爲公卿, 過其市而賈者, 不鬻其淫, 適其野而耕者, 不爭壟畝, 入其里閭, 而長幼相孝慈於其家, 行其道途, 而少者扶羸老, 壯者代其負荷於路, 然後樂學之道成. 而得從鄉先生席於衆賓之後, 聽鄉樂之歌, 飮射壺之酒, 以詩頌天子太平之功. 而周覽學舍, 思詠李侯之遺愛, 不亦美哉! 故於其始成也, 刻辭於石, 以立諸其廡.

석각본(수정본)《文忠集》卷39〈吉州學記〉

慶曆三年秋, 天子開天章閣, 召政事之臣八人, 問治天下其要有幾, 施於今者宜何先, 使坐而書以對. 八人者皆震恐失位, 俯伏頓首, 言此非愚臣所能及, 惟陛下所欲爲, 則天下幸甚. 於是詔書屢下, 勸農桑, 責吏課, 擧賢才. 其明年三月, 遂詔天下皆立學, 置學官之員, 然後海隅徼塞四方萬里之外, 莫不皆有學.

嗚呼, 盛矣! 學校, 王政之本也. 古者致治之盛衰, 視其學之興廢.《記》曰:「國有學, 遂有序, 黨有庠, 家有塾.」此三代極盛之時大備之制也. 宋興, 蓋八十有四年, 而天下之學始克大立, 豈非盛美之事, 須其久而後至於大備歟? 是以詔下之日, 臣民喜幸, 而奔走就事者以後爲羞. 其年十月, 吉州之學成. 州舊有夫子廟, 在城之西北, 今知州事李侯寬之至也, 謀與州人遷而大之, 以爲學舍, 事方上請而詔已下, 學遂以成, 李侯治吉, 敏而有方, 其作學也, 吉之士率其私錢一百五十萬以助. 用人之力, 積二萬二千工, 而人不以爲勞; 其良材堅甓之用, 凡二十二萬三千五百, 而人不以爲多; 學有堂筵齋講, 有藏書之閣, 有賓客之位, 有遊息之亭, 嚴嚴翼翼, 壯偉閎耀, 而人不以爲侈. 旣成, 而來學者常三百餘人.

予世家於吉, 而濫官於朝, 進不能讚揚天子之盛美, 退不得與諸生揖讓乎其中. 然予聞敎學之法本於人性, 磨揉遷革, 使趨於善, 其勉於人者勤, 其入於人者漸, 善敎者以不倦之意, 須遲久之功, 至於禮讓興行而風俗純美, 然後爲學之成. 今州縣之吏不得久其職而躬親於敎化也, 故李侯之績及於學之立, 而不及待其成. 惟後之人, 毋廢慢天子之詔而殆以中止, 幸予他日因得歸榮故鄕而謁於學門, 將見吉之士皆道德明秀而可爲公卿, 問於其俗而婚喪飲食皆中禮節, 入於其裏而長幼相孝慈於其家, 行於其郊而少者扶其羸老·壯者代其負荷於道路, 然後樂學之道成. 而得時從先生、耆老, 席於衆賓之後, 聽鄕樂之歌, 飲獻酬之酒, 以詩頌天子太平之功. 而周覽學舍, 思詠李侯之遺愛, 不亦美哉! 故於其始成也, 刻辭於石, 而立諸其廡以俟.

120. 구양수의
〈매성유시집 서梅聖俞詩集序〉

해설 | 구양수의 문집에 실려 있는 〈매성유시집 서〉는 글의 앞뒤가 서로 맞지 않는데, 그 이유가 글의 앞 부분은 매요신(梅堯臣, 매성유)이 살아 있을 때 쓴 것이고 뒷 부분은 죽은 뒤에 쓴 것이기 때문임을 밝힌 글이다. 이는 특별한 경우인바 이것을 간파한 농암의 안목에 깊이 감복한다.

《歐陽公集》에 有《梅聖俞詩集序》하니 詳其語意하면 蓋是聖俞在時作也라 如云"年今五十"이라하고 又云"不知其窮之久而將老"라하니 其非作於聖俞沒後者 明矣라 其末에 乃有後十五年에 聖俞以疾卒之語하니 蓋公初因謝景初所編集하여 爲作序如前이러니 而聖俞沒後에 更爲編定其全稿하고 却就前序하여 添足此數語耳라 前後合爲一篇이 雖屬可疑나 細考하면 要當如此라 又考公與聖俞書云 "詩序를 謹如命附去라 蓋述大手作者之美에 雖爲言이나 不知稱意否"아하니 此亦當指此序也라 偶看歐集이라가 書之하노라

구양공(歐陽公)의 문집에 〈매성유²²²시집 서(梅聖兪詩集序)〉가 있는데, 그 글 뜻을 자세히 살펴보면 아마도 매성유가 살아 있을 적에 지은 것인 듯하다. 예컨대 "나이가 지금 쉰이다." 하고, 또 "그가 오랫동안 곤궁하게 지내며 늙을지를 모른다." 하였으니, 매성유가 죽은 뒤에 지은 것이 아님이 분명하다. 그런데 이 글 끝에 "15년 뒤에 매성유는 병들어 죽었다."는 말이 있다.

아마도 공이 처음에 사경초(謝景初)가 편집한 문집을 바탕으로 앞에서 말한 것처럼 서문을 지었는데, 매성유가 죽은 뒤에 다시 그 모든 원고를 편집하여 정하고 예전에 쓴 서문에다가 이 몇 마디 말을 보탰을 뿐인 듯하다. 전후의 글을 합하여 한 편으로 만든 것이 비록 의심할 만하나 자세히 살펴보면 저간의 사정이 마땅히 이와 같았을 것이다.

그리고 공이 매성유에게 준 편지를 살펴 보면 "시집의 서문을 삼가 명하신대로 부쳐 보냅니다. 대가(大家)의 훌륭한 작품에 대하여 말을 하였습니다만 마음에 드실지 모르겠습니다." 하였으니, 이 또한 이 서문을 가리켜 한 말씀일 것이다. 우연히 구양공의 문집을 보다가 기록하는 바이다.

••••••

222 매성유(梅聖兪) : 송나라 때의 시인 매요신(梅堯臣, 1002~1060)으로, 성유는 자이고 호는 완릉(宛陵)이다. 구양수의 추천으로 중앙의 관리인 국자감 직강(國子監直講)이 되었다. 그리하여 소순흠(蘇舜欽)·구양수 등과 같이 성당(盛唐)의 시를 기본으로 하여 당시 유행하던 서곤체(西崑體)의 섬교(纖巧)한 시풍을 일소하고, 새로운 송시(宋詩)의 개조(開祖)가 되었다. 시집으로 《완릉집(宛陵集)》 60권이 있고, 《손자(孫子)》 13편의 주(註)와 《당재기(唐載記)》 26권도 저작하였다.

121. 문인門人의 이름을 빌려 구양수가 쓴 두 부인의 묘지명

해설 | 구양수의 문집에 그의 두 부인에 대한 묘지명이 실려 있는데, 이는 구양수가 상중에 있었기 때문에 자신의 이름으로 글을 짓지 못하고 제자 두 사람의 이름을 빌린 것이다. 농암은 문장을 통해 이를 간파하고 이 두 묘지명이 매우 훌륭한데도 모곤(茅坤)이 《당송팔대가문초》에 수록하지 않은 이유에 대해 구양수의 작품임을 몰랐기 때문일 것이라고 추측하였다.

歐集에 有徐無黨, 焦千之所作胥, 楊二夫人銘하니 蓋公遭母鄭夫人喪하여 將以二夫人祔葬이로되 以方在制故로 命二門人하여 代爲銘이나 而實公作也니 觀其文辭體制하면 可見이라 二銘皆佳甚이어늘 而茅鹿門不以入於《八大家文鈔》하니 豈未詳其爲公作耶아

구양공의 문집에 서무당(徐無黨)과 초천지(焦千之)가 지은 서씨(胥氏), 양씨(楊氏) 두 부인의 묘지명(墓誌銘)[223]이 실려 있다. 이는 구양공이 모친 정

• • • • • •

223 서무당(徐無黨)과······묘지명(墓誌銘) : 서무당과 초천지(焦千之)는 모두 구양수의 문인이다. 서무당은 문장을 잘하여 구양수로부터 크게 칭찬을 받았는데, 그가 남쪽으로 돌아가는 것을 전송한 서(序)가 《고문진보 후집(古文眞寶後集)》에 실려 있다. 초천지는 자가 백강(伯强)으로, 성품이 강직하고 품행이 방정하였다.

부인(鄭夫人)의 상을 당하여 장차 두 부인을 부장(祔葬)하려고 하였으나, 자신이 상중에 있었기 때문에 두 문인에게 명하여 대신 명(銘)을 짓게 한 것이다. 그러나 실제로는 공이 지은 것이니, 그 문장과 체재를 살펴보면 알 수 있다. 두 명(銘)이 모두 지극히 훌륭한데도 모녹문(茅鹿門)이 《당송 팔대가문초》에 넣지 않았으니, 이는 어쩌면 공의 작품임을 자세히 알지 못해서일 것이다.

●●●●●●

서씨(胥氏) 부인과 양씨(楊氏) 부인은 모두 구양수의 아내인데, 다 일찍 죽었는 바, 아래에 '부장(祔葬)하려 하였'고 말한 것은 구양수의 모친인 정씨(鄭氏) 부인을 고향으로 장례하면서 두 부인의 묘도 이장하여 함께 한 곳에 장례하려 했다는 뜻으로 보인다. 서씨 부인은 서언(胥偃)의 따님으로 천성(天聖) 9년(1031)에 시집 와서 아들 하나를 낳고 17세에 죽었으며, 양씨 부인은 구양수의 두 번째 부인으로 양대아(楊大雅)의 따님인데, 시집 와서 18세에 죽었다. 이때 이 두 부인을 한 곳에 부장하면서 묘지문을 무덤에 같이 묻어야 하는데, 구양수가 모친의 상중이어서 글을 쓰는 것이 혐의스러우므로 두 분 제자의 이름을 빌려 쓴 것이다. 옛날에 거상(居喪) 중에는 글을 짓지 않는 것을 도리로 여겼다.

122. 두보杜甫 시의
소동파 주석은 가짜

해설 | 두보의 시에 대한《소주(蘇註, 소동파의 주석)》가 가짜여서 실제 사실과 부합하지 않는데도《사문유취(事文類聚)》등에서 이것을 인용하고 있음을 비판하고, 우리나라의 이수광(李睟光) 역시 그의 저서《지봉유설》에서 이것을 인용한 실수가 있다고 논하였다.

이 주석은 민중(閩中)의 정앙(鄭昻)이 짓고서 동파의 이름을 가탁한 것인데, 내용이 부실하여 여러 사람들이 이미 비판한바 있다. 그러나 우리나라에서 만든《두시언해(杜詩諺解)》에도 이《소주》를 따라 잘못 해석한 부분이 있다고 한다.

《杜詩蘇註》之贗을 朱子旣明言之하고 而《文獻通考》의 陳氏說과 及皇明楊升菴、錢牧齋集에도 亦有所論矣라 註中所引古人事跡說話는 全是杜撰이니 明者는 只一見에 便自了然하여 初不待考證而知其妄也라 然이나 後來爲類書者 往往不察하고 或反引以爲故實하니 誠可笑也라 余嘗與舍弟輩로 觀《事文類聚》、及他類書所引故實에 有可疑者하면 輒認之하고 曰 此必《杜詩蘇註》語也라하고 就檢之하면 果然하니 蓋其語氣不難辨也라 今見《芝峰類說》에 有云 "杜詩에 '家書抵萬金'이라하니 按梁王筠이 久在沙場이러니 一日에 得家書하고 曰'抵得萬金'이라하니 詩語는 全用

此也"라하다 又云 "'知章騎馬似乘船'이라하니 按晉阮咸醉騎馬欹傾이어

늘 人指而笑曰 '箇老子騎馬如乘船하여 行波浪中'이라하니 蓋用此意"라

하다 又云 "李白詩에 '爲問如何太瘦生고 摠爲從前作詩苦'라하니 按崔浩

愛吟詠이러니 一日病起한대 友人曰 '子非病이요 乃苦詩瘦'라하니 蓋用此

也"라하니라 竊詳此三語는 似皆出蘇註하니 當檢이라 但芝峰引此三語에

皆有按字하니 豈別自有所考耶아 若只見於蘇註면 則不當自爲考證語

如此也니라

《두시(杜詩, 두보의 시)》의 《소주(蘇註, 소동파의 주석)》가 위작(僞作)이라는 것
은 주자(朱子)가 이미 분명히 말씀하였고, 《문헌통고(文獻通考)》의 진씨(陳
氏)의 설과 명나라의 양승암(楊升菴, 양신(楊愼))·전목재(錢牧齋)의 문집에도
논한 것이 있다. 이 주석에 인용한 옛사람의 사적과 말은 전혀 근거가 없
는 것이어서 식견이 있는 사람은 한 번만 보아도 절로 분명해져서 애당초
고증할 것도 없이 그 허망함을 알 수 있다. 그러나 후세에 유서(類書)를 만
드는 자들이 왕왕 자세히 살피지 않고 간혹 도리어 이것을 인용하여 고
실(故實, 고사)로 삼으니, 참으로 가소롭다.

내가 일찍이 아우들과 함께 《사문유취(事文類聚)》와 다른 유서에서 인
용한 고실을 볼 적에 의심스러운 점이 있으면 번번이 이것을 알아차리고,
'이는 필시 《두시》에 대한 《소주》의 말일 것이다.'라고 하였는데 찾아보면
과연 그러하였으니, 그 말투를 분변하기가 어렵지 않았던 것이다.

지금 이수광(李睟光)의 《지봉유설(芝峰類說)》을 보니 "두보의 시에 '집에
서 온 편지 그 값어치가 만금이라네.[家書抵萬金]'라 하였다. 내가(이수광)
살펴보건대, 양(梁)나라 왕균(王筠)이 오랫동안 전쟁터에 있었는데 하루는
집에서 보내온 편지를 받고 '만금을 얻은 것과 같다.'라고 하였는바, 두시
의 말은 전적으로 이 고사를 인용한 것이다."라 하였다. 또 "'하지장(賀知

章)이 술에 취해 말 탄 모습이 마치 배를 탄 것 같네.〔知章騎馬似乘船〕'
라 하였다. 내가 살펴보건대, 진(晉)나라 완함(阮咸)이 취하여 말을 타자 사
람들이 그를 가리켜 웃으며 '저 노인의 말 탄 모습은 마치 배를 타고 파
랑 속을 가는 것 같다.' 하였으니, 시의 말은 이 뜻을 사용한 것이다."라
하였고, 또 이르기를 "이백(李白)의 시에 '어이하여 그리도 야위었는지 물
어보니, 종전에 시 짓느라 괴로워서 그랬다네.〔爲問如何太瘦生 摠爲從
前作詩苦〕'라 하였다. 내가 살펴보건대, 최호(崔浩)가 시를 짓기 좋아하
였는데 어느 날 병이 나자 벗이 이르기를 '그대는 병이 난 게 아니라 괴
롭게 시를 짓다가 야윈 것일세.' 하였으니, 이 고사를 인용한 것이다."라고
하였다.

상고해 보면 이 세 가지 말은 모두《소주》에서 나온 듯하니, 마땅히 검
토해 보아야 한다. 다만 지봉(芝峰, 이수광)이 이 세 가지 말을 인용하면서
모두 '내가 살펴보건대〔按〕'라고 하였으니, 아마도 따로 고찰한 바가 있는
것인가? 만약《소주》만 본 것이라면 이처럼 스스로 고찰했다는 말을 써
서는 안 될 것이다.

123. 《소주蘇註》를 잘못 인용한 《지봉유설芝峯類說》

해설 | 이 역시 《지봉유설》에 《소주》를 잘못 인용한 사례를 지적한 글이다. 《지봉유설》에서는 《운록만초(雲麓漫抄)》를 인용하고 있으나 자신은 이것이 《소주》에서 나온 것이라고 의심했었는데, 뒤에 두보의 시집을 보니, 과연 여기에서 나왔음을 확인했다고 하였다.

강 교수의 평석에 의하면 "농암이 문제 삼고 있는 구절은 《두시》의 〈한별(恨別)〉의 일부이다. 《찬주분류두시(纂註分類杜詩)》에 이 시가 실려 있으나 정작 소주는 없으며, 《지봉유설》에도 이 시를 포함한 해당 부분이 없다. 농암이 어떤 판본을 보았는지, 또 어떤 《두시》 주해를 보았는지 현재로서는 알 수 없다. 다만 《두시상주(杜詩詳註)》 권9에는 이 주석이 실려 있는바, 원 출처는 왕무(王楙)의 《야객총담(野客叢談)》이다. 《운록만초》는 송나라 조언위(趙彦衛)가 지은 것이다." 하였다.

《類說》에 又云 《杜詩》에 憶弟看雲白日眠이라하니 按 《雲麓漫抄》曰 '梁瑄不歸한대 弟璟이 每見東南白雲하고 即立望慘然'이라하니 詩意蓋用此也라하니라 竊詳此語는 亦似出蘇註로되 而今云 《雲麓漫抄》는 豈非漫抄者亦取諸蘇註而不察其爲妄耶아 其輾轉承訛하니 尤可笑也라【後考杜集하니 此語果出蘇註로되 而見 '每望東南雲下'라 《漫抄》蓋本此也로되 芝峯이 見其切於'憶弟看雲'句하고 引之하니 而未知其本屬贋說也니라】

《지봉유설》에 또 "《두시》에 '아우 생각에 구름을 보다가 한낮에 졸고 있네[億弟看雲白日眠]'라 하였다. 내가(이수광) 살펴보건대, 《운록만초(雲麓漫抄)》에 '양선(梁瑄)이 돌아오지 않자 아우 양경(梁璟)이 매번 동남쪽의 흰 구름을 바라보고는 우두커니 서서 서글퍼했다.' 하였으니, 시의 뜻은 아마도 이 고사를 사용한 듯하다."라 하였다.

내가 이 말을 상고해보니, 이 역시 《소주》에서 나온 듯하다. 그런데 지금 《운록만초》에서 보았다고 하였으니, 아마도 《운록만초》의 저자 역시 《소주》를 취해 쓰면서 이것이 허망한 것임을 제대로 살피지 못했던 것이 아니겠는가. 전전하여 잘못을 인습하니, 더욱 가소롭다. - 뒤에 《두시》를 살펴보니, 이 말이 과연 《소주》에 나와 있는데 '언제나 동남쪽의 구름을 바라보면[每見東南雲]'의 아래에 보였다. 《운록만초》는 이에 근본한 것 같은데, 지봉은 이것이 '아우 생각에 구름을 본다'는 구에 간절하다고 보고 인용하였으니, 이것이 본디 위작임을 알지 못했던 것이다. -

124. 기운을 돋우는 한유 문장과 심취하게 만드는 구양수 문장

해설 | 한유와 구양수의 문장에 대한 감상을 적은 글로, 한유의 문장은 사람을 고무시키고 구양수의 문장은 사람을 심취하게 한다고 평하였다.

韓文은 鼓舞하여 讀之하면 使人氣作하고 歐文은 詠歎하여 讀之하면 使人心醉니라【以下는 丁亥所錄이라】

한공(韓公)의 문장은 고무적이어서 읽으면 사람들로 하여금 기운이 솟구쳐 나오게 하고, 구양공(歐陽公)의 문장은 영탄(詠歎)하여 읽으면 사람들로 하여금 심취하게 한다. ─ 이하는 정해년(1707, 숙종 33)에 기록한 것이다. ─

125. 〈국풍國風〉과 〈이소離騷〉를 배운 구양수의 문장

해설 | 구양수의 문장에 대하여 《시경》의 〈국풍〉과 《초사》의 〈이소〉의 맛으로 지었다고 논하고, 반복하여 영탄(詠歎)한 부분을 보면 알 수 있다고 평하였다.

以《國風》、《離騷》之旨로 爲文章은 唯歐公爲然이라 或曰 如《豐樂亭》、《峴山亭記》之類是否아 曰 "近之라 然不獨此也요 他文大抵皆然하니 觀其反復詠歎處하면 卽是"니라

《시경》의 〈국풍(國風)〉과 《초사(楚辭)》의 〈이소(離騷)〉의 맛으로 문장을 지은 것은 오직 구양공(歐陽公)만이 그러하였다. 어떤 사람이 "〈풍락정기(豐樂亭記)〉와 〈현산정기(峴山亭記)〉 같은 작품이 그러합니까?" 하고 묻기에, 내가 대답하기를 "이에 가깝다. 그러나 이뿐만이 아니요 다른 문장도 대체로 모두 그러하니, 그 반복하여 영탄한 부분을 살펴보면 바로 그러하다."라고 하였다.

126. 구양수의
〈현산정기峴山亭記〉

해설 | 구양수가 지은 〈현산정기(峴山亭記)〉에 대한 평이다. 현산정은 원래 진 (晉)나라의 양호(羊祜)를 위해 지은 것인데, 구양수의 기문에서는 두예(杜預)까 지 함께 말하면서 양호에게 중점을 돌렸는바, 이 부분은 한두 구에 지나지 않 지만 큰 힘이 있으며 또 필세의 민첩함이 마치 잠자리가 꼬리를 물에 살짝 찍 는 듯하여(蜻蜓點水) 달라붙거나 엉기는 느낌이 없는 것과 같다고 칭찬하였 다. 잠자리가 꼬리를 물에 찍는 것은 알을 수면에 낳기 위해 살짝살짝 꼬리를 대는 것으로 생동감 넘치는 문장을 표현할 때 쓰는 말이다.

峴山亭은 本爲叔子作이로되 而歐公作記에 却並元凱一滾說去하여 其間 歸重叔子處는 不過一兩句로되 便有一髮引千勻之力하고 而筆勢便捷 活動하여 如蜻蜓點水하여 絶不粘滯라 大都一篇之內에 或開或合하고 一 拈一放하여 皆有意思로되 而不見痕跡하니 非老筆入化면 無以及此니라

현산정(峴山亭)은 본래 숙자(叔子, 양호(羊祜))를 위해 지은 것인데[224] 구양

••••••
224 현산정(峴山亭)은⋯⋯것인데 : 현산정은 진(晉)나라 무제(武帝) 때 양양(襄陽)에
  진주해 있던 양호(羊祜)가 지었던 정자 이름이다. 숙자(叔子)는 양호의 자인바,

공이 기문(記文)을 지으면서[225] 원개(元凱, 두예(杜預))까지 아울러 함께 이야기하며 그 사이에 숙자에게 중점을 둔 곳은 한두 구에 지나지 않지만, 머리털 한 가닥으로 천 균(鈞)의 무게를 끌어당기는 힘이 있고 필세가 민첩하고 활동하여 생동감이 넘치는 것이 마치 잠자리가 꼬리를 물에 찍는 것과 같아 전혀 달라붙거나 엉기는 느낌이 없다. 대체로 한 편 안에 혹은 열었다가 혹은 닫고 혹은 잡아 쥐었다가 혹은 풀어 놓아서 모두 의사가 있으면서도 그 흔적을 볼 수 없으니, 신묘한 경지에 들어간 노련한 문장가의 필력이 아니라면 여기에 미칠 수가 없다.

••••••

도독형주제군사(都督荊州諸軍事)가 되어 오(吳)나라를 정벌할 계책을 올리고 두예(杜預)를 천거하여 자신을 대신하게 하였다. 그가 오나라 장군 육항(陸抗)과 대치했을 적에 신의를 지키고 덕을 쌓아 오나라 사람들도 모두 존경하였다. 그가 죽은 뒤에 백성들이 그 자리에 비를 세우고 세시(歲時)를 따라 제사를 지냈는데, 그 비를 보면 모두 눈물을 흘렸다고 하여 타루비(墮淚碑)라 불렸다. 원개(元凱)는 두예의 자인데, 오나라를 평정하는 데 큰 공을 세웠으며,《춘추좌전》을 애독하고 최초로 이 책에 집해(集解)를 낸 인물이다.

225 구양공이 기문을 지으면서 : 구양공이 지은 기문(記文)은 〈현산정기〉를 가리킨다. 이 글은 희령(熙寧) 3년(1070) 사중휘(史中煇)가 양양(襄陽)의 태수가 되어 정자를 보수하고 구양수에게 부탁하여 지은 기문이다.

127. 바탕이 돈후敦厚하고 논리가 깊은 증공曾鞏의 문장

해설 | 경전 외에 많이 읽을수록 좋은 책으로 《사기》와 《한서》를 꼽고, 그 외엔 한유와 구양수의 글도 수십 번 읽을 만하지는 못하다고 하였다. 그러나 증공의 글은 많이 읽을 만하니, 이는 바탕이 돈후하고 뜻이 깊기 때문이라고 하였다.

본인의 경험에 의하면, 옛 선생님들은 새벽에 일어나면 거의 매일 사서(四書)를 외웠고 삼경(三經)도 격월(隔月)로 외워 순환숙독(循環熟讀)하였다. 우리나라 백곡(柏谷) 김득신(金得臣)은 《사기》를 12만 번 이상 읽은 것으로 유명하며, 농암의 제자인 도곡 이의현은 〈도협총설(陶峽叢說)〉에서 "농암이 《반사(班史, 한서)》를 읽을 것을 권하고 손수 12편의 전(傳)을 뽑아주시어 마침내 정독(精讀)하기를 300번에 이르렀다."라고 밝힌바 있다. 증공의 글에 대한 높은 평가는 주자 역시 그러하였다.

經傳以外에 惟《史》, 《漢》이 尙堪多讀이요 其餘는 雖韓, 歐文이라도 亦不耐數十讀이라 唯曾文이 最耐多讀하니 以其質厚而致深爾일새니라

경전 외에는 오직 《사기》와 《한서》만이 여러 번 읽을 만하고, 그 나머지는 비록 한퇴지와 구양공의 문장이라 해도 수십 번을 읽을 만하지 못

하다. 오직 증남풍(曾南豐)²²⁶의 문장은 여러 번 읽을 만한데, 이는 바탕이
돈후하고 이치가 깊기 때문이다.

• • • • • •

226 증남풍(曾南豐) : 증공(曾鞏)을 가리킨 것인바, 그가 남풍 사람이므로 이렇게 칭
    한 것이다. 송(宋)나라의 문장가로, 자는 자고(子固)이다. 가우(嘉祐) 연간에 진
    사에 급제하여 중서사인(中書舍人)에 발탁되었다. 경술(經術)에 깊고 문장에 뛰
    어났으며, 당송팔대가(唐宋八大家)의 한 사람이다. 저서로 《원풍유고(元豐類稿)》
    가 있다.

128. 서한西漢의 문장에 가까운 증공의 〈전국책서〉와 〈열녀전서〉

해설 | 역시 증공의 글 두 편에 대한 칭찬이다. 증공의 문장은 경학에 근본을 두어 의논이 순정하고 행문이 전아하다고 자주 평하고 있다.

南豐《戰國策序》와《列女傳序》는 議論이 尤極純正하고 行文이 又典雅하여 近西漢하니 最宜多讀이니라

남풍(南豐, 증공)이 지은 〈전국책(戰國策) 서문〉과 〈열녀전(列女傳) 서문〉은 의론이 더더욱 지극히 순정하고 글을 지은 법도(행문)가 또 전아(典雅)하여 서한(西漢, 전한)의 문장에 가까우니, 가장 많이 읽어야 한다.

129. 순경荀卿과 맹자孟子를 닮은
증공과 소식

해설 | 증공과 소식의 문장에 대한 비평이다. 증공의 글은 순경과 유사하고 소식의 글은 맹자와 유사함을 밝히고, 이는 두 사람 모두 재주가 서로 비슷하기 때문이라고 단정하였다.

曾文은 似荀卿하고 蘇文은 似孟子라 蓋荀文은 豊博有委致하고 孟文은 簡直有鋒銳하니 二子之於文에 亦然이라 坡는 固嘗學孟子어니와 而南豐은 不聞其學荀卿하니 要之皆才相近耳니라

증남풍(曾南豊)의 문장은 순경과 비슷하고 소동파(蘇東坡)의 문장은 맹자와 비슷하다. 순경의 문장은 풍부하고 해박하여 위치(委致, 뜻을 자세하게 전달함)가 있고, 맹자의 문장은 간결하고 명료하여 예봉(銳鋒)이 있는데, 증남풍과 소동파 두 사람의 문장도 역시 그러하다. 동파는 일찍이 맹자의 문장을 배웠으나 남풍은 순경의 문장을 배웠다는 말을 듣지 못하였으니, 요컨대 두 분 모두 재주가 서로 비슷하여 그렇게 된 것이다.

130. 학교 설립의 취지를 말한
증공의 〈의황현학기宜黃縣學記〉

해설 | 증공의 〈의황현학기〉에 대한 칭찬으로, 선왕이 학교를 세운 뜻을 잘 설명하여 한 · 당 이래로 일찍이 없었던 식견과 의론임을 밝혔다.

南豐《宜黃縣學記》는 精深周帀하여 其於先王學校之意에 直是說得出하니 漢, 唐以來諸儒는 都無此見識議論하니라

남풍(증공)의 〈의황현학기(宜黃縣學記)〉는 정심(精深)하고 주잡(周帀)하여, 선왕이 학교를 세운 뜻에 대해 곧바로 설명해 내었으니, 한(漢) · 당(唐) 이후의 여러 유자(儒者)들은 모두 이러한 식견과 의론이 없었다.

131. 증공의 〈열녀전서列女傳序〉

해설 | 《시경》의 〈주남(周南)〉에 문왕의 후비인 태사(太姒)의 덕을 칭송한 것에
대해, 증공도 이 〈열녀전 서문〉에서 문왕이 일어날 수 있었던 이유는 오로지
태사(太姒)의 덕망 때문이 아니요, 문왕의 덕화에 힘입은 점이라고 한 의론이
지극히 좋다고 칭찬하였다.

《列女傳序》에 "世皆知文王之所以興이 能得內助하고 而不知其所以然
者 蓋本於文王之躬化"라하니 此義極善하니 從來論者未能及此라 朱子
《詩序辨》中에 旣明著其說하고 而《集傳》周南篇後所論도 亦此意也니라

증남풍의 〈열녀전 서문〉에 "세상에서는 모두 문왕(文王)이 일어나게 된
이유가 내조(內助)를 얻었기 때문이라는 것만 알고 이렇게 된 까닭이 문
왕이 몸소 교화시킨 것에 근본했다는 것은 알지 못한다." 하였다. 이 의
론은 매우 좋으니, 예전에 논하는 자들은 여기에 미치지 못하였다. 주자
가 〈시서변설(詩序辨說)〉에서 이미 이 설을 분명히 드러내었고, 《시경집전
(詩經集傳)》의 〈주남(周南)〉 편 뒤에 논한 것[227]도 이러한 뜻이다.

••••••

227 시서변설(詩序辨說)에서……것 : 〈시서변설〉은 주자가 모장(毛萇) 또는 모형(毛
亨)의 《시서》의 문제점을 논박한 글이다. 《시경》〈주남(周南)〉 소서(小序)에 "관
저(關雎)는 문왕의 후비(后妃, 태사)의 덕이다."라는 구절이 있는데, 이에 대해

...

주자는 "그 시가 비록 태사(太姒)를 오로지 찬미하는 듯하지만, 실제로는 문왕의 덕을 깊이 드러낸 것이다.〔其詩 雖若專美太姒 而實以深見文王之德〕"라고 주석을 달았다. 또 〈주남〉 편 뒤에 붙인 총론에서 "여기에 이르게 된 까닭은 후비의 덕이 진실로 도운 바가 없지 않으나, 아내의 도는 스스로 완성함이 없으니, 그렇다면 또한 어찌 후비가 독차지할 수 있겠는가. 지금 시를 말하는 자가 오로지 후비만을 찬미하고 문왕에게 근본하지 않았으니, 또한 잘못이다.〔夫其所以至此 后妃之德 固不爲無所助矣 然妻道無成 則亦豈得而專之哉 今言詩者 或乃專美后妃 而不本於文王 其亦誤矣〕"라고 하였다. '아내의 도(道)는 스스로 완성함이 없다.〔妻道無成〕'는 것은, 《주역》 〈곤괘(坤卦)〉 육삼효사(六三爻辭)에 "혹 나라의 일에 종사하여 이룸이 없더라도 끝내는 좋아질 것이다.〔或從王事 无成有終〕"라고 한 말과, 〈곤괘(坤卦)〉 문언전(文言傳)에 "음(陰)은 비록 아름다운 덕을 지니고 있더라도, 이를 숨기고 왕의 일에 종사하여 감히 그 일을 자기가 이룬 것처럼 하지 말아야 하니, 이것이 땅의 도이고 아내의 도이고 신하의 도이다.〔陰雖有美 含之以從王事 弗敢成也 地道也 妻道也 臣道也〕"라고 한 말에서 온 것이다. 앞서 거론한 주자의 말에 대해 혹자는 "냉정히 생각하건대 '시서'의 작자 역시 주자가 갖고 있는 남성 중심주의를 부정하는 것은 아니었을 터이다. 주자는 혹 여성을 주체로 생각할 수 있는 작은 가능성조차 깡그리 부정하고 싶었던 것이다."라고 비판하고, 증공의 〈열녀전서〉에 대해서는 "이것은 유교의 남성 중심주의로서는 불쾌한 일이 아닐 수 없으며, 주자는 이에 대해 후비의 내조란 것도 결국은 문왕이 스스로 도덕적 실천자가 되어 표본이 되었기에 가능했다고 말함으로써 남성 중심주의를 재확인했던 것이다."라고 비판하였다. 본인은 유교사상이 남성 중심주의이고 남존여비 사상임을 부정하지 않는다. 다만 이것은 고대 사상에 동서를 막론하고 동일하였다. 불교는 더욱 심하며 유럽도 마찬가지였다. 유교의 기본은 인(仁) 사상이고 일시동인(一視同仁)을 강조하였다. 민족도 신분도 따지지 않는다. 이것이 공자의 사상이다. 본인은 옛날 민족문화추진회 국역연수원에서 수년 동안 《시경》을 강의하였다. 주자의 이 문제에 대해 본인은 다음과 같이 설명하였다. "여기에는 군주(남성의 군주)를 경계하기 위한 의도가 있었을 것이다. 옛날에는 제도상 여군(女君)이 거의 없었으므로, 주자는 군주가 모든 책임을 후비에게 돌리지 못하게 하기 위해 이렇게 말씀했을 것이다. 군주가 만일 나라가 제대로 다스려지지 못하는 것이 태임(太任)과 태사(太姒)와 같은 훌륭한 후비(后妃)가 없어서라고 핑계댄다면 어찌하겠는가. 그리고 수신(修身)·제가(齊家)·치국(治國)·평천하(平天下)의 근본으로 삼기 위해 이렇게 말씀했을 것이다. 옛날 《시경》의 〈주남〉·〈소남〉은 《서경》과 함께 자주 진강(進講)하던 책이다. 주남의 내용이 오직 후비만을 찬미했다면 군주와 무슨 상관이 있겠는가." 유교의 남성 중심주의에 빠져 있는 본인의 이러한 사고가 얼마나 타당한지 모르겠으나, 옛날에 학생들에게 했던 말이 생각나서 한 번 적어 보았다.

132. 정치의 법과 도를 말한
〈전국책서戰國策序〉

해설 | 이 역시 증공이 〈전국책 서문〉에서 주장한 의론을 극구 칭찬한 글이다.

《戰國策序》에 "法者는 所以適變也니 不必盡同이요 道者는 所以立本也니 不可不一"이라하여 說得爲治之義가 極簡當하니 雖聖賢이라도 無以易之니라

〈전국책 서문〉에 "법(法)은 변화에 맞게 하는 것이니 굳이 모두 같을 필요가 없고, 도(道)는 근본을 세우는 것이니 통일되지 않으면 안 된다."라고 하였다. 그리하여 정치하는 뜻을 설명한 것이 지극히 간결하고 합당하니, 비록 성현이라도 이것을 바꿀 수 없다.

133. 소식의 〈정통론正統論〉과
   주자의 〈정통론〉

해설 | 〈정통론〉에 대해서는 소식의 설이 가장 훌륭한바, 주자의 《자치통감강목》에 실려 있는 〈정통론〉의 뜻도 이와 같음을 밝히고, 뒤에 정통론을 논한 자들은 억지로 일을 만든 것일 뿐이라고 비판하였다.

東坡《正統論》은 其說이 最不可易하니 朱先生《綱目》正統이 意正如此라 此意는 本自簡易어늘 後之爲正統說者는 皆推之太過하니 要是强生事耳니라

동파의 〈정통론(正統論)〉은 그 설이 바뀔 수 없으니, 주선생(朱先生, 주자)의 《자치통감강목(資治通鑑綱目)》의 〈정통론〉의 뜻이 참으로 이와 같다. 이 뜻은 본래 간결하고 쉬운데 뒤에 정통론을 설명한 자들은 모두 너무 지나치게 추론하였으니, 요컨대 억지로 일을 만든 것일 뿐이다.

134. 양웅揚雄의 허물을
보지 못한 증공

해설 | 이 글에서는 증공이 양웅을 두둔한 것에 대하여 비판하였다. 농암은 증공의 문장을 높이 평가하면서도 이 의론은 마음에 치우친 바가 있어 정견(正見)에 누가 된 것으로 단정하였다. 앞에서도 본 바 있지만 우리나라 학자들은 대부분 주자의 설을 따라 양웅을 비판하였다. 농암 역시 양웅을 맹자 이후 제일의 인물로 높이 평가한 증공을 좋게 볼 리가 없는 것이다.

南豐與王深甫論揚雄事는 其說이 種種乖舛하니 以彼之識으로 當不至此로되 只爲合下看得揚雄太重하여 以爲孟子後一人이라하여 失身之事宜非其所爲라 故從而爲之辭如此하니 蓋意中纔有所偏이면 便礙却正知見이니라

남풍이 왕심보(王深甫, 왕회(王回))와 함께 양웅(揚雄)의 일을 논한 것 중에 사리에 어긋난 설이 종종 있는데, 그의 식견으로는 마땅히 여기에 이르지 않았어야 했다. 이는 다만 당초에 양웅을 매우 높게 평가하여 맹자 이후 제일의 인물이라고 여겨서, 지조를 잃은 일은 그가 한 일이 아닐 것이라고 생각하였기 때문에 그를 위하여 변명한 말이 이와 같았던 것이다. 마음속에 조금이라도 치우친 바가 있으면 곧 정견(正見)에 장애가 되는 것이다.

135. 한유의 〈송맹동야서送孟東野序〉에 보이는 '물부득기평物不得其平'

해설 | 한유의 문장 가운데 〈송맹동야서〉의 일부를 옛 사람들이 간혹 병통이 있다고 의심한 것에 대한 해명이다. 옛 사람의 글은 세밀히 보아야 하고 함부로 비판할 수 없음을 다시 한 번 깨우쳐주는 글이다.

韓文《送孟東野序》에 '物不得其平'一句는 古人或疑其有病하니 蓋以下文皐、夔、伊、周를 不可謂不平之鳴耳라 不知退之所云不平者는 只是有感觸之謂니 七情之發이 皆是요 非獨悲憂, 怨憤, 感慨, 抑鬱이라야 乃爲不平也니라

퇴지(退之)의 문장인 〈송맹동야서(送孟東野序)〉에 '사물이 화평함을 얻지 못하면(物不得其平)'이란 한 구[228]는 옛 사람들이 간혹 병통이 있다고 의심하였으니, 이는 아래 문장의 고요(皐陶), 기(夔), 이윤(伊尹), 주공(周公)을

------

228 퇴지(退之)의……구 : 조정에서 뜻을 얻지 못하고 율양현 위(溧陽縣尉)가 되어 떠나는 맹교(孟郊)를 위로하기 위해 한유가 쓴 글로 《고문진보 후집》에도 실려 있다. 이 내용과 아래 137, 138 두 조항에 대한 이해를 돕기 위해 〈송맹동야서〉 전문을 뒤에 실었다.

두고 화평함을 얻지 못하여 울었다고 할 수 없기 때문이었다. 그러나 한
퇴지가 '화평함을 얻지 못했다'라고 한 것은 단지 감촉(느낌)이 있으면 말
을 하거나 글을 씀을 말한 것이니, 칠정(七情)이 발하는 것이 모두 이것이
요, 비단 비우(悲憂)와 원분(怨憤), 감개함과 억울함만이 화평하지 못한 것
이 아님을 알지 못한 것이다.

136. 한유〈송맹동야서〉의
'인지어언야人之於言也'와 '기어인야其於人也'

해설 | 이 역시〈송맹동야서〉에 대한 비평으로, 원문을 조목조목 들어 해설하였다.

'人之於言也'와 '其於人也'二句는 驟看之하면 雖相似나 而實則不同하니
上句는 主乎人而言也요 下句는 主乎天而言也라 蓋詳此序하면 首言物
之鳴하고 次言人之鳴하고 次言天之鳴하니 物則只自鳴而已요 人則不惟
自鳴이라 而又能假於物以鳴하니 如八音이 是也며 天則不能自鳴하여 而
只假於物與人以鳴하니 其在物則鳥、雷、蟲、風은 天之所假以鳴四時者
也요 自臯、禹以至翺、籍은 天之所假以鳴於歷代者也라 '人之於言也亦
然'은 言不獨物不得其平則鳴이요 人亦不得其平而後鳴也며 '其於人也
亦然'은 言天不獨於物擇其善鳴者而假之鳴이요 其於人也에 亦擇其善
鳴者而假之鳴也라 詳此하면 則凡下文所列歷代之善鳴者는 皆天之所
假以鳴者耳니 中間에 用數箇天字하여 其意尤明이라 如云'天將以夫子
爲木鐸'이라하고 如云'將天醜其德而莫之顧'라하고 如云'天將和其聲하여
使鳴國家之盛云云'이라하고 而結之以'三子者之命則懸乎天矣'하니 此
皆以天爲主하여 而人特爲其所使니라

'사람이 말(글)에 있어서[人之於言也]'와 '그 (하늘이) 사람에 있어서[其於人也]'의 두 구[229]는 언뜻 보면 비록 서로 비슷하지만 실은 똑같지 않으니, 위 구는 사람을 위주하여 말한 것이고 아래 구는 하늘을 위주하여 말한 것이다.

이 서(序)를 자세히 살펴보면, 처음에는 물건의 울음을 말하고 다음으로는 사람의 울음(또는 울림)을 말하고 그 다음에는 하늘의 울음을 말하였으니, 물건은 스스로 울 뿐이요, 사람은 단지 스스로 울뿐만 아니라 물건을 빌려 울 수도 있으니, 팔음(八音)[230]과 같은 것이 이것이다. 하늘은 스스로 울지 못하여 오직 물건과 사람을 빌려서 우니, 물건에 있어서는 새, 우레, 벌레, 바람은 하늘이 빌려서 사철을 우는 것이고, 고요(皐陶), 우(禹)로부터 이고(李翺), 장적(張籍)까지는 하늘이 빌려 역대(歷代)에 울린 자들이다.

"사람이 말에 있어서도 그러하다.[人之於言也 亦然]"는 것은 단지 물건만 화평함을 얻지 못하면 우는 것이 아니요, 사람도 화평함을 얻지 못한 뒤에 운다는 말이고, "그 사람에 있어서도 그러하다.[其於人也 亦然]"는 것은 하늘이 단지 물건에 대해서만 잘 우는 것을 가려서 그것을 빌려 우는 것이 아니요, 사람에 대해서도 잘 울리는 사람을 가려서 그를 빌려 운다는 말이다.

이를 자세히 살펴보면, 무릇 아래의 글에서 열거한 역대에 잘 울린 사람들은 모두 하늘이 빌려서 운 것임을 알 수 있다. 중간에 몇 개의 '하늘

------

229 사람이……구 : 위 항목에 이어 한유의 〈송맹동야서(送孟東野序)〉에 대해 논한 것이다. 아래 항목도 마찬가지이다.

230 팔음(八音) : 만드는 재료에 따라 나눈 여덟 가지 악기를 말한다. 여덟 악기의 재료는 금(金), 석(石), 사(絲), 죽(竹), 포(匏), 토(土), 혁(革), 목(木)이다.

〔天〕' 자를 사용한 것은 그 뜻이 더욱 분명하다. 예컨대 "하늘이 장차 부자(공자)를 목탁으로 삼을 것이다.〔天將以夫子爲木鐸〕"라 하고, "하늘이 그 덕을 추하게 여겨 돌아보지 않은 것인가?〔將天醜其德 而莫之顧〕"라 하고, "하늘이 장차 그 소리를 화평하게 하여 국가의 성대함을 울리게 할 것인가?〔天將和其聲 使鳴國家之盛〕"라 하고, "세 사람의 운명은 하늘에 달려 있다.〔三子者之命 則懸乎天矣〕"로 끝을 맺었다. 이는 모두 하늘을 주(主)로 삼아 사람은 그저 하늘이 시키는 대로 할 뿐이라는 것이다.

137. 한유 〈송맹동야서〉의 '기불능이문사명夔不能以文辭鳴'

해설 | 이 역시 〈송맹동야서〉에 대한 비평이다. 독자들이 전체의 뜻을 파악할 수 있도록 〈송맹동야서〉의 전문을 뒤에 수록하였다.

'夔不能以文辭鳴'一段은 極好笑라 蓋天則假夔以鳴이어늘 而夔不能自鳴하여 又自假於韶樂以鳴也니 又字·自字를 當著眼이라 此固退之籤弄하여 近戲劇處로되 而益見禹, 皐陶以下鳴者 皆天之所假鳴而非自爲也니라

'기(夔)는 문사로 울리지 못하여[夔不能以文辭鳴]'의 한 단락은 매우 웃을 만한 부분이다. 하늘은 기(夔)를 빌려 우는데 기는 스스로 울지 못하여 또 스스로 소악(韶樂)을 빌려 운 것이니, '우(又)' 자와 '자(自)' 자를 눈여겨 보아야 한다. 이는 실로 한퇴지(韓退之)가 교묘하게 말장난을 하여 희극(戲劇)에 가깝게 한 부분인데, 우(禹)와 고요(皐陶) 이하의 운(울린) 자들은 모두 하늘이 그들을 빌려서 운 것이지 스스로 운 것이 아님을 더욱 잘 나타낸 것이다.

送孟東野序
송맹동야서

大凡<u>物不得其平則鳴</u>하나니 草木之無聲을 風撓之鳴하고 水之無聲을 風
蕩之鳴하니 其躍也는 或激之요 其趨也는 或梗之요 其沸也는 或炙之며
金石之無聲을 或擊之鳴이라 <u>人之於言也</u>에 亦然하여 有不得已者而後
言이라 其歌也有思하고 其哭也有懷하니 凡出乎口而爲聲者는 其皆有弗
平者乎인저 樂也者는 鬱於中而泄於外者也라 擇其善鳴者而假之鳴하니
金, 石, 絲, 竹, 匏, 土, 革, 木八者는 物之善鳴者也라 維天之於時也에
亦然하여 擇其善鳴者而假之鳴이라 是故로 以鳥鳴春하고 以雷鳴夏하고
以蟲鳴秋하고 以風鳴冬하니 四時之相推奪에 其必有不得其平者乎인저

대체로 물건이 그 화평함을 얻지 못하면 우니, 초목(草木)이 소리가 없는
것을 바람이 흔들어 울게 하고, 물이 소리가 없는 것을 바람이 일렁여 울게
하니, 물이 뛰어 오르는 것은 혹 어떤 것이 치기 때문이요, 물이 달려가는
것은 혹 어떤 것이 막기 때문이요, 물이 끓는 것은 혹 불을 때기 때문이며,
금(金)·석(石)이 소리가 없는 것을 혹 쳐서 울리기도 한다. 사람이 말에 있어
서도 그러하여 부득이한 것이 있은 뒤에야 말을 한다. 그 노래함은 생각이
있어서이고 곡함은 슬픈 감회가 있어서이니, 무릇 입에서 나와 소리가 됨은
아마도 모두 화평하지 못함이 있어서일 것이다.

　음악이라는 것은 마음속이 답답한 것을 밖에 펴는 것이다. 그 중에 잘 우
는 것을 골라 빌려 울게 하니, 금(金)·석(石)·사(絲)·죽(竹)·포(匏)·토(土)·혁
(革)·목(木)의 여덟 가지 악기의 재료는 물건 중에 잘 우는 것들이다. 하늘이

사시(四時)에 있어서도 또한 그러하여 잘 우는 것을 골라 그것을 빌려 울게 한다. 그러므로 새로써 봄을 울리고 우레로써 여름을 울리고, 벌레로써 가을을 울리고 바람으로써 겨울을 울리니, 사시가 서로 〈차례를〉 밀어내고 빼앗음에 반드시 화평함을 얻지 못함이 있는가 보다.

其於人也에 亦然하니 人聲之精者爲言이요 文辭之於言에 又其精者也일새 尤擇其善鳴者而假之鳴하니 其在於唐, 虞엔 咎(皐)陶, 禹 其善鳴者也라 而假之以鳴하고 夔는 弗能以文辭鳴일새 又自假於韶以鳴하며 夏之時엔 五子以其歌鳴하고 伊尹은 鳴殷하고 周公은 鳴周하시니 凡載於詩書六藝가 皆鳴之善者也라 周之衰에 孔子之徒鳴之하니 其聲이 大而遠이라 傳日 天將以夫子爲木鐸이라하니 其弗信矣乎아 其末也에 莊周以其荒唐之辭로 鳴於楚하니 楚는 大國也라 其亡也에 以屈原鳴하고 臧孫辰, 孟軻, 荀卿은 以道鳴者也요 楊朱, 墨翟, 管夷吾, 晏嬰, 老聃, 申不害, 韓非, 愼到, 田騈, 鄒衍, 尸佼, 孫武, 張儀, 蘇秦之屬이 皆以其術鳴하며 秦之興에 李斯鳴之하고 漢之時에 司馬遷, 相如, 揚雄이 最其善鳴者也라 其下魏晉氏는 鳴者不及於古나 然亦未嘗絕也라 就其善鳴者라도 其聲이 淸以浮하고 其節이 數以急하며 其辭淫以哀하고 其志弛以肆하며 其爲言也 亂雜而無章하니 將天醜其德하여 莫之顧邪아 何爲乎不鳴其善鳴者也오

사람에 있어서도 또한 그러하니, 사람의 소리 중에 정(精)한 것은 말이 되고, 문장은 말 중에서도 더욱 정한 것이다. 그러기에 더욱 잘 우는 것을 빌려 울리니, 요(堯)·순(舜) 시대에 있어서는 고요(咎陶, 皐陶)와 우(禹)가 잘 우는 자였으므로 이들을 빌려 울었고, 기(夔)는 문장으로 울릴 수가 없었기에 또 스스로 소악(韶樂)을 빌려 울렸으며, 하(夏)나라 때엔 오자(五子)가 노래로써

울렸고, 이윤(伊尹)은 은(殷)나라에서 울렸고, 주공(周公)은 주(周)나라에서 울렸으니, 무릇 시(詩)·서(書)·육예(六藝, 육경)에 실려 있는 것들은 모두 울기를 잘한 것들이다.

주나라가 쇠함에 공자(孔子)의 무리들이 울렸으니, 그 소리가 크고 멀리 퍼졌다. 전《논어(論語)》〈팔일(八佾)〉에 "하늘이 장차 부자(夫子)로써 목탁(木鐸)을 삼을 것이다." 하였으니, 어찌 사실이 아니겠는가. 주나라 말기에 장주(莊周)는 황당한 말로써 초(楚)나라에 울렸으니, 초나라는 대국이므로 초나라가 망할 때에는 굴원(屈原)으로써 울렸다. 장손신(臧孫辰)·맹가(孟軻)·순경(荀卿)은 도(道)로써 울린 자요, 양주(楊朱)·묵적(墨翟)·관이오(管夷吾)·안영(晏嬰)·노담(老聃)·신불해(申不害)·한비(韓非)·신도(愼到)·전변(田騈)·추연(鄒衍)·시교(尸佼)·손무(孫武)·장의(張儀)·소진(蘇秦)의 무리들은 모두 그 학술로 울렸으며, 진(秦)나라가 일어났을 때에는 이사(李斯)가 울렸고, 한(漢)나라가 일어났을 때에는 사마천(司馬遷)·사마상여(司馬相如)·양웅(揚雄)이 가장 울리기를 잘한 자들이다.

그 후로 위(魏)나라와 진(晉)나라는 울린 자들이 옛사람에는 미치지 못하였으나 또한 일찍이 끊이지 않았다. 그러나 가령 그중에 잘 울린 자라도 그 소리가 맑으면서 부화(浮華)하고 곡절이 너무 빨라 급하며 말이 음탕하여 슬프고 뜻이 해이해져 방사하며 말이 난잡하여 법도가 없으니, 아마도 하늘이 그 덕(德)을 추하게 여겨 돌아보지 않아서인가 보다. 어찌하여 울리기를 잘하는 자들을 울리게 하지 않았는가.

唐之有天下에 陳子昂, 蘇源明, 元結, 李白, 杜甫, 李觀이 皆以其所能鳴이라 其存而在下者는 孟郊東野 始以其詩鳴하니 其高出晉, 魏하여 不懈而及於古하고 其他는 浸淫乎漢氏矣요 從吾遊者는 李翶, 張籍이 其尤也니 三子者之鳴이 信善鳴矣라 抑不知天將和其聲하여 而使鳴國家之

盛邪아 抑將窮餓其身하며 思愁其心腸하여 而使自鳴其不幸邪아 三子
者之命則懸乎天矣니 其在上也에 奚以喜며 其在下也에 奚以悲리오 東野
之役於江南也에 有若不懌然者라 故로 吾道其命於天者하여 以解之하노라

　당(唐)나라가 천하를 소유함에 진자앙(陳子昻)·소원명(蘇源明)·원결(元結)
·이백(李白)·두보(杜甫)·이관(李觀)이 모두 자기의 능한 바로써 세상에 울렸
다. 생존하여 아래에 있는 자로는 맹교 동야(孟郊東野)가 비로소 그 시(詩)로
써 울리니, 높이 진(晉)·위(魏) 시대를 뛰어넘어 게을리하지 않아 옛날에 미
치고, 기타의 문장들은 한(漢)나라 때에 무젖어 있으며, 나와 종유하는 자는
이고(李翺)와 장적(張籍)이 뛰어난 자들이다.

　이 세 사람의 울림은 진실로 울리기를 잘한다. 하늘이 장차 그 소리를 온
화하게 하여 국가의 성대함을 울리게 할 것인가. 아니면 그 몸을 곤궁하게
하고 굶주리게 하며 그 마음과 창자를 그립게 하고 근심스럽게 하여 스스
로 자신의 불행함을 울게 할 것인가 알지 못하겠다. 세 사람의 운명은 하늘
에 달려 있으니, 윗자리에 있은들 어찌 기쁠 것이 있으며 아랫자리에 있은
들 어찌 슬플 것이 있겠는가.

　동야가 강남(江南)으로 일하러 갈 적에 기뻐하지 않는 듯한 기색이 있으
므로, 나는 그 운명이 하늘에 달려 있음을 말하여 이를 풀어주노라.

138. 서사의 요체를 갖춘 구양수의 비지문

해설 | 다시 구양수의 문장에 대한 비평이다. 구양수는 명재상 왕단(王旦)의 신도비, 학자 호원(胡瑗)의 묘표, 시인 매요신(梅堯臣)의 묘지명을 쓸 적에 모두 각자의 특징을 들어 간단명료하게 서술하고 다른 일은 생략하였는바, 그 서사함에 요체가 있다고 높이 평가하였다.

歐文에 王文正碑는 專敍相業하고 胡安定表는 專敍師道하고 梅聖俞誌는 專敍詩學하여 他事行은 皆略之하니 其敍事有體要가 如此하니라

구양공(歐陽公)의 문장 가운데 왕 문정(王文正)의 비문[231]은 오로지 정승의 사업만 서술하였고, 호안정(胡安定)[232]의 묘표(墓表)는 오로지 스승의

• • • • • •

231 왕 문정(王文正)의 비문 : 왕 문정공은 송(宋)나라 진종(眞宗) 때 명신 왕단(王旦 957~1017)이다. 이 비문은 《명신비전완염집(名臣碑傳琬琰集)》에도 실려 있으며, 원래 제목은 〈왕문정공단 전덕원로지비(王文正公旦全德元老之碑)〉이다.

232 호안정(胡安定) : 북송의 학자 호원(胡瑗)으로 자는 익지(翼之)인데, 세상에서 안정(安定) 선생이라 칭하였다. 호주 교수(湖州敎授)가 되어 학교 안에 경의재(經義齋)와 치사재(治事齋)를 두어 학생들의 소질과 취향에 따라 경전을 연구하는 반(班)과 사무 처리를 익히는 반을 나누어 인재를 양성하였는바, 이 내용이 《소학》 〈선행(善行)〉에도 실려 있다.

도만 서술하였고, 매성유(梅聖俞)의 묘지(墓誌)는 오로지 시학(詩學)만 서술하여서, 다른 일과 행적은 모두 생략하였으니, 그 일을 서술함에 있어 요체가 있음이 이와 같았다.

139. 구양수가 지은
왕단王旦의 신도비

해설 | 이 역시 구양수가 지은 왕단의 신도비에 대한 비평이다. 왕단이 진사에 급제하고 한림학사가 되기까지의 기간에 대해서 서술한 것이 겨우 200자인데, 정승이 된 이후의 일에 대한 서술은 거의 천여 자에 이름을 밝히고 서술함에 모두 지극한 법칙이 있다고 칭찬하였다.

王文正碑에 自爲進士로 至翰林學士는 所敍僅二百言이요 而其敍入相以後는 幾千餘言이라 中間에 自翰林學士로 歷樞密院하여 爲參知政事處엔 先書其爲人大略하여 以見相品하고 又引錢若水語하여 以證相器하고 又書眞宗與若水問答語하여 以見大用之兆하고 然後에 方書其拜相事하니 此等은 俱有至法하니라

왕 문정(王文正)의 비문은 진사가 된 뒤로부터 한림학사(翰林學士)가 되기까지 그 서술한 것이 겨우 200자에 불과하고, 정승이 된 뒤의 일을 서술한 것은 거의 천여 자에 달한다. 중간에 한림학사가 된 뒤로 추밀원(樞密院)을 거쳐 참지정사(參知政事)가 된 부분에 대해서는 먼저 그 인품의 대략

을 써서 정승에 걸맞은 인품임을 드러내었고, 또 전약수(錢若水)²³³의 말을 인용하여 정승에 걸맞은 기국(器局)이었음을 증명하였고, 또 진종(眞宗)과 전약수가 문답한 말을 써서 크게 등용될 조짐을 드러냈다. 그런 뒤에야 비로소 정승에 제수된 일을 썼으니, 이러한 부분에는 모두 지극한 법칙이 있다.

• • • • • •
233 전약수(錢若水) : 북송의 명신으로 자는 담성(澹成)이고 또 다른 자는 장경(長卿)이다. 급제하여 간의대부(諫議大夫)가 되고 동지추밀원사(同知樞密院事)에 이르렀으며, 시호는 선정(宣靖)이다.

140. 속사비사屬辭比事의 법을 지킨 구양수

해설 | 구양수가 비지문에서 일을 서술할 적에 속사비사의 법을 사용하고 연월의 순서를 따지지 않았음을 밝히고, 그 예로 왕단의 신도비를 들었다.

속사비사는 《춘추》의 가르침으로, 이에 대한 해석이 많지만 일반적으로 '말을 엮고 비슷한 일을 모아서 서술하는 것'으로 해석하는바, 즉 중요한 일과 하찮은 일을 적절히 배열하여 문장을 쓰는 것을 말한다. 구양수의 비문 중 이 신도비와 범중엄의 신도비가 제일 유명한데, 농암은 구양수의 서사법이 대체로 사마천의 《사기》에서 근본하였다고 평하였다.

歐文은 碑誌敍事를 一用屬辭比事之法하고 不但以年月先後爲次序라 如王文正碑는 書拜平章事後에 卽言'其爲相하여 務行古事'云云하고 次言'在相位十餘年'云云하고 而結之以'至今稱爲賢宰相'하여 以總其大槩하며 其下에 又分敍三段하니 其一은 用人薦士요 其一은 簡默能斷이요 其一은 善解主怒하고 辨理人罪니 每段에 各有數事以實之하여 其作相事業이 便了然如指諸掌이라 若如後人敍事에 但用年月爲次하면 則此等事後先錯出하여 無以領其要矣리라 歐公敍事에 大抵本太史公하니 熟觀《史記》諸傳하면 可見其所自來리라

구양공의 문장은 비지문에서 서사한 것이 한결같이 속사비사(屬辭比事)[234]의 방법을 썼고, 단지 연월(年月)의 선후를 순서로 삼지는 않았다. 예를 들어 왕 문정(王文正)의 비문은 그가 평장사(平章事)에 제수된 일을 쓴 뒤에 즉시 "정승이 되어서는 옛 일을 힘써 행하고……"라 하고, 그 다음 "정승의 지위에 있는 10여년 동안……"이라 하고, "지금까지 어진 재상이라고 칭송한다."라고 끝맺어 그 대강을 총괄하였다.

그 아래에 또 세 단락으로 나누어 서술하였으니, 한 단락은 인재를 등용하고 선비를 천거한 것이요, 한 단락은 과묵하면서도 과단성이 있었던 것이요, 한 단락은 임금의 노여움을 잘 풀어주고 남의 죄에 대해 변론해 준 것이다. 매 단락마다 각각 몇 가지 일을 가지고 실증하여, 그가 정승이 되어 펼친 사업이 마치 손바닥을 가리키듯 분명하게 드러났다.

만약 후세 사람들처럼 서사할 적에 다만 연월을 써서 순서로 삼았다면 이러한 일이 선후로 뒤섞여 나와 그 요점을 찾아낼 수가 없었을 것이다.

구양공이 서사한 방법은 대체로 태사공(太史公, 사마천)의 필법을 근본으로 하였으니, 《사기》의 여러 전(傳)을 자세히 읽어보면 그 유래를 알 수 있을 것이다.

· · · · · ·

234 속사비사(屬辭比事) : 원래 《예기》 〈경해(經解)〉의 "속사비사는 《춘추》의 가르침이다.〔屬辭比事 春秋敎也〕"라고 한 말에서 유래하였는바, 곧 문장(글)을 잘 엮고 사건을 비슷한 것끼리 배열함을 이른다.

141. 서사가 착종錯綜 변화하는 구양수의 비지문

해설 | 구양수의 비지문 가운데 두연(杜衍)의 묘지명 등 세 편은 서사한 것이 착종하고 변화하여 자세히 살펴야만 그 이력을 알 수 있음을 밝혔다.

歐文의 杜祁公, 劉原父誌와 丁元珍表는 敍事尤錯綜變化하여 須細繹之라야 方見其履歷次序니라

구양공의 문장 중에 두기공(杜祁公)·유원보(劉原父)의 묘지(墓誌)[235]와 정원진(丁元珍)의 묘표(墓表)[236]는 서사한 것이 더욱 착종(錯綜)하고 변화하여 모름지기 자세히 살펴보아야 그 이력의 차서를 알 수 있다.

••••••

235 두기공(杜祁公)⋯⋯묘지(墓誌) : 두기공은 북송의 명재상으로 기국공(祁國公)에 봉해진 두연(杜衍)을 가리키니, 추밀사(樞密使)가 되어 부필(富弼)·한기(韓琦)·범중엄(范仲淹)과 함께 잘못된 정사를 개혁하였으며, 뒤에 동평장사(同平章事)가 되었고 시호는 정헌(正獻)이다. 그에 대한 묘지의 원래 제목은 〈태자태사치사두기공 묘지명(太子太師致仕杜祁公墓誌銘)〉이다. 유원보(劉原父)는 역시 당시의 명신 유창(劉敞)으로 원보는 그의 자이다. 문장을 잘하였고 《춘추》에 밝았는바, 그에 대한 묘지의 원래 제목은 〈집현원학사 유공 묘지명(集賢院學士劉公墓誌銘)〉이다.

236 정원진(丁元珍)의 묘표(墓表) : 정원진은 정보신(丁寶臣)으로 원진은 그의 자이다. 형 종신(宗臣)과 함께 문명(文名)이 있어 이정(二丁)으로 불리었으며, 형제가 함께 진사에 급제하고 구양수와 친하였다. 묘표의 원래 제목은 〈집현교리 정군 묘표(集賢校理丁君墓表)〉이다.

142. 증공이 지은
이우李迂의 묘지명

해설 | 증공이 지은 이우의 묘지명에 대한 소감이다. 이우는 전국시대 조(趙)
나라 장군 이목의 후손인데, 이목(李牧)의 후손 중에 역대 명장과 명재상이 나
왔음을 소개하고 더욱 기이하다고 평하였다.

李牧子汨이요 汨子左車요 左車十世孫膺이요 其後至唐하여 又有棲筠、
吉甫,德裕하니 見《南豐集》·《李迂墓誌》라 牧은 名將也어늘 而其孫에 又
有左車하니 誠是奇事라 左車는 自爲陳餘畫策하고 韓信師事外엔 更不
見於史어늘 而其後世蕃衍焉奕하여 如元禮, 文饒者 相望而出하니 尤可
奇也니라

이목(李牧)의 아들은 이골(李汨)이고 이골의 아들은 이좌거(李左車)이고
이좌거의 10세손은 이응(李膺)이고, 그 뒤에 당나라에 이르러서 또다시
이서균(李棲筠) · 이길보(李吉甫) · 이덕유(李德裕)가 있었으니, 이러한 내용이
《남풍집(南豐集)》에 실린 〈이우(李迂)의 묘지(墓誌)〉237에 보인다.

· · · · · ·
237 이우(李迂)의 묘지(墓誌) : 이 글의 정식 명칭은 〈시비서성교서랑 이군 묘지명(試
秘書省校書郎李君墓誌銘)〉이다.

이목은 이름난 장수였는데 그의 손자 중에 또 이좌거가 있었으니, 참으로 기이한 일이다.238 이좌거는 스스로 진여(陳餘)를 위하여 계책을 내고 한신(韓信)이 사사(師事)했다는 것 외에는 역사책에 다시 보이지 않는데, 그의 후세가 번창하고 혁혁하여 이원례(李元禮, 이응), 이문요(李文饒, 이덕유)와 같은 이가 연이어 나왔으니, 더욱 기이하다.

••••••

238 이목(李牧)은……일이다 : 이목은 전국시대 조(趙)나라의 명장이었는데 그의 손자인 이좌거(李左車) 역시 병법을 잘하였으므로 이렇게 말한 것이다. 이좌거에 대해서는 별로 알려진 것이 없고 유방(劉邦)의 대장 한신(韓信)이 장이(張耳)와 함께 조(趙)나라의 진여(陳餘)를 공격하기 위해 출동하였는데, 이때 이좌거가 진여를 설득하여 한신의 군대가 쳐들어오는 정형(井陘)이라는 협곡을 차단하면 한신의 군대는 당장 군량이 끊겨 패망할 것이라는 전술을 아뢰었으나, 진여는 그의 계책을 듣지 않고 정공법(正攻法)을 택하였다가 결국 패망하였다. 한신은 첩자를 통하여 이러한 사실을 알아내고 안심하여 조나라를 격파한 다음 이좌거를 모셔다가 스승으로 삼고 그의 계책을 따라 연(燕)·제(齊) 등을 차례로 평정하였는바, 이 내용이 《사기》와 《한서》의 〈회음후열전(淮陰候列傳)〉에 보인다. 회음후는 한신의 봉호이다. 이응(李膺)은 후한(後漢) 환제(桓帝)와 영제(靈帝) 때의 명신이고 이서균(李棲筠)·이길보(李吉甫)·이덕유(李德裕)는 3대가 모두 당나라의 명신인데. 그 중에도 이덕유가 제일 유명하였다.

143. 선학禪學을 좋아한 명나라 말기의 문사들

해설 | 명나라 말기 학자와 문사들이 걸핏하면 선학과 불교의 교리를 논하였지만 한편으로는 주색에 빠졌음을 비판하고, 이러한 폐습이 왕양명으로부터 시작되어 양명좌파에 이르러 더욱 심해졌음을 비판하였다.

明末文士는 開口弄筆에 動談禪理로되 其實은 皆浮浪無根하니 於禪에 亦何嘗有得이리오 今讀《中郞集》하니 一邊說禪談佛하고 一邊耽酒戀色하니 此如屠沽兒誦經하여 直是可笑라 然釋氏本認欲作理라 故로 世之樂放縱而惡(오)拘檢者 皆託此以爲窠窟하니 亦其勢然耳라 明時學者는 自餘姚而流爲旰江一派하여 其說益猖狂하여 無復忌憚이라 所謂儒學者蓋已如此하니 文士는 固不足道也니라【以下는 未詳何年所錄이라】

명나라 말기의 문사(文士)들은 입을 열어 말을 하거나 붓을 놀려 글을 지을 적에 걸핏하면 선(禪)의 이치를 말하였는데 실상은 모두 부랑(浮浪)하여 근거가 없었으니, 선에 대해서인들 어찌 깨달은 것이 있었겠는가. 지금 원굉도(袁宏道)의 《중랑집(中郞集)》을 읽어보면 한편으로는 선을 말하고 불가를 말하면서 한편으로는 술을 탐하고 여색에 연연하였으니, 이는 푸줏간의 백정이 경전을 외는 것과 같아 단지 가소로울 뿐이다. 그러나 석가모니가 본디 인욕(人欲)을 천리(天理)라 하였기 때문에 세상에서 방종함을 좋아하고 검속함을 싫어하는 자들이 모두 그에게 가탁하여 도피하는 소굴로 삼았으니, 이는 형편상 당연한 것이다.

　명나라 때의 학자들 중에 여요(餘姚, 왕양명)에서부터 흘러나와 우강(旴江)의 일파[239]가 되어서는 그 설이 더욱 창광(猖狂)하여 더 이상 기탄이 없었다. 유학자라는 자들이 이와 같았으니, 문사(文士)는 실로 말할 것이 없다. — 이하는 어느 해에 기록한 것인지 자세하지 않다. —

‥‥‥‥

239 우강(旴江)의 일파 : 우강은 나여방(羅汝芳)으로, 그가 우강에서 출생하였기 때문에 이렇게 칭하는데, 호는 근계(近溪)이다. 나여방은 양명좌파(陽明左派)로 왕양명(王陽明)→왕간(王艮)→서파석(徐波石)→안산농(顔山農)→나근계로 이어지는데, 양명좌파 중에서도 양지현성(良知現成)을 주장하는 가장 극단적인 유파에 속한다.

144. 타인의 저작이 뒤섞인
송나라 문집들

해설 | 한 문장이 두 사람의 문집에 잘못 실린 것을 지적한 글이다. 그 실례로
〈삼선생논사록 서〉는 주자의 문집인 《주자대전》에도 기재되어 있고 진량(陳
亮)의 문집인 《용천지(龍川志)》에도 실려 있으며, 이천(伊川) 정이(程頤)가 한유
를 논한 한 단락이 소식의 《동파집》에도 실려 있음을 말하여, 옛사람의 문집
에 다른 사람의 글이 잘못 등재된 경우가 많음을 밝혔다.

《三先生論事錄序》는 載於《朱子大全》이로되 而《陳同甫集》中에 亦有之
라 又《二程全書》에 論韓退之一款이 亦見《東坡集》이라 朱、陳、程、蘇는
其道何翅燕越이리오마는 而文字相混如此하고 後之人이 亦無以辨別하니
以此로 知古人文集에 竄入他文者甚多也로라

〈삼선생논사록서(三先生論事錄序)〉[240] 는 《주자대전(朱子大全)》에 실려 있는

· · · · · ·
240 삼선생논사록서(三先生論事錄序) : 삼선생은 정명도(程明道)·정이천(程伊川)·장
   횡거(張橫渠) 세 선생을 가리킨 것으로, 이 글이 진량(陳亮)의 것이고 주자의 글
   이 아니라는 것에 대해 송나라 왕응린(王應麟)의 《곤학기문(困學紀聞)》에 밝혀
   져 있으며, 《주자전서》에도 제목만 싣고 왕응린의 《곤학기문》에 의거하여 삭제
   했다고 되어 있다. 농암이 "후세 사람들도 변별하지 못하였다." 라고 말씀한 것은

데 진동보(陳同甫, 진량(陳亮))의 문집에도 있고, 또《이정전서(二程全書)》에 실려 있는 한퇴지(한유)에 관해 논한 한 단락이《동파집(東坡集)》에도 보인다. 주자와 진동보, 정자와 소동파는 그 도가 어찌 연(燕)나라와 월(越)나라처럼 크게 다를 뿐이겠는가. 그런데도 그 글이 이처럼 서로 뒤섞여 기재되어 있고 후세 사람들도 변별하지 못하였으니, 이로써 옛사람의 문집에 다른 사람의 글이 잘못 섞여 들어간 경우가 매우 많음을 알 수 있다.

• • • • • •
　《곤학기문》을 미처 보지 못했기 때문인 것으로 추측된다.

145. 〈삼선생논사록서三先生論事錄序〉의 저자

해설 | 윗글에 대한 단정이다. 한유를 논한 항목은 정자의 말씀이고 〈삼선생
논사록서〉는 진량의 서술일 것이라며 아는 자를 기다린다고 하였다. 그러나
이것은 이제 이미 밝혀진 사실이다.

論退之一款은 當是程子語니 固無可疑로되 而《論事錄序》는 則恐出於
同甫하니 聊識(지)之하여 以俟知言者質焉하노라【程子曰 韓愈亦近世豪傑之士니
如《原道》中言語는 雖有疵病云云이라】

　한퇴지에 관하여 논한 한 단락은 정자(程子)의 말씀이니 실로 의심의
여지가 없으나 〈삼선생논사록서〉는 아마도 진동보에게서 나온 듯하다.
애오라지 이것을 기록하여 이치를 아는 자가 질정해 주기를 기다리는 바
이다. — 정자가 말씀하기를 "한유도 근세의 호걸스러운 선비이니, 예컨대 〈원도(原道)〉의
말은 비록 병통이 있기는 하나……" 하였다. —

146. 소식의 〈서초산윤장로벽書焦山綸長老壁〉

해설 | 소식의 시 〈서초산윤장로벽〉의 전고에 대한 이야기이다. 소식의 이 시는 농암이 일찍이 소설에서 본 내용을 읊은 것이었는데, 주를 낸 사람이 시와 관련된 고사의 출전을 밝히지 않은 것을 지적하였다.

"譬如長鬚人이 不以長爲苦러니 一朝에 或人이 問每睡安所措오하여늘 歸
來被上下하니 一夜著無處라 展轉遂達晨하여 意欲盡鑷去"라하니 右東
坡《書焦山綸長老壁》詩也라 嘗見小說호니 宋某人鬚長이러니 仁宗偶問
"卿睡時에 以鬚置被上乎아 置被底乎"아하니 其人不能對라 及歸에 置諸
被上被底나 皆不安하여 遂終夜不眠이라하니 坡蓋用此事어늘 而註欠引
之小說하여 不記何書하니 當更考라【某人은 疑蔡君謨라】

비유하자면 수염을 길게 기른 사람이	譬如長鬚人
긴 수염을 괴롭다고 여기지 않다가	不以長爲苦
하루아침 어떤 사람이 묻기를	一朝或人問
잠잘 때에 수염을 어디에 두느냐기에	每睡安所措
돌아와 이불 위에 두었다 내렸다 하지만	歸來被上下
온밤이 다하도록 마땅히 둘 곳이 없어	一夜著無處
뜬눈으로 새벽까지 뒤척이고는	展轉遂達晨

모두 잘라버리려고 한 일과 같구나　　　　　　　　　意欲盡鑷去

위는 동파(東坡)의 〈서초산윤장로벽(書焦山綸長老壁)〉 시이다. 내가 예전에
일찍이 소설을 보니, 다음과 같은 내용이 있었다.

"송나라의 어떤 사람이 수염이 길었는데, 인종(仁宗)이 우연히 '경(卿)은
잠 잘 적에 수염을 이불 위에 두는가, 이불 속에 두는가?' 하고 물으니,
그 사람은 대답하지 못하였다. 집에 돌아와 이불 위에 두어도 보고 이불
속에 두어도 보았으나 모두 편치 않아 마침내 밤새도록 잠을 이루지 못
하였다."

동파는 아마 이 일을 원용한 것 같은데 주에서 인용한 소설의 이름을
빼놓고 무슨 책인지 기록하지 않았으니,[241] 마땅히 다시 살펴보아야 한
다.─ 그 사람은 의심컨대 채군모(蔡君謨)[242]인 듯하다. ─

••••••
241 동파는……않았으니 : 〈서초산윤장로벽〉의 배경이 되는 고사가 출전이 있을 것
　　인데《동파시집주(東坡詩集註)》등 소식의 시에 대한 주요 주석서에서 출전을 밝
　　혀놓지 않았다는 말이다. 관련 고사는 수염이 아름다워 '미수염(美鬚髥)'으로 불
　　렸던 채군모(蔡君謨, 1012~1067)에 얽힌 일화로, 채군모의 조카뻘되는 인물인
　　채조(蔡絛)가 편찬한《철위산총담(鐵圍山叢談)》권4에 실려 있다. 이 고사는 이
　　후에《천중기(天中記)》,《오잡조(五雜組)》등 여러 책에 인용되었는데, 김창협이
　　본 소설은 어느 책이었는지 자세하지 않다.《철위산총담》은 송대 사료(史料) 필
　　기(筆記) 가운데 중요한 저술로 평가 받는 책으로 총 6권이다. 송나라 태조 건륭
　　(建隆) 연간부터 고종(高宗) 소흥(紹興) 연간까지 약 200년 동안의 조정 장고(朝
　　廷掌故), 역사 사건, 인문 일사(逸事), 시사전고(詩詞典故) 등 다양한 내용이 수
　　록되어 있다.
242 채군모(蔡君謨) : 북송의 정치가, 서예가인 채양(蔡襄)으로 군모는 자이고 시호
　　는 충혜(忠惠)이다. 지간원(知諫院), 직사관(直史館) 등 여러 벼슬을 역임하였고,
　　서예에 능하여 당시 제일인자가 되었다.

발문

새금융사회연구소 이사장 張 日 碩

(해동경사연구소 이사)

　성백효 선생의 역서인 조선 후기 한문학 비평서 2권이 드디어 출간하게 되었다. 이 책은 농암(農巖) 김창협(金昌協)의 《농암잡지(農巖雜識)》 외편(外篇)과 도곡(陶谷) 이의현(李宜顯)의 《운양만록(雲陽漫錄)》·《도협총설(陶峽叢說)》을 각각 역주한 것이다. 농암 김창협은 숙종조의 대학자이고 대문장가로 대제학에 오른 인물이며, 도곡 이의현은 농암의 제자로 역시 영조 초년에 대제학을 지냈고 우의정을 거쳐 영의정에 오른 인물이다.

　본인은 경제계에 종사한 관계로 한문학에는 문외한이나 다름없다. 번역본으로 《논어》와 《맹자》를 한번 훑어보는 정도였다. 그러다가 10년 전 성백효 선생을 모시고 한문공부를 시작하여 그동안 《주역전의(周易傳義)》와 《고문진보(古文眞寶)》 후집(後集)과 전집(前集)의 시(詩) 부분을 학습을 마쳤다.
　한문으로 기록된 동양고전의 깊은 뜻과 진리는 전부가 성현의 격언이라 해도 지나치지 않을 것이다. 특히 인간이 살아가면서 지켜야 할 윤리도덕은 《논어》·《맹자》 등의 유가경전(儒家經典)에만 있는 것이 아니었다. 《주역》의 진리는 무궁무진하며 현인(賢人)의 고문(古文) 역시 주옥같은 문장으로 인간이 나아가야 할 방향을 제시해 주고 있었다.

오랫동안 공직생활을 해 온 필자는 공직자의 기본 자세를 말한 글이 여러 편 실려 있는 《고문진보》 후집 5권의 〈송설존의서(送薛存義序)〉를 소개한다. 이 글은 '유종원(柳宗元)이 영릉(零陵)에 임시 현령으로 있다가 떠나가는 설존의(薛存義)를 전송한 서(序)'이다.

　"지방의 관리가 된 자들의 직책을 그대는 아는가? 이는 백성의 심부름꾼이지, 백성을 부역시키려고 있는 것이 아니다. 농토를 경작하여 생활하는 백성들이 생산량의 10분의 1을 세금으로 내어 관리(수령)를 고용해서 우리 백성들을 공평하게 다스려 달라고 맡긴 것이다. 그런데 지금 고용한 품삯을 받고서 일을 태만히 하는 자가 천하에 널려 있다. 이뿐만 아니라 도둑질까지 한다. 만일 어떤 사람이 자기 집에 한 지아비를 머슴으로 고용하였는데, 그 머슴이 품삯을 받아먹고도 자기 직책을 게을리할뿐만 아니라, 또 이에 더하여 주인의 재화와 기물까지 도둑질한다면 주인은 반드시 크게 노하여 머슴을 내치고 벌을 줄 것이다. 천하의 수령들 중에 이와 같은 자가 매우 많은데, 백성들이 감히 노여워함과 내침을 행하지 못하는 것은 형세(권세)가 똑같지 않기 때문이다. 형세는 비록 똑같지 않으나 진리는 똑같으니, 우리 백성들을 어찌 한단 말인가. 설존의가 영릉의 임시 현령이 된 지가 2년이었다. 일찍 일어나고 밤늦도록 생각하여 몸과 마음을 다해 직무를 수행해서 서로 다투던 자들이 화평해지고 부역이 균등하여 늙고 약한 자들이 속임수를 품거나 갑자기 미워하는 마음이 없으니, 그는 헛되어 품삯(녹봉)을 받아 먹지 않았음이 분명하다. 나는 유배되어 이곳에 와서 몸이 천하고 욕되어 관리의 성적을 고과하여 높여주거나 내치는 일에 참여할 수가 없다. 이에 그가 떠나갈 적에 술과 고기로써 상(賞)을 주고 겸하여 이 글을 지어주는 것이다."

공직자들이 가슴속 깊이 간직해야 할 내용이라고 믿어 의심하지 않는다. 도곡 이의현도 《운양만록》 첫머리에서 "우리 집안은 대대로 청백(淸白)한 가풍(家風)을 지켜왔다. 선친께서는 정승의 지위에 이르렀으나 청빈함을 지켜 가난한 선비와 같으셨다. 외증조고 도촌상국(陶村相國, 정유성)께서는 남들이 알까 하는 청백함을 지키셨는데 선비(先妣, 돌아가신 어머니)께서도 그 규범을 물려받아 삼가 지키시니, 내외가 엄숙하여 집안이 맑은 물처럼 깨끗하였다." 라고 공직자의 자세를 밝히고 있다.

옛날 문장은 문이재도(文以載道)라 하여 인간의 도리와 예의를 밝히는 것을 기본 목적으로 하였다. 홍미를 위주로 하는 지금의 문학과는 차원이 다르다. 그런데 지금 우리 사회는 물질만능주의에 빠져 있어 전통문화와 윤리 도덕을 외면하고 있다. 입으로만 정의(正義)를 부르짖고 실제는 독선과 불의에 빠져 있다. 이것을 바로잡지 않으면 많은 사람들이 행복할 수 있는 국가의 경제성장도 기대하기 어렵다.

이 책이 두루 읽혀지기를 간절히 바라며 이만 적는다.

조선후기 한문비평 1
농암잡지 외편

1판 1쇄 인쇄 | 2020년 10월 27일
1판 1쇄 발행 | 2020년 11월 10일

저자 | 김창협(金昌協)
역자 | 성백효, 성당제, 신상후
감수 | 성백효

디자인 | 씨오디
지류 | 상산페이퍼
인쇄 | 다다프린팅

발행처 | 한국인문고전연구소   발행인 | 조옥임
출판등록 | 2012년 2월 1일(제 406-251002012000027호)
주소 | 경기 파주시 미래로 562(901-1304) 전화 | 02-323-3635 팩스 | 02-6442-3634
이메일 | books@huclassic.com

ISBN | 978-89-97970-67-4 04800
      978-89-97970-66-7 (set)